CW01021915

Yr Odliadur
Newydd

Yr Odliadur Newydd

Roy Stephens

ac

Alan Llwyd

Gomer

Argraffiad cyntaf – 1978
Ail argraffiad – 1986
Trydydd argraffiad – 1991
Pedwerydd argraffiad – 1995
Pumed argraffiad – 2001
Argraffiad newydd – 2008

Cyhoeddwyd yn 2008 gan
Wasg Gomer, Llandysul, Ceredigion SA44 4JL.

ISBN 978 1 84323 903 1

Argraffwyd a rhwymwyd yng Nghymru gan
Wasg Gomer, Llandysul, Ceredigion.

Diolchiadau'r Argraffiad Cyntaf

Gwnaed y detholiad hwn yn ystod gaeaf 1977–78 pan gefais ysgoloriaeth gan Gyngor Celfyddydau Cymru i'm rhyddhau o'm gwaith bob dydd. Dyledwr wyf i Meic Stephens, Cyfarwyddwr Llenyddiaeth y Cyngor, am ei frwdfrydedd o'r cychwyn ac i aelodau'r Cyngor a'i Banel Llenyddiaeth am weld gwerth y syniad.

Diolch i T. A. Owen, Cofrestrydd Coleg y Brifysgol, Aberystwyth, a Syr Goronwy Daniel, Prifathro'r Coleg ac aelod o Barddas, am eu cefnogaeth, ac i Gyngor y Coleg am ddatod y tresi am chwe mis.

Bûm yn dreth ar amynedd a goddefgarwch fy nghyfeillion yn Aberystwyth, cyffredin ac ysgolhaig, lawer tro gyda'm hymholiadau. Diolch iddynt oll am barodrwydd eu cyngor a brwdfrydedd eu diddordeb. Rhaid imi enwi Nesta Wyn Jones, Gwerfyl Pierce Jones ac Elgan Davies o'r Cyngor Llyfrau, Ben Owens, yr Athro Geraint Gruffydd, yr Athro J. E. Caerwyn Williams ac Ifan Moelwyn Hughes. Llafur oes fai'r llyfr hwn heb eu pennau bob piniwn.

Diolch i'r beirdd yng Nghynhadledd Barddas 1977 o dan lywyddiaeth y Prifardd T. Llew Jones, ac ar adegau eraill, am eu hawgrymiadau ynglŷn â ffurf y llyfr.

Yn bennaf oll, diolch i Eric Wyn Jones, Rheolwr yn Labordy Cyfrifiadur Coleg y Brifysgol Bangor, am roi mor hael i mi bob amser o'i wybodaeth a'i allu cwbl *e grege* ym myd cyfrifiaduriaeth.

v

Cyflwyniad i'r Argraffiad Cyntaf

Pan ymddangosodd *Geiriadur y Bardd* (Cynddelw) ym 1874, mae'n debyg mai hwn oedd y Geiriadur Odlau cyntaf erioed yn y Gymraeg, oherwydd yn ei ragair fe ddywed y Golygydd, 'Annwyl Ddarllenydd, Dyma ni wedi dyfod atat ar hyd llwybr na cherddodd troed Cymro mohono erioed o'r blaen, sef mewn Geiriadur Odlyddol. Y mae geiriaduron ar y cynllun yma ers ugeiniau o flynyddoedd gan y Saeson, y Ffrancod a chenhedloedd eraill, ac y mae'n syn . . . fod cenedl y Cymry, yr hon a ystyrir y genedl fwyaf barddonol yn y byd, wedi bod . . . hyd yma, heb un.'

Fe fu mynd mawr ar yr hen *Eiriadur y Bardd*, ac yn ystod y ganrif a aeth heibio ers ei gyhoeddi fe werthodd allan fwy nag un argraffiad. Erbyn hyn mae'n llyfr prin iawn – mor brin ag aur, a dweud y gwir. Fe fûm i yn chwilio am flynyddoedd lawer heb lwyddo i gael copi. Fe gefais i fenthyg un unwaith, a hwnnw mewn cyflwr da, ac fe geisiais gyflawni 'lladrad' trwy ei gadw, yn y gobaith y byddai'r cyfaill a roddodd ei fenthyg i mi yn anghofio'r cwbl amdano! Fe weithiodd y cynllwyn hwnnw am ryw ddwy flynedd, ac yna galwodd y perchennog am ei lyfr.

Ymhen blynyddoedd, a minnau am gyfnod yn olygydd colofn farddol *Y Cymro*, fe fanteisiais ar fy nghyfle i wneud apêl arall am gopi o'r hen Eiriadur. Er mawr syndod i mi, fe ddaeth copi gyda'r post oddi wrth gyfaill o ardal Pwllheli a oedd, yn ôl ei lythyr, yn berchen dau! Copi carpiog iawn, ac ôl hir ddefnydd arno, oedd yr un a gefais i, ond cyfrifaf ef ymysg fy nhrysorau.

Fe fu fy nghyfaill, y Prifardd Dic Jones, hefyd yn hir ar drywydd yr hen *Eiriadur y Bardd*, ac fe fu ef yn ddigon ffodus i gael un ail-law-fel-newydd gan gyfaill iddo. Mynnodd y Prifardd ganu cywydd i ddiolch am y fath rodd:

> Dyheais, edrychais dro,
> A dihoenais amdano;
> Holi a oedd un ail law
> I ewythredd ac athraw.
>
> . . .
>
> Holi 'Griffs' a phlagio rhain
> Yn eu llawnder yn Llundain . . .

Ond y cwbwl yn ofer nes ei gael fel yna – gan gyfaill.

Ond er y dyheu am feddiannu copi o'r hen Eiriadur, rhaid cyfaddef ei fod, wedi cyrraedd ei gant oed, wedi mynd yn bur anaddas ar gyfer ein hoes ni. Yn un peth mae'n llawn o hen eiriau rhyfedd ac ofnadwy – geiriau 'na ŵyr neb amdanynt nawr' a rhai na allant fod o fudd i neb byth mwy – pethau fel 'bidowseb', 'gorfurth', 'pryffwnt' a 'blincwra' ac ugeiniau, onid cannoedd, o eiriau tebyg.

Dyna pam y bu angen mawr am Eiriadur Odlau newydd ers amser maith bellach. Dylem estyn croeso cynnes iawn i'r gyfrol hon oherwydd fe ymddengys fod yna fwy yn ymhél â barddoni yng Nghymru heddiw nag a fu erioed. Dysgir rheolau Cerdd Dafod yn drwyadl yn ein hysgolion uwchradd ni ac fe geir beirdd ifainc iawn yn llwyddo i lunio englynion a chywyddau a champ arnynt.

Fe fydd beirdd mwy profiadol, yn feirdd coleg a beirdd gwlad (ac yn eu mysg y rhai sy'n berchnogion ar yr hen *Eiriadur y Bardd*), yn sicr o groesawu'r Odliadur newydd, gan fod Roy Stephens wedi llunio geirfa gyfoes, fyw ac wedi diddymu'r holl eiriau ansathredig a geid yn yr hen. Yn ogystal fe geir i'r gyfrol Ragymadrodd tra phwysig a chynhwysfawr lle mae'r awdur yn rhoi cyfarwyddiadau syml ynglŷn â'r holl bwyntiau dyrys sy'n debyg o godi – yn ymwneud â'r Iaith a Rheolau Cerdd Dafod.

Dyma gyfrol wirioneddol werthfawr na all nac athro Cymraeg na disgybl na neb sy'n ymwneud â'r 'Pethe' fforddio bod hebddi.

T. Llew Jones

Cyflwyniad i'r Argraffiad Newydd

Aeth deng mlynedd ar hugain heibio er pan gyhoeddwyd *Yr Odliadur*, gwaith gorchestol ac arloesol Roy Stephens. Ymddangosodd yn Eisteddfod Caerdydd, 1978, ac y mae'n briodol fod y fersiwn newydd hwn yn ymddangos ar drothwy Eisteddfod Caerdydd, 2008.

Ffrwyth Dadeni Cynganeddol saithdegau'r ganrif ddiwethaf oedd *Yr Odliadur*. Roedd Roy yng nghanol y berw hwnnw, ac ef oedd Ysgrifennydd cyntaf y Gymdeithas Gerdd Dafod. Daeth *Yr Odliadur* yn llyfr poblogaidd ymhlith y beirdd. Yn wir, daeth yn llyfr enwog, ac roedd enw Roy a'r *Odliadur* yn gyfystyr â'i gilydd.

Y dasg a gefais i gan Bethan Mair a Gwasg Gomer oedd creu fersiwn llawnach, mwy cynhwysfawr o'r *Odliadur*, helaethu'r gwaith ac nid ei ailwampio. Yn wir, nid oedd angen ei ailwampio. 'Ni ddangosir pob gair yn yr iaith' meddai Roy yn ei Ragymadrodd gwreiddiol i'r llyfr, ac ni allaf innau ychwaith honni fod 'pob gair yn yr iaith' yma, ond mae yma dros 5,000 o eiriau newydd. Y nod, yn syml, oedd troi'r gyfrol wreiddiol werthfawr yn un fwy gwerthfawr a mwy cynhwysfawr fyth. Penderfynais o'r cychwyn na fyddwn yn ymyrryd â llyfr Roy mewn unrhyw fodd, o barch iddo, ac oherwydd mai llyfr Roy oedd *Yr Odliadur*, a ffrwyth ei lafur enfawr ef. Dilëais un gair, a oedd yn amlwg yn gam-brint, a chywirais ychydig o bethau, a dyna'r cyfan a wnaed. Cynhwysais fy ngeiriau newydd i ymhlith geiriau Roy, yn y mannau priodol, sef yn ôl trefn yr wyddor.

Ceisiais gynnwys geiriau a allai fod o fudd i'r beirdd, geiriau cydnabyddedig yn yr iaith, a geiriau llafar da. Cynhwysais hefyd rai termau cyfrifiadurol, a rhai bathiadau diweddar, ond rhai yn unig. Ni chynhwysais lawer o eiriau gwyddonol diarffordd. Yr egwyddor yn sylfaenol oedd cynnwys geiriau byw a defnyddiol, gan gynnwys ar yr un pryd rai geiriau newydd ym myd cyfrifiadureg, technoleg a gwyddoniaeth yn gyffredinol.

Hoffwn ddiolch i Bethan Mair am ei hynawsedd a'i chydweithrediad, ac i Wasg Gomer yn gyffredinol, am ymddiried y gwaith o lunio *Yr Odliadur Newydd* imi. Ac yn bennaf oll, hoffwn ddiolch i Roy, am roi imi'r sylfaen, a mwy na sylfaen, i weithio arno, ac am gael ei gwmnïaeth unwaith yn rhagor, wedi'r holl flynyddoedd hyn.

Alan Llwyd

Rhagymadrodd

Ni ddangosir pob gair yn yr iaith; gadawyd allan filoedd o eiriau ansathredig. Y nod syml oedd cynnwys y geiriau sydd â'u hystyron yn hysbys i bob disgybl disgyblaidd. Disgwylir na fydd ar y Prifeirdd, a fydd yn ddigon cyfarwydd â'r geiriau ansathredig i'w defnyddio, angen cymorth yr Odliadur. Nid aethpwyd yn rhy bell i chwilio am eiriau benthyg o'r Saesneg. Gydag odl fel -ics, etc., dangosir un neu ddwy enghraifft yn unig er mwyn tynnu sylw ati ond, wrth gwrs, gellid ychwanegu at y rhain pe dymunid. Gadawyd ychydig ddalennau gwag yn y cefn fel y gall y bardd gadw nodiadau fel cymorth yng nghyfyngder ymryson.

Mae'n dra phwysig nodi mai fel cymorth i edrych drwy'r rhestri yn unig y disgrifir y gair fel *eb* (enw benywaidd), etc. Wrth reswm, gellir defnyddio amryw ansoddeiriau, yn enwedig ansoddeiriau lluosog, fel enwau, er enghraifft trwy gyfeirio at fachgen gwalltgoch fel 'y coch'. Yn yr un modd, gellir defnyddio gair fel 'perthynas' fel gair gwrywaidd pan ddefnyddir ef i gyfeirio at berthynas gwryw o gig a gwaed. Gellir defnyddio berfenwau fel enwau gwrywaidd (heblaw am 'gafael', *be* ac *eb*). Ychydig iawn o eiriau a ddangosir fel *ebg* er bod cannoedd o eiriau yn amrywio eu cenedl yn ôl y dafodiaith. Anelwyd at 'ganol y ffordd' a phrin fod angen nodi y dylai'r bardd ddefnyddio'r hyn sydd yn 'iawn' iddo ef ei hun. Mae rhai geiriau a nodir fel *ebg* yn amrywio eu hystyr yn ôl eu cenedl, e.e. gwaith: y gwaith hwn (= gorchwyl), y waith hon (= achlysur).

Cofier y gellir ynganu 'llyfr' yn 'llyfyr', 'abl' yn 'abal', etc., pan fydd yn gyfyngder. Gellir trin geiriau fel 'dioed' naill ai fel gair deusill normal â'r acen ar y **di** neu fel 'di-oed' gyda'r acen ar yr **oe**. Gellir ffurfio geiriau cyfansawdd yn ddiddiwedd. Gellir ffurfio berfau o enwau, e.e. 'gwiweru', etc. Dangosir geiriau'n cychwyn ag **s** a allai gymryd **y** o'u blaenau fel 'sgrifennu' etc. yn ôl un ffurf yn unig.

Amrywia ynganiad geiriau fel 'gwrandawr' rhwng 'gwrandáwr' (i odli â llawr) a 'gwrandäwr' (i odli â gŵr). Felly hefyd 'troell', 'gwaell', etc., er bod rhai geiriau a fu yn ddeusill wedi sefydlogi bellach yn unsill, e.e. 'teyrn' (o tëyrn).

Rhagwelir mai trwy bori yma ac acw, chwilio am air a chael mwy, y caiff y bardd y budd mwyaf o'r gyfrol.

Y FERF A'I FFURFIAU

Berfau rheolaidd

Dangosir y berfenw (be) yn unig fel rheol, oherwydd y nifer mawr o derfyniadau posibl i bob berf. Dangosir ar wahân bob ffurf anarferol ar y trydydd person unigol modd mynegol, e.e. 'pawr', 'dwg', etc. o dan y label *bf.* Ni ddangosir y ffurf bersonol hon pan ddiweddo ag **-a.** Terfyniadau arferol y berfenw yw:

-o	36%	-od	
-u	33%	-yd	
-i	12.4%	-ain	
-a	4%	-yn	
-an	4%	-ad	5.2%
-au (acennog)	3.2%	-al	
-oi (acennog)	1.1%	-el	
-ed	1%	-ol	

Diweddiadau'r ferf yw (ø = bôn y ferf yn unig):

Modd Mynegol

Presennol	Amherffaith	Gorffennol	Gorberffaith
-af -wn	-wn -em	-ais -asom	-aswn -asem
-i -wch	-it -ech	-aist -asoch	-asit -asech
ø neu -a -ant	-ai -ent	-odd -asant	-asai -asent
Amhers.: -ir	Amhers.: -id	Amhers.: -wyd	Amhers.: -asid

Modd Dibynnol   *Modd Gorchmynnol*

Presennol	Amherffaith
-wyf -om	-wn -em
-ych -och	-it -ech
-o -on	-ai -ent
Amhers.:-er	Amhers.:-id

Modd Gorchmynnol
- -wn
ø neu -a -wch
-ed -ent

Cofier bod y terfyniadau -i, -wch, -ir, -id, -ais, -aist, -ych, yn achosi affeithiad (newid yr **a** i **e**) yn y bonion sy'n cynnwys **a**, e.e. cenir, rhennir, etc. Cofier hefyd fod rhai berfenwau fel 'chwerthin' ac 'aredig' yn arwain at fonion berfol gwahanol (chwardd-, ardd-).

Berfau afreolaidd ac anghyflawn

Dangosir rhediad berfol 'cael' hyd at y terfyniadau anarferol; felly hefyd 'bod', 'canfod', 'cyfarfod', 'darfod', 'gorfod', 'adnabod', 'gwybod', 'cydnabod' a 'mynd', 'dod', 'gwneud'. Cynhwysir ffurfiau'r berfau anghyflawn 'geni', 'dichon', etc.

Ffurfiau cywasgedig

(a) Lle bo bôn y ferf yn diweddu yn -o, e.e. 'paratoi', 'troi', etc., ceir ffurfiau cywasgedig a diweddiadau acennog. Rhedir y berfau 'clof', 'cnof', 'crynhof', 'cyffroaf', 'datglôf', 'deffrôf', 'ffoaf', 'paratôf', 'rhof', 'trof', i ddangos y diweddiadau -of, -oi, -oid, -oir, -ois, -oist, -oit, -oent, -oer, -oes, -oem, -oed, oech, -ont, -own, -owch. Ceir rhestr gyflawn o'r berfau hyn o dan -oi, be.

(b) Lle bo bôn y ferf yn diweddu yn -a, e.e. 'mwynhau', 'parhau', etc. ceir ffurfiau cywasgedig a diweddiadau acennog. Rhedir y berfau 'mwynhaf', 'agosâf' i ddangos y diweddiadau -awn, -ewch, -eir, -ait, -aem, -aech, -aent, -eid, -aer, -ei. Ceir y gweddill o'r berfau hyn o dan -au, be ac y maent yn gorffen yn acennog, heblaw am 'bwytâf'.

(c) Lle bo'r terfyniadau -wn, -wch, yn dod ar ôl -aw, -ew, -yw, yn y bôn, ceir ffurfiau cywasgedig a diweddiadau acennog. Dangosir rhai ffurfiau o dan -awn, -ewch, -ywch. Digwydd hyn gyda 'gadael', 'ymadael', 'clywed', 'rhewi', 'distewi', 'croesawu', 'tewi', 'gwywo', etc.

Am restr gyflawn o ferfau Cymraeg a'u ffurfiau, gweler *Y Llyfr Berfau*, D. Geraint Lewis (Gomer).

RHAI NODIADAU AR YR ODL

Gweler *Cerdd Dafod* Syr John Morris Jones am ymdriniaeth lawn.

PWYSAU'R SILLAFAU

Dywedir bod y sillaf 'llon' yn drom a'r sillaf 'llên' yn ysgafn.

Sillafau acennog (yr unig sill mewn geiriau unsill a'r goben mewn geiriau lluosill)

dwy gytsain ar y diwedd

Ceir sillaf drom pan fo dwy gytsain yn dilyn y llafariad, e.e. 'pant', 'perth', 'gwyllt', 'gwelltyn', 'ffonnod', 'tonnau', 'carreg', 'penty'. Gall yr ail gytsain fod yn **i** neu yn **w** gytseiniol fel yn 'morio', 'marwol', 'tanio', 'fframiau', etc. Yn yr ychydig enghreifftiau berfol lle ceir y cywasgiad o ddwy lafariad i wneud un, noder mai ysgafn yw'r sillaf â tho bach e.e. cânt, trônt, bûm, ŷch. (Sylwer bod y Gogleddwyr yn ynganu'r llafariaid o flaen -llt, -sb, -sg, -st, yn ysgafn mewn geiriau unsill fel 'gwellt', 'trist', 'swllt', 'cost', etc., ond yn drom yn 'cast').

n, r, l ar y diwedd

Mae'r sillaf yn drom yn y geiriau unsill 'llen', 'twr', 'gwyn', etc., ac yn ysgafn yn 'gwên', 'tân', 'clêr', 'twr̂', 'gwŷn', etc. Tarddiad dwbl sydd i'r cytseiniaid yn y sillafau trymion ond yn hytrach na defnyddio dwy **n** neu ddwy **r** i ddangos hynny mewn geiriau unsill, defnyddir to bach i ddangos y sillafau ysgafn. Eithriad i'r rheol hon ydyw 'dyn', sydd â sillaf ysgafn, a rhaid defnyddio dwy **n** yn 'dynn' (o tynnu) i wahaniaethu rhyngddynt. Eithriad arall ydyw 'hen', sydd hefyd yn ysgafn. Gwahaniaethir rhwng sillaf drom a sillaf ysgafn yn y goben drwy ysgrifennu dwy gytsain neu un, e.e. 'tannau', 'tynnu', 'carreg', 'ysgrifennu' (trom); 'gwenau', 'caru', 'penderfynu' (ysgafn). Ni ellir dyblu'r **l** heb ei chymysgu ag **ll** ac felly defnyddir y to bach i ddynodi sillafau ysgafn yn diweddu â'r gytsain hon, e.e. 'pêl', 'mêl', 'môl'. Nid arferir modd i ddangos y gwahaniaeth yn y goben rhwng sillaf drom fel yn 'calon', 'talach', etc. a sillaf ysgafn fel yn 'gwala', 'golau', 'gofalon', etc. Mae mwyafrif sillafau'r goben sy'n diweddu ag **l** yn ysgafn heblaw lle mae'r tarddiad yn amlwg drwm, e.e. 'talach' (o tal), 'bolwst' (o bol), 'colyn' (o col), etc. Mae'r sillafau sy'n cynnwys **u** neu **i** yn ysgafn heblaw am eiriau fel 'swil', 'bil', 'dril', 'pin', 'prin'.

diweddiad digytsain

Mae sillaf yn ysgafn pan nad oes gytsain i ddiweddu'r llafariad, e.e. 'pla', 'lle', 'tro', 'mwynhâ', 'brëyr', 'gwäell', 'eog'.

p, t, c, m, ng

Mae'r sillaf yn drom pan y'i diweddir gan **p**, **t**, **c**, **m**, **ng**, e.e. 'het', 'heng', 'mam', 'llongau', 'capan', etc. Defnyddir to bach i ddynodi'r eithriadau fel 'ffrâm', 'gêm', 'bûm', 'gêmau' (chwaraeon).

b, d, g, f, dd, ff, th, ch, s

Mae'r sillafau yn ysgafn pan y'u diweddir gan **b**, **d**, **g**, **f**, **dd**, **s**, **ff**, **th**, **ch** mewn geiriau unsill, e.e. 'tad', 'haf', 'tyf', 'coch', etc. Ceir eithriadau megis 'os', 'nes' (hyd nes), 'mach', 'hwb', 'twb', 'sad', 'lach', 'nid', 'nad', 'chwaff', 'piff', 'och' (ebychiad). Mae 'heb' yn drom yn y Gogledd ac yn ysgafn yn y De. Mae 'cyff' hefyd gan amlaf yn drom heddiw. Nid er mwyn dangos acen annisgwyl ond er eglurder ystyr y dodir to bach yn 'nâd' (cri), 'ôd' (eira), 'ŷd'.

Yn y goben, fe drymhâ'r pwysau nes ei fod yn ysgafn/ganolig e.e. 'peth' (ysgafn), 'pethau' (canolig). Tuedda'r sillafau sydd yn gorffen ag **s** i fod yn drom, e.e. 'nos' (ysgafn), 'nosi' (drom), ac fe geir amryw eraill yn drom fel 'cadwn', 'tybed', etc.

ll

Amrywia'r pwysau o flaen **ll** mewn unsillafion. Yn aml, ceir sillaf drom yn y Gogledd ('coll', 'cyll', 'sill', 'pell', 'call', etc.) heblaw yn 'oll', 'holl'. Ceir sillaf ysgafn gan amlaf yn y De ('pell', 'coll', 'call', etc.) heblaw am 'gall' (o gallu), 'dull', 'mwll', 'cyll', etc. Yn y goben, ceir sillaf drom bob tro, e.e. 'callach', 'collen', 'pellen', etc.

Sillafau diacen (y sillaf olaf mewn gair lluosill sydd bwysicaf i'r odl). Yr un pwysau sydd i bob sillaf ddiacen heddiw. Mae'n werth sylwi fodd bynnag fod y ddwy **nn** yn 'calonnau' yn awgrymu tarddiad trwm i'r **on** yn 'calon' fel y mae'r un **n** yn 'afonydd' yn awgrymu tarddiad ysgafn i'r **on** yn 'afon'. Er hynny, mae 'afon' a 'calon' yn odli'n berffaith heddiw.

TRWM AC YSGAFN

Fe gyfyd y bai 'trwm ac ysgafn' os ceisir odli sillaf drom â sillaf ysgafn.

Mewn odl

Nid yw sillaf acennog ysgafn yn odli â sillaf acennog drom, h.y. nid odla 'llên' a 'pren', ond fe odla 'hen' a 'llên'. Gall sillaf ddiacen odli â sillaf ddiacen arall neu â sillaf acennog drom **neu** â sillaf acennog ysgafn, e.e.

> odla 'afon' a 'calon', 'afon' a 'llon', 'afon' a 'lôn'.

Rhaid bod yn wyliadwrus ynglŷn â hyn mewn pennill unodl, e.e. englyn unodl union lle mae angen pedair odl yr un fath. Hawdd cwympo i'r bai o geisio odli, dyweder, 'hen' yn y llinell gyntaf, 'cynnen' yn yr ail, 'derwen' yn y drydedd, a 'llen' yn yr olaf. Gan nad yw 'hen' yn odli â 'llen', byddai'r pennill yn wallus.

Mewn cynghanedd lusg

Mewn cynghanedd lusg, rhaid i'r gair a ddiwedda ran gyntaf y llinell odli â goben y gair olaf, e.e.

> coed mihang**el** yn f**el**yn.

Os yw'r goben yn y gair olaf yn drom, e.e. 'h**o**nno', 'rh**a**ca', 'm**o**rio', gellir ei hateb gan sillaf drom neu gan un ddiacen yn y rhan gyntaf, e.e.

> geneth l**on** ydyw h**onn**o
> coes l**ac** ar y rh**ac**a
> i wlad dram**or** yn m**or**io

ond goddefir hefyd y llinell

> ar y m**ôr** af i f**or**io

er bod yr odl gyntaf yn ysgafn a'r ail yn drom gan mai tarddiad ysgafn sydd i'r goben yn 'morio'. Byddai

> ar y lôn gwelais honno

yn enghraifft o'r bai 'trwm ac ysgafn' gan mai cynhenid drom yw 'honno' a chynhenid ysgafn yw 'lôn'. Os yw'r goben yn y gair olaf yn ysgafn neu'n ysgafn/ganolig (o sillaf gynhenid ysgafn), e.e. 'gwenu', 'heno', 'gofalus', 'beddau', 'achau', rhaid cael naill ai sillaf ysgafn neu sillaf ddiacen yn yr odl gyntaf, e.e.

> dyn y bâl sy'n ofalus
> fe ddaw'r heulwen i wenu
> yn gorwedd yn eu beddau
> yr eneth hoff a hoffais
> y mae hedd yn y beddau.

Gwelir bod yr **edd** yn 'beddau', er yn ganolig, yn gynhenid ysgafn yr un fath â 'hedd'. Byddai'r llinellau

> y dyn tal sy'n ofalus
> mae ar ben arnaf heno

yn enghreifftiau o'r bai 'trwm ac ysgafn'.

Yr egwyddor a lywiai linellau'r beirdd oedd pwysau cynhenid y sillaf. Yn draddodiadol, dim ond sillafau'n diweddu â **n**, **r**, neu **l** a fyddai â phwysau gwahanol – trwm neu ysgafn – a dim ond gyda'r achosion hynny y byddai'n bosibl i'r bai 'trwm ac ysgafn' godi. Byddai pob cytsain arall yn sengl neu'n ddwbl wrth natur ac yn rhoi sillaf ysgafn neu drom. Ond, gyda geiriau fel 'ffrâm', 'stêc', 'fflach', etc., fe geir pwysau anarferol gyda rhai cytseiniaid. Felly, o ddefnyddio'r geiriau hynny, gall y bai 'trwm ac ysgafn' godi ei ben â chytseiniaid heblaw **n**, **r**, **l**, e.e. y mae'r canlynol yn syrthio i'r bai:

> golau'r fflach ar y sachau

ond gellir dadlau dros y llinell

> a stêc na bu ei thecach

ar y tir mai cynhenid ysgafn yw'r **ec** yn 'tecach' o'r gair 'teg'.

YR ODL MEWN CYNGHANEDD LUSG

Rhaid ateb pob cytsain (gan gynnwys **w** gytseiniol) ar ddiwedd y gair cyntaf gan y cytseiniaid yn y goben, felly,

> pan ddêl y Pasg i'r glasgoed
> dyn marw a allai f'arwain

Nid rhaid, fodd bynnag, ateb pob cytsain yn y goben â'r cytseiniaid yn yr odl gyntaf, e.e. gellir

> tristach weithia**n** bob ca**n**tref
> mawr fu amo**rth** y po**rth**mon.

Digon yw ateb y gytsain gyntaf ar ddiwedd y goben ond pan geir cyfuniad clwm o gytseiniaid ar ddiwedd y goben (fel -llt, etc.) mae'n aml yn fwy persain ateb y ddwy.

Yn wir, gellir dadlau mai dim ond hyd ddiwedd sillaf y goben y mae'n rhaid ateb er mwyn odl a cheir llinell fel

> oni chaf â chwi ymddiddan

gan Tudur Aled ar y rhagdybiaeth mai dyma raniad y sillafau: ym/ddi/ddan. Ond, erbyn heddiw, tueddir i ateb hyd at y gytsain gyntaf ar ôl y sillaf pan ddiweddo'r sillaf â llafariad.

LUSG WYRDRO

Nid yw'r odl mewn cynghanedd lusg bob amser yn berffaith ac fe dderbynnir rhai amrywiadau sain lle y mae'r sillafau'n tarddu o'r un sain wreiddiol. Er o'r un gwraidd, tyfodd gwahaniaeth yn y seiniau canlynol yn ôl lleoliad y sillaf yn y gair.

mewn sillaf olaf ddiacen neu air unsill		yn y goben	
ai	(c**ai**b)	ei	(c**ei**bio)
au	(h**au**l)	eu	(h**eu**lwen)

Goddefir llinell fel

> nid llai seigi**au** ei **neu**add

(Cymharer y goddefiad hwn â'r goddefiad i'r rheol 'trwm ac ysgafn' mewn llinell fel

> ar y môr af i forio

xviii

lle y caniateir y gynghanedd lusg gan mai'r un pwysau sydd i'r sillafau cynhenid er iddynt amrywio mewn pwysau oherwydd eu lleoliad yn y gair.)

SEINIAU WY

Lleddf yw'r ddeusain **wy** yn 'mwyn' a thalgron yw'r **wy** yn 'gwyn', lle mae'r **w** i bob pwrpas yn gytsain. Pe ceisid odli 'mwyn' â 'gwyn' neu â 'hyn', byddid yn euog o'r bai 'lleddf a thalgron'. Ond, wrth gwrs, mae 'gwyn' a 'hyn' yn odli.

Mae sain **wy** yn amrywio o'r sain 'iawn' mewn tafodieithoedd (e.e. fe seinir 'gwanwyn' yn aml yn dalgron yn hytrach nag yn lleddf). Mae'r sain wedi newid mewn rhai geiriau hefyd gyda threigl y blynyddoedd (e.e. mae 'awyr' bellach yn dalgron ymhobman fel yr oedd i Gruffudd ab yr Ynad Coch ond roedd yn lleddf i Dafydd ap Gwilym). Fe restrir y geiriau sy'n diweddu â'r ddeusain **wy** o dan eu priod odl (ond gweler *Cerdd Dafod* am ymdriniaeth o 'awyr', 'awydd', 'cyfrwys', 'tywyll', etc.). Dylid nodi rhai pwyntiau:

1. Pan fo'r **wy** yn lleddf neu yn dalgron mewn un sillaf, mae'n aros felly ym mhob treiglad a chyfansoddair, e.e.:
   (lleddf) mwyn: mwynach, mwynhad, addfwyn
   (lleddf) chwydd: chwyddiant, ymchwydd, chwyddo
   (talgron) gwŷdd (coed): tanwydd, myrtwydd, ffawydd

2. O flaen **wy** leddf, pan fo'n gysefin ar ddechrau gair, ceir **yr**, e.e.:
   yr wyth, yr wy, yr wythnos, yr wyneb, yr wybren, yr ŵyn,
   felly hefyd pan fo'r **wy** gychwynnol yn dreiglad o **gwy**, e.e.:
   yr ŵydd, yr wylan, yr Wyddfa, yr Wyddgrug, yr ŵyl,
   ond o flaen **wy** dalgron, defnyddir **y**, e.e.:
   y wyrth, y wyryf, y wŷs.

3. Os ydys yn petruso, gellir:
   naill ai ychwanegu sillaf fel
      gwanwyn → gwanwynol (felly lleddf)
   neu chwilio am wraidd y sillaf fel
      chwyddiant → chwydd (felly lleddf).

4. Ceir **wy** dalgron pan lunnir y berfenw ag **u**, e.e. chwysu, tywynnu, llewygu, etc.

5. Lleddf ydyw **wy** ar ddiwedd pob gair, e.e. wy, adwy, trwy, gweladwy, etc.

6. Ceir **wy** leddf pan lunnir y berfenw ag **o** (ond nid o reidrwydd ag **io**), e.e. wylo, swyno, llwyddo, cwyno, gwanwyno, etc.

7. Lleddf yw **-rwydd** fel terfyniad haniaethol, e.e. sicrwydd, poblogrwydd, etc.

8. Lleddf yw **-wyf**, **-wys**, **-wyd**, fel terfyniadau berfol, e.e. glanhawyd, delwyf, wyf, canwyd, etc.

9. Noder mai lleddf yw'r **wy** yn y geiriau canlynol lle na ddigwydd yn y sillaf olaf:
wybren, gwybod, cydwybod, egwyddor, gwyddwn (o gwybod), Gwyddel, gwylan, gwylio, parwydydd.

Y LLAFARIAID y, u ac i

I glust deheuwr, mae'r tair llafariad **y** (glir), **u**, **i** yn odli ond erys peth gwahaniaeth rhyngddynt yn y Gogledd a'r canlynol oedd arfer y beirdd:

y ac u

Mae'r **y** yn glir yn 'dyn', 'llyn', 'edrych', 'erchwyn', etc., ac yn dywyll yn 'byrddau', 'dyfod', etc. Sain glir sydd i'r **y** ymhob gair unsill heblaw am ychydig eithriadau fel 'ffrynt', 'dy', 'fy', 'myn' (mewn llw), 'yr' ac yn sillaf olaf geiriau lluosill. Sain dywyll sydd i'r **y** yn y goben heblaw o flaen llafariad fel yn 'lletyau', 'gwestyau', 'lletywr', 'gwelyau'. Sain dywyll sydd hefyd pan fo **yw** yn y goben (e.e. 'b**y**wyd', 'b**y**wiog' (er mai clir yw 'b**y**wiog' yn y De)) heblaw am ambell un fel 'distr**y**wio', 'amr**y**wio', 'ben**y**waidd', 'gwr**y**waidd', 'll**y**wio', 'gw**y**wo'. Sylwer mai **y** glir sydd yn 'sylw' a 'gw**y**ryf' oherwydd mai unsill oedd y geiriau. (Ond, yn gyson â'i lleoliad, o'u hynganu yn ddeusill ar lafar, trodd yr **y** glir yn dywyll.) Byddai'r beirdd safonol yn odli **y** glir ac **u** pan fyddai'r ddwy, neu un ohonynt, heb fod o dan yr acen, e.e.

saith gywydd i Forfudd fain
ni bydd wedi Gruffudd Gryg
melys ydyw dy gusan

gwae fi, gwn boeni beunydd
weled erioed liw dy rudd

Ni fyddent fyth yn odli **y** ac **u** pan fyddai'r ddwy o dan yr acen. Ond, bellach, mae'r gwahaniaeth sain rhwng 'dyn' a 'bun' yn llai pendant (ac wedi diflannu yn y De) ac mae lle i ddadlau y dylid arddel yr odl mewn sillafau acennog.

y ac **i**

Mae cynsail y prifeirdd yn cydnabod odli **y** glir yn y sillaf olaf ddiacen o flaen **g** neu **ng** ag **i**, e.e. gellir odli 'trig' â 'dychymyg', 'tebyg', 'meddyg', 'diffyg', 'rhyfyg', 'diwyg', etc. Ond ni fyddent yn estyn yr un goddefiad i gyfansoddeiriau o 'plyg' a 'cryg' fel 'deublyg', etc., nac ychwaith i 'ennyg' (trydydd person unigol o 'annog').

Yn yr un modd, os oes **ei** neu **i** yn y goben, mae'r **y** glir yn y sillaf olaf ddiacen yn odli ag **i**, e.e. gellir odli 'trin' â 'llinyn', 'dibyn', 'gwlithyn', 'dilyn', 'amddiffyn'. Byddent hefyd yn odli **y** glir yn y sillaf olaf ddiacen ar ôl **g** neu **ng** ag **i** mewn rhai geiriau megis 'ergyd', 'efengyl', 'cregyn'. Ond ni fyddent yn gwneud felly ag 'egyr', 'diogyn', 'negydd', 'dengys', etc.

Byddent yn odli'r ddeusain **yw** ag **iw** mewn geiriau fel 'cyw', 'rhyw' (a 'cyfryw', 'amryw', 'afryw', etc.), 'dryw', 'ystryw', 'gwryw', 'benyw', 'yw' (ydyw), 'distryw', 'dilyw', 'ydyw', e.e. briw/ydyw. Ond cadwent at yr **y** glir yn 'byw', 'clyw', 'llyw', 'gwyw', a'u cyfansoddeiriau.

u ac **i**

Gydag **u** wedi ymdebygu i **y** glir, câi hi hefyd ei hodli ag **i** yn y sillaf olaf ddiacen yn yr un modd, e.e. gellir odli'r **u** yn 'barrug', 'esgus', 'union', 'unig', 'tosturio', etc. ag **i**.

Yn ôl y sain y byddai'r beirdd erioed yn odli ac nid yn ôl sillafiad. Dylem gofio heddiw mai'r sain a ddaeth gyntaf, wedyn y sillafiad, ac mai'r sain a benderfyna'r odl yn y pen draw.

Y DEUSEINIAID oe, ae, ey, ow, etc,

Gellir ynganu 'gwaell' fel 'gwäell' (i odli â 'cell') neu fel 'gwaell'. Felly hefyd 'troell'/'tröell', 'daed'/'däed', 'glowr'/'glöwr', 'gwrandáwr'/ 'gwrandäwr', etc.

CHWARE, GAFEL, DEFED, PETHE, etc.

Rhoddir rhai enghreifftiau byw o newid **ae** i **e** yn y sillaf olaf ddiacen fel 'chwarae' → 'chware'. Ni chynhwysir geiriau fel 'defed' (am 'defaid') etc. ond, wrth gwrs, dylid eu defnyddio ar bob cyfrif mewn caneuon ysgafn hyd yn oed pe dilynid y prifeirdd a'u cadw allan o'r canu caeth.

ODL GUDD AC ODL EWINOG

Dyfais werth ei chael mewn cyfyngder ydyw 'odl gudd', sef cysylltu â diwedd un gair gytsain ddechreuol y gair a'i dilyno i orffen yr odl, e.e.

> dialwr tre͡ Lywelyn

Cydir yr **l** yn yr **e** am nad oes saib yn y llinell rhwng **e** ac **l**. Ni fyddai'r hen feirdd yn gwneud hyn â diwedd llinell, gan y byddent yn ystyried fod yna saib naturiol yn y rhediad ar ddiwedd llinell. Ond, bellach, os nad oes saib amlwg iawn (fel ag atalnod llawn!) ar ddiwedd llinell, ystyrir yn aml fod un llinell yn rhedeg i'r llall yn ddigon i gysylltu dau air, e.e. englyn enwog Gwydderig i'r pry cop:

> Ha! Gwelaf rhyngof a'r gole – strydoedd
> Cast rhwydol dy loches,
> Trwy y nos pentyrru wnest
> Reffynnau nes toi'r ffenestr.

Ceir 'odl ewinog' pan gysylltir cytsain ar ddechrau un gair â'r gair a'i ragflaena er mwyn caledu cytsain olaf hwnnw i gwblhau'r odl, e.e.

> ni bu heb fynd͡ helynt dall
> odl: **ynt   ynt**

Ceir cyfuniad difyr gan Dic Jones yn ei awdl i'r Gwanwyn,

> am ddeffro o gyffro gwig
> gwsg yr Had cysegredig.

Fe gydir **g** olaf 'gwig' a **g** gyntaf 'gwsg' i roi **c** i ateb y gynghanedd groes yn yr ail linell.

LLEDDF A THALGRON

Lleddf ydyw'r deuseiniaid **aw**, **ew**, **iw** (fel yn 'rhiw'), **ow**, **yw**, **uw**, **ae**, **oe**, **wy** (fel yn 'llwyd'), **ei**, **ai**, **oi**, **ou**, **eu**, **ey**, Ceir yr elfen lafarog bur yn gyntaf a'r elfen led-lafarog yn ail ac yn nesaf felly at ddiwedd y gair.

Talgron yw'r deuseiniaid **ia**, **io**, **ie**, **iw** (fel yn 'troediwr'), **iy**, **wa**, **we**, **wi**, **wy** (fel yn 'gwŷr'), **wo**, a'r llafariaid seml. Ceir yr elfen lafarog bur yn ail.

PROEST

Hanner odl ydyw proest. Mewn odl mae'r llafariaid a'r cytseiniaid olaf yn cyfateb. Mewn proest mae'r cytseiniaid olaf yn cyfateb ond mae'r llafariaid, neu'r deuseiniaid, yn amrywio.

Noder y canlynol

1. Rhaid gochel 'trwm ac ysgafn', h.y. nid yw 'tân' yn proestio â 'llon', ond fe broestia 'tân', 'sôn', 'bun', 'dyn', etc.

2. Rhaid cyfrif y lled-lafariad **w** fel mewn odl, e.e. mae 'iawn' a 'mewn' yn proestio ond nid felly 'iawn' a 'cân'.

3. Pan ddêl llafariad seml ar ddiwedd gair, gellir proest llafarog, e.e. 'pla', 'tŷ', etc.

4. Fe all deusain dalgron (**ia**, **ie**, **io**, **iw** (troediwr), **iy**, **wa**, **we**, **wi**, **wy** (gwyn), **wo**) broestio â llafariad seml, e.e. proestia 'gwên' a 'dyn', 'troediwr' a 'goror', etc.

5. Rhennir y deuseiniaid lleddf yn dri dosbarth:

    Dosbarth 1
    aw, **ew**, **iw** (rhiw), **ow**, **yw**, **uw**. I gael proest cyflawn ag un o'r rhain, rhaid wrth un arall o'r dosbarth, e.e. proestia 'tawch', 'dewch', 'buwch'; neu 'Duw', 'daw'.

    Dosbarth 2
    ae, **oe**, **wy** (llwy), **ei**, **ai**. I gael proest cyflawn ag un o'r rhain, rhaid wrth un arall o'r dosbarth hwn, e.e. proestia 'llaeth', 'doeth', 'maith', 'ffrwyth', etc.

Dosbarth 3

Nid yw'r ddeusain **au** yn proestio â'r un ddeusain arall nac â llafariad seml. Fe'i gelwid gynt yn ddeusain 'wib'.

Sylwer

Rhoddir y rheolau cydnabyddedig uchod. Mae'n werth sylwi mai'r rheswm dros rannu'r deuseiniaid yn ddosbarthiadau oedd mai yr un sain led-lafarog oedd i'r **e**, **y**, **i**, yn **ae**, **oe**, **wy**, **ei**, **ai** gynt, h.y. fe'u cyfrifid fel **ai**, **oi**, **wi**, **ei**, **ai** yn ôl sain ac felly fe'u cyfrifid yn proestio ar yr un tir ag **aw**, **ew**, **iw**, **ow**, **yw**, **uw**. Bellach, wrth gwrs, nid yw sain y lled-lafariad yn union yr un fath ond cedwir at y pum deusain hyn fel y rhai a broestia. Yn yr un modd, dywedid bod **au** yn ddeusain wib am nad oedd deusain arall i broestio â hi. Ond, oddi ar hynny, fe ffurfiwyd y deuseiniaid **ou**, **eu**, **ey** drwy gywasgiad (e.e. 'ymarhous' o 'ymarhöus', 'teyrn' o 'tëyrn', etc.). Bellach, dylid ystyried fod dosbarth 3 yn cynnwys **au**, **eu**, **ou**, **ey**, h.y. proestia 'preswylfeydd' a 'gwaudd'. Ni sonnir hefyd am y ddeusain **oi** yn yr hen lyfrau ond dylid ei hystyried yn nosbarth 2, h.y. proestia 'rhoir' a 'chwaer'.

PROEST FEL BAI

Mewn cynghanedd gytbwys groes neu draws, ceir y bai 'proest i'r odl' pan fo'r orffwysfa yn ffurfio proest â'r brif odl, e.e. mae'r canlynol yn euog o'r bai:

> myn Duw, mi a wn y daw
> o dalaith yr hen dylwyth

ond nid

> ni allaf droi i unlle draw
> coed o'i fôn codi a fynn

gan nad yw 'droi'/'draw' na 'fôn'/'fynn' yn proestio. Dylid cofio y gall cytsain ar ôl yr orffwysfa achub proest llafarog, e.e.

> deiliodd mwy͡na dolydd Mai

Pan ddigwyddai proest rhwng yr ail odl a'r brifodl mewn cynghanedd sain, fe'i gelwid yn 'ddybryd sain' ond yr un bai ydyw â phroest i'r odl, e.e. beius yw yn arglwydd ar**wy**dd ir**ai**dd.

Dylid sylwi fod yn rhaid i'r ddwy sillaf sy'n proestio fod o gyffelyb
aceniad, h.y. nid oes broest o unrhyw fath yn

aeth i'r bedd a'th rybuddiodd

Nid yw proest yn fai pan ddigwyddo yn y gynghanedd gytseiniol
rhwng y gair cyrch a dechrau'r ail linell mewn englyn. Yn wir, fe all
ychwanegu at gryfder y gynghanedd bengoll.

YMSATHR ODLAU

Lled-broest ydyw 'ymsathr odl' lle ceir y llafariad mewn sillaf seml yr
un â'r ail elfen (yr elfen led-lafarog) mewn deusain leddf, e.e.

byd/bwyd: caru bwyd yw caru byd
gŵr/gawr: y gŵr o Gaerlleon gawr

Cyfrifir hyn yn fai mewn cynghanedd gytbwys pan ddigwyddo o dan
yr un acen. Dylid sylwi na ddeddfwyd yn erbyn y bai hwn tan amser
Tudur Aled a byddai Dafydd ap Gwilym yn defnyddio'r
cyfatebiaethau heb bryder.

TWYLL ODL

'Twyll odl' yw'r enw ar bob bai mewn odl ond 'trwm ac ysgafn' a
'lleddf a thalgron'. Mae'n hawdd twyllo'r glust ag odlau beius fel

gwaudd/baedd/praidd neu dig/Tegid, etc.

GORMODD ODLAU

'Gormodd odlau' yw'r enw ar y bai o odli gair acennog mewn llinell o
gynghanedd â'r brifodl. Dylid sylwi mai odli gair acennog yw'r bai ac
nad oes acen ar y gogwyddeiriau **ni**, **na**, **yn**, etc., h.y. nid yw hon yn
feius

yn niwl y dwfn, a weli di?

RHAI MESURAU A CHYNLLUN EU HODLAU

Ffurfia'r 24 mesur cyntaf bedwar mesur ar hugain Cerdd Dafod fel yr oeddynt ym 1451 gan ddangos cyfyngiadau Dafydd ab Edmwnd ar yr odlau ond heb ei ddau fesur astrus, gorchest y beirdd a chadwynfyr. Gweler *Cerdd Dafod* am driniaeth lawn.

1. **Englyn Penfyr**

   Toddaid byr a llinell 7 sill

   10 sill   a—   g   (7 + 3, 8 + 2, 9 + 1)

    6 sill g   a

    7 sill   a

        g—g = odl neu gytseinedd

        a—a—a = prifodl

   Neu

   traeanog a llinell 7 sill

           b   b   5 + 5

       b/   a   6 sill

           a   7 sill

        ail b/trydydd b = odl neu gytseinedd

        a—a = prifodl

2. **Englyn Milwr**

   3 llinell 7 sill

           a   7 sill

           a   7 sill

           a   7 sill

3. **Englyn Unodl Union**

   Toddaid byr a chwpled cywydd deuair hirion

   10 sill   a   —   g   (7 + 3, 8 + 2, 9 + 1)

    6 sill   g   a

    7 sill   a   ⎫

    7 sill   a   ⎬ un acennog/un ddiacen

        g—g = odl neu gytseinedd

        a—a—a—a = prifodl

4. Englyn Unodl Crwca

Englyn unodl union â'i ben i lawr

```
7 sill _____ a  ⎫
7 sill _____ a  ⎬  un acennog/un ddiacen
                   ⎭
10 sill _____ a ____ g ____   (7+3, 8+2, 9+1)
6 sill ___ g ___ a ___
```

g—g = odl neu gytseinedd
cryfach cynganeddu'r llinell olaf yn ddibengoll

5. Englyn cyrch

cwpled cywydd deuair hirion + awdl-gywydd

```
7 sill _____ a  ⎫
7 sill _____ a  ⎬  un acennog/un ddiacen
                   ⎭
7 sill _____ b
7 sill ___ b ___ a ___
```

6. Englyn proest cyfnewidiog

4 llinell 7 sill yn proestio, naill ai yn dalgron neu yn lleddf

7. Englyn proest cadwynog

```
7 sill _____ p
7 sill _____ r      p—p = odl
7 sill _____ p      p—p = odl
7 sill _____ r      p—r = proest
```

8. Awdl-gywydd

cwpledi yn ôl y cynllun:

```
7 sill _____ b
7 sill ___ b ___ a ___
```

b—b = odl
a yn cynnal y brifodl

9. Cywydd Deuair Hirion

cwpledi yn ôl y cynllun:

```
7 sill _____ a  ⎫
7 sill _____ a  ⎬  un acennog/un ddiacen
                   ⎭
```

10. Cywydd Deuair Fyrion

cwpledi yn ôl y cynllun:

4 sill _____ a
4 sill _____ a } un acennog/un ddiacen

11. Cywydd Llosgyrnog

8 sill _____ b
8 sill _____ b
7 sill ___ b ___ a

b—b—b = odl
a yn cynnal y brifodl

12. Rhupunt Byr

4 sill _____ b   4 sill _____ b   4 sill _____ a

b—b = odl ddwbl os diacen
a = prifodl
Os yw b, b yn acennog, rhaid i'r ddau draean cyntaf gynganeddu ar wahân.
Yr ail draean i ffurfio cynghanedd groes â'r trydydd traean.

13. Rhupunt Hir

4 sill _____ b   4 sill _____ b
4 sill _____ b   4 sill _____ a

a = prifodl
b, b, b = odlau dwbl os diacen
Os yw b, b, b yn acennog, rhaid i'r cymal cyntaf a'r ail fod mewn cynghanedd.
Cynganeddir yr ail linell ar ei hyd.

14. Cyhydedd Fer

Cwpledi 8 sill ar yr un odl.

15. Byr-a-thoddaid

Cwpledi 8 sill yn gymysg â thoddeidiau byr ar yr un odl, heb fod 2 doddaid yn dod ynghyd.

10 sill	_____ a	__	_g_	(7 + 3, 8 + 2, 9 + 1)
6 sill	_g_ a			
8 sill	_____ a			
8 sill	_____ a			
10 sill	_____ a	__	_g'_	(7 + 3, 8 + 2, 9 + 1)
6 sill	_g'_ a			

16. Clogyrnach

Cwpled o gyhydedd fer ynghyd â thraeanog.

8 sill	_____ a	
8 sill	_____ a	
5+5 sill	_____ b	_____ b
6 sill	_b_ a	

17. Cyhydedd Naw Ban

Llinellau unodl 9 sillaf.

18. Cyhydedd Hir

5 sill _____ b	5 sill _____ b
5 sill _____ b	4 sill _____ a

Cynganeddir y ddau gymal cyntaf ar wahân, a'r ddau olaf ynghyd.

19. Toddaid

10 sill	_____ a __	_____ b	(7 + 3, 8 + 2, 9 + 1)
9 sill	_b_ a __		

b, b = odl

a = prifodl

20. Gwawdodyn

Cwpled o gyhydydd naw ban + toddaid ar yr un odl.

21. **Gwawdodyn Hir**
2 gwpled o gyhydedd naw ban + toddaid ar yr un odl.

22. **Hir-a-thoddaid**
4 llinell 10 sill + toddaid ar yr un odl ond bod llinell olaf y toddaid yn 10 sill.

23. **Cyrch-a-chwta**
6 sillaf 7 sillaf o aceniad rhydd + awdl-gywydd yn odli.

24. **Tawddgyrch Cadwynog**
8 llinell
8 sill yr un (4 + 4)

_____b	_____c		
_____c	_____a		
_____b	_____c		
_____c	_____a		
_____d	_____d		
_____d	_____a		
_____d	_____d		
_____d	_____a		

b + c + d i fod yn odlau dwbl.

pob llinell i fod ar groes gynghanedd heblaw'r 5ed a'r 7fed.

Pe bai'r odl yn acennog, rhaid cael cynghanedd groes yn nau gymal y llinell yn ogystal â'r llinell gyfan.

25. **Soned**
Y dulliau mwyaf poblogaidd yw:

i. *Soned Betrarchaidd* (ar ôl y bardd o'r Eidal)

Pedair llinell ar ddeg gyda 5 curiad yr un yn odli a—b—b—a, a—b—b—a, c—ch—d, c—ch—d. Gellir amrywiadau ar y patrwm hwn, yn enwedig yn y chweban. Ceir toriad yn symudiad y pennill rhwng yr wythban a'r chweban, a hefyd doriadau llai rhwng y ddau bedwarban a'r ddau driban.

ii. *Soned Shakespearaidd* (ar ôl y bardd o Loegr)
Pedair llinell ar ddeg gyda 5 curiad yr un yn odli a—b—a—b,
c—ch—c—ch, d—dd—d—dd, e—e. Ceir toriad bychan yn y
symudiad rhwng y pedwarbannau a'i gilydd a chyn y cwpled
olaf.

26. **Triban** – englyn cyrch yn y bôn

	a	7 sill
	a	7 sill
	b	7 neu 8 sill
b	a	7 sill

b, b = odl gyrch

BYRFODDAU

a	ansoddair
ab	ansoddair benywaidd
adf	adferf
all	ansoddair lluosog
ardd	arddodiad
be	berfenw
bf	berf
cys	cysylltair
ebg	enw benywaidd/gwrywaidd
eb	enw benywaidd
eg	enw gwrywaidd
ell	enw lluosog
ebych	ebychiad
rhag	rhagenw

a

a + â	ardd, bf, cys
aberfa	eb
acha	ardd
adara	be
addysgfa	eb
afreoleidd-dra	eg
agenda	eb
agorfa	eb
anghyfleustra	eg
angorfa	eb
allanfa	eb
amchwaraefa	eb
amddiffynfa	eb
amgueddfa	eb
amhwylltra	eg
amldra	eg
amlosgfa	eb
amserfa	eb
anesmwythdra	eg
anheddfa	eb
anwareidd-dra	eg
anweddeidd-dra	eg
archfa	eb
arddangosfa	eb
arhosfa	eb
atalfa	eb
atgnofa	eb
atgoffa	be
atomfa	eb
atynfa	eb
athrofa	eb
awyrenfa	eb
bacteria	ell
banana	eb
bapa	eg
bara	eg
barbareidd-dra	eg
barcuta	be

a

barcutana	be
bargenna	be
bathfa	eb
bedyddfa	eb
begera	be
beisfa	eb
bela	eg
benthyca	be
benyweidd-dra	eg
benyweta	be
bera	ebg
berfa	eb
bethma	a, eg
blewynna	be
boba	eb
boda	eg
boddfa	eb
bola	eg
bolera	be
bolgnofa	eb
bopa	eb
brecwasta	be
bridfa	eb
broga	eg
brogla	a
brwyna	be
buandra	eg
budrelwa	be
buria	eg
busnesa	be
bwa	eg
bwnglera	be
bwla	eg
bwmpa	eb
bwyda	be
bwyta	be
bychandra	eg
byrbwylltra	eg

a

byrdra	eg
bysedda	be
cachfa	eb
cadwrfa	eb
caethdra	eg
cafndra	eg
cala	eb
calchfa	eb
camdra	eg
camera	eg
camfa	eb
campfa	eb
canolfa	eb
capela	be
capelydda	be
cardota	be
carisma	eg
carola	be
cathrica	be
cawna	be
cawsa	be
cedorfa	eb
cefngrwba	a
cefngrwca	a
cega	be
cenna	be
cerddorfa	eb
ceubalfa	eb
ciconia	eg
cieidd-dra	eg
cigfa	eb
ciniawa	be
claddfa	eb
clawstroffobia	eg
cleddyfa	be
clera	be
cloddfa	eb
clopa	eb

clustlipa	a	cwla	a	cysegrfa	eb
clwpa	eg	cwna	be	cysgodfa	eb
cneua	be	cwnsela	be	cywilydd-dra	eg
cnofa	eb	cwota	eg	cywydda	be
cnwpa	ebg	cwpla	be	chwa	eb
coblera	be	cwrcatha	be	chwalfa	eb
coeta	be	cwta	a	chwanta	be
coffa	be, eg	cybolfa	eb	chwaraefa	eb
cola	eg	cybydda	be	chwarela	be
colofnfa	eb	cybydd-dra	eg	chwarelydda	be
coma	eg	cychwynfa	eb	chwedleua	be
copa	eg	cydletya	be	chwilenna	be
corfflosgfa	eb	cyfanheddfa	eb	chwilibawa	be
cosfa	eb	cyfarthfa	eb	chwilmanta	be
cota	ab	cyfleustra	eg	chwilota	be
cranca	be	cyflymdra	eg	chwimdra	eg
crasfa	eb	cyfnewidfa	eb	chwithdra	eg
crefydda	be	cyfrinfa	eb	chwiwladrata	be
crefftwra	be	cyfrwystra	eg	chwydfa	eb
cregynna	be	cyfyngdra	eg	chwysfa	eb
creigfa	eb	cylchfa	eb	da	a, eg
creinca	be	cylla	eg	da-da	ell
creirfa	eb	cyllidfa	eb	dala	be
croesfa	eb	cymanfa	eb	dalfa	eb
crogfa	eb	cymdeithasfa	eb	darlithfa	eb
cronfa	eb	cymhortha	be	darlosgfa	eb
cropa	eb	cymhwystra	eg	darllenfa	eb
crwba	eg	cymowta	be	data	eg
crwca	a	cymysgfa	eb	deintyddfa	eb
crydda	be	cynadledda	be	deorfa	eb
cryffa	be	cynaeafa	be	dicra	a
crynfa	eb	cynefindra	eg	didla	a
crynhoa	bf	cynffonna	be	didraha	a
crynofa	eb	cynheica	be	didda	a
cuddfa	eb	cyniweirfa	eb	diddymdra	eg
culfa	eb	cynulleidfa	eb	dienyddfa	eb
curfa	eb	cynuta	be	difa	be
cweryla	be	cyrchfa	eb	difetha	be

a

diffrwythdra	eg
digywilydd-dra	eg
dihangfa	eb
diogelfa	eb
diota	be
dirgelfa	eb
disgynfa	eb
distyllfa	eb
diswta	a
ditectydda	be
diwala	a
diweithdra	eg
doctora	be
dogma	ebg
drama	eb
drefa	eb
drysfa	eb
dychrynfa	eb
dyfndra	eg
dyfodfa	eb
dyldra	eg
dyma	adf
dyna	adf
echwynna	be
efrydfa	eb
eglwysa	be
englyna	be
ehedfa	eb
ehofndra	eg
eira	eg
eisteddfa	eb
elwa	be
encilfa	eb
enynfa	eb
eoca	be
epa	eg
erchylltra	eg
esgeulustra	eg

a

esgynfa	eb
esmwythdra	eg
ewa	eg
fiola	eb
ffa	ell
fferyllfa	eb
ffidlera	be
ffieidd-dra	eg
fformiwla	eb
ffroga	eg
ffureta	be
geirda	eg
geirfa	eb
geiriadura	be
genfa	eb
glanfa	eb
glanweithdra	eg
gloddesta	be
glofa	eb
golchfa	eb
golygfa	eb
gordewdra	eg
gorffwylltra	eg
gorffwysfa	eb
gorseddfa	eb
gorweddfa	eb
gra	eg
graddfa	eb
grymustra	eg
gwaddota	be
gwaeldra	eg
gwag-symera	be
gwagfa	eb
gwahanfa	eb
gwala	eb
gwalfa	eb
gwarchodfa	eb
gwareidd-dra	eg

a

gwasgfa	eb
gweddeidd-dra	eg
gweddustra	eg
gweithfa	eb
gwella	be
gwenynfa	eb
gwersylla	be
gwersyllfa	eb
gwesteia	be
gwigfa	eb
gwina	be
gwirota	be
gwladfa	eb
gwladychfa	eb
gwlana	be
gwledda	be
gwleidydda	be
gwlychfa	eb
gwna	bf
gwra	be
gwrcatha	be
gwrda	eg
gwreica	be
gwreictra	eg
gwreigdda	eb
gwrthdynfa	eb
gwrthryfela	be
gwybeta	be
gwylfa	eb
gwyndra	eg
gwynfa	eb
gwyrda	ell
gyda	ardd
gyrfa	eb
hafota	be
hala	be
hamddena	be
hawstra	eg

heboca	be	lleithdra	eg	meithrinfa	eb
hedfa	eb	llên-ladrata	be	mela	be
heddychfa	eb	llenora	be	melfa	eb
hela	be	llenydda	be	melyndra	eg
helaethdra	eg	lletya	be	melystra	eg
helfa	eb	llethrfa	eb	menwota	be
hendrefa	be	llewa	be	mercheta	be
herwa	be	llewygfa	eb	merfdra	eg
herwhela	be	llipa	a	merfeidd-dra	eg
hindda	eb	llithrigfa	eb	merlota	be
hoedenna	be	lloffa	be	meudwyfa	eb
honna	rhag	lloia	be	mhela	be
hudladrata	be	llosg-eira	eg	mileindra	eg
hufenfa	eb	llosgfa	eb	milodfa	eb
hwnna	rhag	lluestfa	eb	mocha	be
hwrdda	be	llusa	be	mochdra	eg
hwsmona	be	lluwchfa	eb	mochyndra	eg
hyfdra	eg	llwtra	eg	modurfa	eb
hyfywdra	eg	llyfndra	eg	moelystota	be
hylltra	eg	llyfrdra	eg	moethustra	eg
iâ	eg	llyffanta	be	mogfa	eb
iawndda	a	llygota	be	morfa	eg
iota	eg	llymdra	eg	mwyara	be
ireidd-dra	eg	maethfa	eb	mwyneidd-dra	eg
iseldra	eg	magfa	eb	mwythustra	eg
lafa	eg	magwrfa	eb	myfyrfa	eb
larfa	eg	maharenna	be	mygfa	eb
lolfa	eb	malwenna	be	mynedfa	eb
llaca	eg	mandra	eg	mynydda	be
lladrata	be	manna	eg	na	neg
lladdfa	eb	marcha	be	negesa	be
llaetha	be	marchnadfa	eb	negeseua	be
llamfa	eb	marchnata	be	neithdarfa	eb
llarieidd-dra	eg	marweidd-dra	eg	newidfa	eb
llawndra	eg	mathrfa	eb	niwmonia	eg
llecheira	eg	mawrdra	eg	noddfa	eb
llechfa	eb	meddaldra	eg	nythfa	eb
lleddfdra	eg	meddygfa	eb	oedfa	eb

4

oena	be
ofera	be
pa	rhag
pabwyra	be
padera	be
pangfa	eb
para	be
paratoa	bf
pedlera	be
pencawna	be
penydfa	eb
pereidd-dra	eg
pererindota	be
pia	eb
pica	a
pilcota	be
pili-pala	eg
pla	eg
plaendra	eg
planfa	eb
planhigfa	eb
planta	be
plismona	be
poenfa	eb
poethfa	eb
porfa	eb
porfela	be
porthfa	eb
porthmona	be
powldra	eg
preswylfa	eb
prygowtha	be
purfa	eb
pysgodfa	eb
pysgota	be
rybela	be
rhaca	ebg

rhamanta	be
rhedegfa	eb
rheoleidd-dra	eg
rhodfa	eb
rhodianna	be
rhodresa	be
rhosfa	eb
rhyfela	be
safanna	eg
saldra	eg
sefyllfa	eb
segura	be
sgwrfa	eb
sinema	eb
siopa	be
smala	a
soffa	eb
sol-ffa	eg
storfa	eb
stwna	be
swbwrbia	eg
swga	a
swpera	be
swta	a
swyddfa	eb
tablenna	be
taenfa	eb
tagfa	eb
taldra	eg
tanchwa	eb
teilwra	be
teneudra	eg
tewdra	eg
tila	a
tollfa	eb
tra	adf, cys
traha	eg

tramwyfa	eb
treiglfa	eb
trigfa	eb
trinfa	eb
trochfa	eb
trofa	eb
trysorfa	eb
tua	ardd
twba	eg
twca	eg
twpdra	eg
twymdra	eg
tyndra	eg
tynfa	eb
tyrfa	eb
tywalltfa	eb
thema	eb
uniondra	eg
wtra	eb
wyfa	eb
wyna	be
wystrysfa	eb
ynghyda	ardd
yma	adf
ymblesera	be
ymdrochfa	eb
ymddiala	be
ymelwa	be
ymladdfa	eb
ymolchfa	eb
ymrysonfa	eb
yna	adf
ysfa	eb
ysgafala	a
ysgegfa	eb
yta	be

ab

ab

ab	
âb	ebg
arab	a, eg
cab	eg
caethfab	eg
cariadfab	eg
crab	eg
cynfab	eg
drab	eg
drib-drab	adf
lab	eg
llysfab	eg
mab	eg
pab	eg
priodasfab	eg
priodfab	eg
slab	eg

abl

abl	a
anabl	a
cabl	eg
cwnstabl	eg
digabl	a
nabl	eg
parabl	eg
stabl	eb
tabl	eg

abr

gwalabr	eg

ac

almanac	eg
brac	a
crac	a, eg
hac	eg
llac	a
pac	eg

ac

rhac	eb
trac	eg

acl

oracl	eg
pinacl	eg
tacl	eg

acr

acr	eb

act

act	eb
cysáct	a

ach

ach	eb
afiach	a
amgenach	a, cys
amserach	a
bach	a, ebg
bawiach	ell
bellach	adf
blewiach	ell
bocsach	ebg
bregliach	be, eg
bustach	eg
bwbach	eg
cadach	eg
caethfasnach	eb
carfaglach	eg
cawlach	eg
cedowrach	eb
ceinach	eb
ceintach	be
ceriach	eb, ell
cigfach	eg
cilfach	eb

ach

cleiriach	eg
climach	eg
clindarddach	be, eg
clogyrnach	eg
codowrach	eb
colfach	eg
conach	be
corrach	eg
crach	ell
crachach	ell
crebach	a
creglach	ell
crepach	a, eb
crintach	a
croeniach	a
cromfach	eb
crwbach	a, eg
crwmach	a, eg
cwtsach	eb
cyfathrach	eb
cyfeddach	be, eb
cyfeillach	eb
cyfrinach	eb
chwaethach	adf
chwantach	eg
dernynnach	ell
dewisach	a
dilladach	ell
dormach	eg
drylliach	ell
ebostach	eg
e-fasnach	eb
elwach	a
ewach	eg
fflach	eb
ffradach	a
gafaelfach	eg
gaflach	eb

ach

gelach	eg
geriach	ell
gïach	eg
grwgnach	be
gwrach	eb
gwrageddach	ell
gwyach	eb
gwybetach	ell
holliach	a
hwyrach	a, adf
hytrach	adf
iach	a
ieuangach	a
llach	eb
llamsach	be
llegach	a
llesach	a
lletach	a
llinach	eb
llosgach	eg
mach	eg
mantach	a
masnach	eb
merchetach	ell
mwyach	adf
mynach	eg
pensach	eb
petheuach	ell
plantach	ell
poblach	eb, ell
pryfetach	ell
rhagorach	a
rheitiach	a
rhintach	a
sach	eb
siafflach	ell
simach	eg
sinach	eg

ach

sitrach	eg
smonach	eg
sothach	eg
strach	ebg
strim-stram-strellach	
	adf
swbach	eg
swtrach	ell
tinllach	eg
tolach	be
ymhellach	adf
ysbleddach	ebg

acht

dracht	ebg

ad

abad	eg
absenoliad	eg
absolfeniad	eg
aceniad	eg
achrediad	eg
achubiad	eg
achwyniad	eg
adalwad	eb
adargraffiad	eg
adbryniad	eg
ad-daliad	eg
adeilad	eg
adeiladiad	eg
adfeddiad	eg
adfeiliad	eg
adferiad	eg
adfywiad	eg
adlewyrchiad	eg
adnabyddiad	eg
adnewyddiad	eg
adolygiad	eg

ad

adroddiad	eg
aduniad	eg
adweithiad	eg
addasiad	eg
addoliad	eg
addurniad	eg
afluniad	eg
afrllad	eb
affeithiad	eg
agoriad	eg
anghydweddiad	eg
ailadroddiad	eg
ailarchwiliad	eg
ailargraffiad	eg
ailasesiad	eg
ailasiad	eg
ailbobiad	eg
ailbrisiad	eg
aildaliad	eg
ailddangosiad	eg
ailddarllediad	eg
ailddarlleniad	eg
ailddechreuad	eg
ailddeffroad	eg
ailddyfodiad	eg
aileiriad	eg
aileisteddiad	eg
ailfynediad	eg
ailgychwyniad	eg
ailgyfeiriad	eg
ailgysegriad	eg
ailolchiad	eg
ailosodiad	eg
ailrecordiad	eg
ailwampiad	eg
ailwrandawiad	eg
ailysgrifeniad	eg
aliniad	eg

allforiad	eg	arbelydriad	eg	atyniad	eg
amddifad	a, eg	archoffeiriad	eg	awdurdodiad	eg
amddiffyniad	eg	archwiliad	eg	awgrymiad	eg
amgodiad	eg	ardystiad	eg	bachiad	eg
amgyffrediad	eg	arddangosiad	eg	bad	eg
amgylchiad	eg	arddeliad	eg	bagad	ebg
amhariad	eg	arddodiad	eg	barlad	eg
amlhad	eg	ardduniad	eg	basgerfiad	eg
amlinelliad	eg	arddywediad	eg	batiad	eg
amlygiad	eg	arestiad	eg	bedyddiad	eg
amnewidiad	eg	arfaethiad	eg	beichiad	eg
amorteiddiad	eg	arfarniad	eg	beichiogiad	eg
amrantiad	eg	arferiad	eg	beirniad	eg
amrediad	eg	argoeliad	eg	benthyciad	eg
amrywiad	eg	argraffiad	eg	berwad	eg
amseriad	eg	argyhoeddiad	eg	blaenafiad	eg
amsugniad	eg	argymhelliad	eg	blaendaliad	eg
anad	a, ardd	arholiad	eg	blaendarddiad	eg
anataliad	eg	arhosiad	eg	blaendoriad	eg
aneliad	eg	arllwysiad	eg	blaenddodiad	eg
anerchiad	eg	arogliad	eg	blaenwelediad	eg
anfad	a	arolygiad	eg	blodeuad	eg
anffurfiad	eg	arweiniad	eg	bloeddiad	eg
anheddiad	eg	arwisgiad	eg	bloeddnad	eb
animeiddiad	eg	arwyddocâd	eg	bodiad	eg
anllad	a	arwyliad	eg	boddhad	eg
annirnad	a	aseiniad	eg	bolrwymiad	eg
anogiad	eg	asesiad	eg	bowliad	eg
ansad	a	asiad	eg	brad	eg
anwastad	a	ataliad	eg	brathiad	eg
anweddiad	eg	atalnodiad	eg	brawdladdiad	eg
anwythiad	eg	ategiad	eg	brechiad	eg
anynad	a	atgenhedliad	eg	brefad	be
apeliad	eg	atgyfeiriad	eg	breferad	be, eg
apwyntiad	eg	atgyfodiad	eg	brefiad	eg
arafiad	eg	atgyweiriad	eg	breithgad	eb
aralleiriad	eg	atodiad	eg	brigâd	eb
arbediad	eg	atosodiad	eg	brigiad	eg

brodiad	eg
brwyliad	eg
brwyniad	eg
brychiad	eg
brysiad	eg
budd-ddeiliad	eg
buddsoddiad	eg
bugunad	be, eg
bwriad	eg
bygythiad	eg
byrddiad	eg
byrhad	eg
byrlymiad	eg
bytheiad	eg
bytheiriad	eg
bywgraffiad	eg
bywiocâd	eg
bywluniad	eg
bywydfad	eg
cachiad	eg
cad	bf, eb
cadarnhad	eg
cadoediad	eg
caead	a, be, eg
caethgludiad	eg
caffaeliad	eg
caffiad	eg
cangheniad	eg
calediad	eg
calibrad	eg
camamseriad	eg
camdreuliad	eg
camddehongliad	eg
camddywediad	eg
cameiriad	eg
camgymeriad	eg
camosodiad	eg
camsafiad	eg

camseiniad	eg
camsillafiad	eg
camsyniad	eg
camymddygiad	eg
canfasiad	eg
canfyddiad	eg
caniad	eg
caniatâd	eg
canlyniad	eg
canoliad	eg
canwriad	eg
carchariad	eg
cariad	ebg
carlamiad	eg
carmeliad	eg
carthiad	eg
casgliad	eg
cefnwlad	eb
ceidwad	eg
ceimiad	eg
ceiniad	eg
ceisiad	eg
cennad	eb
cerddediad	eg
cerfiad	eg
cernywiad	eg
ceryddiad	eg
ceufad	eg
ceulad	eg
ciliad	eg
cipedrychiad	eg
cleciad	eg
cload	eg
cloddiad	eg
cludiad	eg
clustogwlad	eb
clwciad	eg
cneifiad	eg

cnithiad	eg
cnoad	eg
cochiad	eg
codiad	eg
coegsiarad	eg
cofleidiad	eg
cofrestriad	eg
coffâd	eg
coleddiad	eg
condemniad	eg
cordeddiad	eg
corddiad	eg
corgeiniad	eg
corniad	eg
coroniad	eg
crafangiad	eg
crafiad	eg
crasiad	eg
crawniad	eg
cread	eg
creciad	eg
criniad	eg
cripiad	eg
croesawiad	eg
croesddywediad	eg
croesgad	eb
croeshoeliad	eg
croesholiad	eg
croestoriad	eg
croniad	eg
crwydrad	a, eg
crwydriad	eg
crybwylliad	eg
crychiad	eg
cryfhad	eg
crymiad	eg
crynhoad	eg
cryniad	eg

ad

cuddiad	eg
curad	eg
curiad	eg
cwblhad	eg
cwnnad	eg
cwpeliad	eg
cwrnad	be, ebg
cwtiad	eg
cwtogiad	eg
cwympiad	eg
cwynad	eg
cwysiad	eg
cychwyniad	eg
cyd-adferiad	eg
cyd-amrywiad	eg
cyd-amseriad	eg
cyd-berthyniad	eg
cyd-ddigwyddiad	eg
cyd-gadwyniad	eg
cydfrad	eg
cydfwriad	eg
cydgordiad	eg
cydgyfarfyddiad	eg
cydgyfnewidiad	eg
cydiad	eg
cydlyniad	eg
cydnabyddiad	eg
cydosodiad	eg
cydraniad	eg
cydroddiad	eg
cydseiniad	eg
cydsyniad	eg
cydwastad	a
cydweddiad	eg
cydweithrediad	eg
cydwelediad	eg
cydymdeimlad	eg
cydymffurfiad	eg

ad

cyfaddasiad	eg
cyfaddefiad	eg
cyfalawiad	eg
cyfaniad	eg
cyfansoddiad	eg
cyfarchiad	eg
cyfareddiad	eg
cyfarthiad	eg
cyfarwyddiad	eg
cyfataliad	eg
cyfatebiad	eg
cyfathrachiad	eg
cyfathrebiad	eg
cyfebriad	eg
cyfeiliornad	eg
cyfeiriad	eg
cyfenwad	eg
cyferbyniad	eg
cyfiawnhad	eg
cyfieithiad	eg
cyfieuad	eg
cyflafareddiad	eg
cyflawniad	eg
cyflead	eg
cyflenwad	eg
cyflifiad	eg
cyfluniad	eg
cyflwyniad	eg
cyflymiad	eg
cyflyniad	eg
cyflythreniad	eg
cyfnerthiad	eg
cyfnewidiad	eg
cyfodiad	eg
cyfoethogiad	eg
cyfogiad	eg
cyfosodiad	eg
cyfranddaliad	eg

ad

cyfraniad	eg
cyfranogiad	eg
cyfrdroad	eg
cyfresoliad	eg
cyfresymiad	eg
cyfrifiad	eg
cyfseriad	eg
cyfuniad	eg
cyfweliad	eg
cyfyngiad	eg
cyffesiad	eg
cyffiad	eg
cyffrediniad	eg
cyffredinoliad	eg
cyffroad	eg
cyffyrddiad	eg
cynghreiriad	eg
cyhoeddiad	eg
cyhuddiad	eg
cylchrediad	eg
cymanwlad	eb
cymathiad	eg
cymeriad	eg
cymhariad	eg
cymhelliad	eg
cymhwysiad	eg
cymreigiad	eg
cymysgiad	eg
cynaniad	eg
cyndad	eg
cynelwad	eg
cynhaliad	eg
cynheiliad	eg
cynhesiad	eg
cynhwysiad	eg
cynhyrchiad	eg
cynhyrfiad	eg
cynigiad	eg

ad

cynlluniad	eg
cynodiad	eg
cynosodiad	eg
cynrychioliad	eg
cynulliad	eg
cynyddiad	eg
cyplysiad	eg
cyrchiad	eg
cyrhaeddiad	eg
cysegriad	eg
cysoniad	eg
cystwyad	eg
cysylltiad	eg
cysyniad	eg
cytstad	a
cytuniad	eg
cythriad	eg
cywasgiad	eg
cyweiriad	eg
cywiriad	eg
chwaliad	eg
chwarddiad	eg
chwenychiad	eg
chwerthiniad	eg
chwibaniad	eg
chwifiad	eg
chwiliad	eg
chwimiad	eg
chwinciad	eg
chwipiad	eg
chwislad	eg
chwiwiad	eg
chwydiad	eg
chwyddiad	eg
chwyldroad	eg
chwyniad	eg
chwyrniad	eg
chwysiad	eg

ad

chwythiad	eg
dadafaeliad	eg
dadansoddiad	eg
dadatafaeliad	eg
dadelfeniad	eg
dadfathiad	eg
dadfeiliad	eg
dadleniad	eg
dadleoliad	eg
dadlygriad	eg
dadneitreiddiad	eg
dadorchuddiad	eg
dadrithiad	eg
dadwaddoliad	eg
dadwenwyniad	eg
dafad	eb
dangosiad	eg
daliad	eg
danad	ell
danfoniad	eg
danheddiad	eg
darfyddiad	eg
darganfyddiad	eg
dargludiad	eg
darluniad	eg
darllediad	eg
darlleniad	eg
darostyngiad	eg
darpariad	eg
datblygiad	eg
datganiad	eg
datgeiniad	eg
datgeliad	eg
datguddiad	eg
datgymaliad	eg
datgysegriad	eg
datgysylltiad	eg
datodiad	eg

ad

datrysiad	eg
dathliad	eg
dechreuad	eg
deffroad	eg
degiad	eg
dehongliad	eg
deholiad	eg
deiliad	eg
deilliad	eg
deintiad	eg
deisyfiad	eg
delweddiad	eg
deoriad	eg
derbyniad	eg
detholiad	eg
dewisiad	eg
diarddeliad	eg
diarfogiad	eg
diasbad	eb
dibeniad	eg
dibrisiad	eg
dibrofiad	a
dibyniad	eg
dideimlad	a
didoliad	eg
didoriad	a
diddwythiad	eg
diddyfniad	eg
diddymiad	eg
dieithriad	a
dieneiniad	a
dienwaediad	eg
dienyddiad	eg
diesboniad	a
difenwad	eg
diferiad	eg
difethiad	eg
diflaniad	eg

ad

difodiad	eg
difrïad	eg
difwriad	a
difwyniad	eg
difyniad	eg
diffiniad	eg
diffoddiad	eg
diffygiad	eg
diffyniad	eg
digroeniad	eg
digwyddiad	eg
digymeriad	a
digysylltiad	eg
diheintiad	eg
diheurad	eg
dilead	eg
dilechiad	a
dilyniad	eg
dilysiad	eg
dillad	ell
dinewidiad	a
dinistriad	eg
dinoethiad	eg
diraddiad	eg
dirdyniad	eg
dirgryniad	eg
dirnad	be
dirwasgiad	eg
dirymiad	eg
dirywiad	eg
disgrifiad	eg
disgwyliad	eg
disgyniad	eg
disgyrchiad	eg
distrywiad	eg
distylliad	eg
diswyddiad	eg
disyniad	a

ad

di-wad	a
diweddariad	eg
diweddiad	eg
diweddnodiad	eg
diwnïad	a
diwrthwynebiad	a
diwygiad	eg
diwylliad	eg
diymwad	a
dodiad	eg
dosbarthiad	eg
dosraniad	eg
dowciad	eg
dramateiddiad	eg
dramodiad	eg
dringad	be
drychiad	eg
drylliad	eg
duad	eg
dŵad	be
dwyraniad	eg
dwysbigiad	eg
dybliad	eg
dyblygiad	eg
dychmygiad	eg
dychweliad	eg
dyddiad	eg
dyfalbarhad	eg
dyfaliad	eg
dyfarniad	eg
dyfodiad	eg
dyfrhad	eg
dyfyniad	eg
dyhead	eg
dylanwad	eg
dylifiad	eg
dyluniad	eg
dymchweliad	eg

ad

dymuniad	eg
dynad	ell
dynesiad	eg
dynladrad	eg
dynladdiad	eg
dynodiad	eg
dynwarediad	eg
dyraniad	eg
dyrchafiad	eg
dyrniad	eg
dyrydiad	eg
dywad	bf
dywediad	eg
dyweddïad	eg
ebychiad	eg
edliwiad	eg
edrychiad	eg
efelychiad	eg
effeithiad	eg
eginhad	eg
eglurhad	eg
ehediad	eg
eiliad	ebg
eisteddiad	eg
eithriad	eg
electroleiddiad	eg
enciliad	eg
eneiniad	eg
enrhifiad	eg
ensyniad	eg
enwad	eg
enwaediad	eg
enwebiad	eg
enyniad	eg
epiliad	eg
eplesiad	eg
erfyniad	eg
ergydiad	eg

ad		ad		ad	
erlyniad	eg	glanhad	eg	groegiad	eg
erthyliad	eg	glaniad	eg	gronyniad	eg
erydiad	eg	glawiad	eg	gwacâd	eg
esblygiad	eg	gleisiad	eg	gwad	bf, eg
esboniad	eg	gleuad	ell	gwadiad	eg
esgoriad	eg	glyniad	eg	gwaddoliad	eg
esgyniad	eg	goblygiad	eg	gwaediad	eg
esmwythâd	eg	gocheliad	eg	gwaetiad	be
estyniad	eg	godriad	eg	gwaethygiad	eg
etholiad	eg	goddefiad	eg	gwangiad	eg
ewlychiad	eg	gofyniad	eg	gwahaniad	eg
ewropead	eg	gogoneddiad	eg	gwahanodiad	eg
ewyllysiad	eg	gogwyddiad	eg	gwaharddiad	eg
ffad	a	gohiriad	eg	gwahoddiad	eg
ffagliad	eg	golchiad	eg	gwanhad	eg
ffasâd	eg	goleuad	eg	gwaniad	eg
ffieiddiad	eg	golygiad	eg	gwanychiad	eg
fflachiad	eg	gollyngiad	eg	gwarcheidwad	eg
fflangelliad	eg	gomeddiad	eg	gwarediad	eg
ffoad	eg	gorchfygiad	eg	gwareiddiad	eg
ffoniad	eg	gorchmyniad	eg	gwasgariad	eg
fforiad	eg	gordderchiad	eg	gwasgiad	eg
ffrewylliad	eg	gorddwythiad	eg	gwastad	a, eg
ffrigad	eb	goresgyniad	eg	gwawriad	eg
ffroenffrydiad	eg	gorffeniad	eg	gwead	eg
ffroeniad	eg	gorgodiad	eg	gwefriad	eg
ffroenwaediad	eg	gorgyffyrddiad	eg	gwefusoliad	eg
ffrwydrad	eg	gorhendad	eg	gweinyddiad	eg
ffrydiad	eg	gormesiad	eg	gweithiad	eg
ffurfiad	eg	goroesiad	eg	gweithrediad	eg
ffurfweddiad	eg	gorseddiad	eg	gwelediad	eg
gad	bf	gorweddiad	eg	gwellhad	eg
gadawiad	eg	gorwlad	eb	gwerthfawrogiad	eg
gafaeliad	eg	gosodiad	eg	gwerthiad	eg
galarnad	eb	gostegiad	eg	gwerthusiad	eg
galwad	eb	gostyngiad	eg	gweryrad	be, eg
geirdarddiad	eg	graddiad	eg	gweryriad	eg
geiriad	eg	graddoliad	eg	gwibiad	eg

ad

gwichiad	eg
gwingad	be
gwiriad	eg
gwisgiad	eg
gwlad	eb
gwladychiad	eg
gwlychiad	eg
gwneuthuriad	eg
gwnïad	eg
gwrandawiad	eg
gwreiddiad	eg
gwrteithiad	eg
gwrthatyniad	eg
gwrthdrawiad	eg
gwrthdroad	eg
gwrthdrychiad	eg
gwrthdystiad	eg
gwrthddywediad	eg
gwrthfrad	eg
gwrthgiliad	eg
gwrthgyferbyniad	eg
gwrthodiad	eg
gwrthsafiad	eg
gwrthsymudiad	eg
gwrthweithiad	eg
gwrthwynebiad	eg
gwthiad	eg
gwyngalchiad	eg
gwylad	be
gwylliad	eg
gwynad	a, eg
gwyngalchiad	eg
gwyniad	eg
gwyntylliad	eg
gwyrdroad	eg
gwyriad	eg
gwysiad	eg
gwystlad	eg

ad

had	ell
haeriad	eg
hafaliad	eg
haldiad	eg
halogiad	eg
hanfodiad	eg
haniad	eg
hawliad	eg
heddgeidwad	eg
heintiad	eg
helaethiad	eg
heliad	eg
henaduriad	eg
hendad	eg
hepgoriad	eg
heuad	eg
hil-leiddiad	eg
hindreuliad	eg
hirbarhad	eg
holiad	eg
honciad	eg
honiad	eg
hunanddarostyngiad	
	eg
hunanladdiad	eg
hwyad	eb
hwyliad	eg
hydreiddiad	eg
hyfforddiad	eg
hyrddiad	eg
hyrwyddiad	eg
hysbysiad	eg
iachâd	eg
iad	eb
iawndaliad	eg
impiad	be, eg
indemniad	eg
irad	a

ad

iriad	eg
iseliad	eg
lanlwythiad	eg
lansiad	eg
lapiad	eg
lawnsiad	eg
lawrlwythiad	eg
llabyddiad	eg
llad	eg
lladrad	a, eg
lladdiad	eg
llafariad	eb
llawgaead	a
llawnlleuad	eb
llawnodiad	eg
lleihad	eg
llên-ladrad	eg
llenwad	eg
lleoliad	eg
llesâd	eg
lletwad	eb
lleuad	eb
llifiad	eg
llinborthiad	eg
llinelliad	eg
llithiad	eg
llithriad	eg
lliwiad	eg
llofnodiad	eg
lloffiad	eg
llongddrylliad	eg
llongyfarchiad	eg
llosgiad	eg
lluchiad	eg
lluniad	eg
lluosiad	eg
lluosogiad	eg
llusgiad	eg

ad

llwybreiddiad	eg	mewnwelediad	eg	ordeiniad	eg
llwyrymwrthodiad	eg	môr-ladrad	eg	ordinhad	eb
llyfiad	eg	morgad	eb	paentiad	eg
llygad	ebg	mudiad	eg	paratoad	eg
llygriad	eg	mwyhad	eg	parhad	eg
llynciad	eg	mwynhad	eg	pariad	eg
llysgennad	eg	mygdarthiad	eg	pastyniad	eg
llystad	eg	mygiad	eg	peidiad	eg
llythreniad	eg	mynediad	eg	peilliad	eg
llywiad	eg	mynegiad	eg	pelydriad	eg
llywodraethiad	eg	mynychiad	eg	pellhad	eg
mabwysiad	eg	nacâd	eg	pellwelediad	eg
maceiad	eg	nâd	eb	penderfyniad	eg
machludiad	eg	naddiad	eg	peniad	eg
mad	a	negodiad	eg	penliniad	eg
mamladdiad	eg	negyddiad	eg	penodiad	eg
mamwlad	eb	neilltuad	eg	perfeddwlad	eb
manawiad	eg	nerthiad	eg	perfformiad	eg
mapiad	eg	nerthyriad	eg	personoliad	eg
marchnad	eb	nesâd	eg	perswâd	eg
marlad	eg	nesiad	eg	pesychiad	eg
marweiddiad	eg	newidiad	eg	pigiad	eg
marwhad	eg	newydd-ddyfodiad	eg	pinsiad	eg
marwnad	eb	newyddleuad	eb	pistyllad	be
mathriad	eg	nithiad	eg	pistylliad	eg
mawrhad	eg	nodiad	eg	piwiad	eg
mecaneiddiad	eg	nofiad	eg	planiad	eg
meddwad	eg	nogiad	eg	pletiad	eg
meddyliad	eg	odliad	eg	pluad	eg
meichiad	eg	oediad	eg	plufiad	eg
mesuriad	eg	oernad	eb	plyciad	eg
methdaliad	eg	offeiriad	eg	plygiad	eg
mewnforiad	eg	ôl-doriad	eg	plymiad	eg
mewnlifiad	eg	ôl-ddodiad	eg	pobiad	eg
mewnoliad	eg	ôl-nodiad	eg	poeriad	eg
mewnosodiad	eg	olrhead	eg	pomgranad	eg
mewnsaethiad	eg	olrheiniad	eg	portread	eg
mewnsylliad	eg	ôl-sylliad	eg	porthiad	eg

ad

posibiliad	eg
pregethiad	eg
prelad	eg
prentisiad	eg
preswyliad	eg
prinhad	eg
printiad	eg
prisiad	eg
prociad	eg
profiad	eg
pryniad	eg
pureiddiad	eg
pwniad	eg
pwythiad	eg
pydriad	eg
pyngad	be
pystylad	be, eg
rathiad	eg
recordiad	eg
rhad	a, eg
rhag-ganfyddiad	eg
rhagarweiniad	eg
rhagchwiliad	eg
rhagderfyniad	eg
rhagddodiad	eg
rhagfwriad	eg
rhagfynegiad	eg
rhagffurfweddiad	eg
rhagnodiad	eg
rhagosodiad	eg
rhagwelediad	eg
rhaniad	eg
rhanddeiliad	eg
rhawiad	eb
rhediad	eg
rheoliad	eg
rhestriad	eg
rhesymegiad	eg

ad

rhesymiad	eg
rheweiddiad	eg
rhithganfyddiad	eg
rhodiad	eg
rhofiad	eb
rhuad	eg
rhuglad	eg
rhuthrad	eg
rhwygiad	eg
rhwymiad	eg
rhwystrad	eg
rhyddfreiniad	eg
rhyddgymdeithasiad	eg
rhyddhad	eg
rhygniad	eg
rhyngweithiad	eg
sad	a
saethiad	eg
safiad	eg
sangiad	eg
salad	eg
samariad	eg
sarhad	eg
sefydliad	eg
sefydlogiad	eg
seiliad	eg
seiniad	eg
setliad	eg
sglefriad	eg
sgrwbiad	eg
sgwad	eg
sgwriad	eg
siarad	be, eg
sicrhad	eg
sifiliad	eg
siglad	eg
siliad	ell

ad

sillafiad	eg
sisiad	eg
sodomiad	eg
stad	eb
stoc-ddaliad	eg
suddiad	eg
sugniad	eg
swcad	a
sylwad	eg
sylweddoliad	eg
symbyliad	eg
symleiddiad	eg
symudiad	eg
synhwyriad	eg
syniad	eg
syrthiad	eg
sythwelediad	eg
tabliad	eg
tad	eg
tadladdiad	eg
tadleiddiad	eg
taenelliad	eg
taeniad	eg
tafleniad	eg
tafliad	eg
tafluniad	eg
tagiad	eg
tangiad	eg
talfyriad	eg
talgryniad	eg
taliad	eg
tangyflawniad	eg
taniad	eg
tanlinelliad	eg
tannad	eg
tanysgrifiad	eg
tarddiad	eg
teimlad	eg

ad

telathrebiad	eg
telediad	eg
telerecordiad	eg
teneuad	eg
terfyniad	eg
tewychiad	eg
teyrnasiad	eg
tinciad	eg
toad	eg
tociad	eg
tolcheniad	eg
toniad	eg
toriad	eg
traddodiad	eg
traethiad	eg
trallwysiad	eg
trawiad	eg
trawsblaniad	eg
trawsfudiad	eg
trawsffurfiad	eg
trawsgludiad	eg
trawsgyweiriad	eg
trawsnewidiad	eg
trawstoriad	eg
trawsyriad	eg
trefniad	eg
treftad	eb
trengholiad	eg
treiddiad	eg
treiglad	eg
treisiad	eb
trethiad	eg
treuliad	eg
trimiad	eg
troad	eg
troednodiad	eg
troelliad	eg
troseddiad	eg

ad

trosglwyddiad	eg
trosgyfeiriad	eg
trosiad	eg
trosleisiad	eg
trugarhad	eg
trulliad	eg
trwsiad	eg
trwythiad	eg
trychiad	eg
trydarthiad	eg
trylediad	eg
trywaniad	eg
tueddiad	eg
twmlad	eb
tymhigiad	eg
tynfad	eg
tynhad	eg
tyniad	eg
tywalltiad	eg
tywylliad	eg
tywyniad	eg
udiad	eg
uniad	eg
urddiad	eg
uwchraddiad	eg
weslead	eg
whad	eb
wylad	be
wynebiad	eg
ychwanegiad	eg
ymad	bf
ymadawiad	eg
ymaddasiad	eg
ymagweddiad	eg
ymarfaethiad	eg
ymarferiad	eg
ymarweddiad	eg
ymataliad	eg

ad

ymbelydriad	eg
ymbellhad	eg
ymchwiliad	eg
ymdeimlad	eg
ymdeithiad	eg
ymdrechiad	eg
ymdreiddiad	eg
ymdriniad	eg
ymdroelliad	eg
ymddangosiad	eg
ymddarostyngiad	eg
ymddatodiad	eg
ymddeoliad	eg
ymddiheuriad	eg
ymddiorseddiad	eg
ymddiswyddiad	eg
ymddygiad	eg
ymelwad	eg
ymestyniad	eg
ymfoddhad	eg
ymfudiad	eg
ymgiliad	eg
ymgnawdoliad	eg
ymgrymiad	eg
ymgynghoriad	eg
ymgymeriad	eg
ymgysegriad	eg
ymhidlad	eg
ymhlygiad	eg
ymholiad	eg
ymlosgiad	eg
ymlusgiad	eg
ymlyniad	eg
ymneilltuad	eg
ymnyddiad	eg
ymofyniad	eg
ymolchiad	eg
ymosodiad	eg

ad		adn		add	
ymostyngiad	eg	**adn**		uwchradd	a
ymraniad	eg	gwadn	eg	ymladd + ymlâdd	
ymrestriad	eg				be, eg
ymresymiad	eg	**adr**		**ae**	
ymroad	eg	aradr	eb	argae	eg
ymroddiad	eg	paladr	eg	bae	eg
ymrwymiad	eg	penbaladr	a	cae	eg
ymryddhad	eg	rhaeadr	eb	camchwarae	eg
ymwacâd	eg	tagaradr	eg	canolgae	eg
ymwadiad	eg	taradr	eg	coetgae	eg
ymweliad	eg			chwarae	be, eg
ymwrthodiad	eg	**add**		ffrae	eb
ymyriad	eg	adladd	eg	gwae	eg
ynad	eg	angladd	ebg	gwarchae	be, eg
ynysiad	eg	badd	eg	mae	bf
ysgariad	eg	brigladd	be	pae	eg
ysgarlad	a	cadd	bf	prae	eg
ysgarthiad	eg	canolradd	a	ymchwarae	be
ysgogiad	eg	canradd	a		
ysgribliad	eg	cladd	bf, eg	**aech**	
ysgrifeniad	eg	cydladd	be	aech	bf
ysgubiad	eg	cydradd	a	agosaech	bf
ysgytwad	eg	cyfradd	a, eg	baech	bf
ysgythriad	eg	cynradd	a	caech	bf
ysiad	eg	darn-ladd	be	gwnaech	bf
ystad	eb	di-radd	a	mwynhaech	bf
ystrad	eg	dwyradd	a	petaech	cys
		eilradd	a		
adl		gradd	eb	**aed**	
anadl	eb	gwadd	a, be, eb	aed	bf
banadl	ell	iselradd	a	brogaed	ell
dadl	eb	isradd	a, eg	caed	bf
danadl	ell	lladd	be, bf	cydwaed	a
di-ddadl	a	nadd	a, bf	cyfandraed	ell
distadl	a	neuadd	eb	gwaed	eg
gwrthddadl	eb	porthladd	eg	gwnaed	bf
trwyadl	a	uchafradd	a	rhuddwaed	eg
		uchelradd	a	traed	ell

18

aedd

aedd

baedd	eg
crochwaedd	eb
cyrraedd	be, bf
digyrraedd	a
gwaedd	eb

aeg

cymraeg	a, ebg
hebraeg	a, ebg

ael

ael	eb
anghaffael	eg
anhael	a, eg
arddyrchafael	be
atafael	be, eg
cael	be
caffael	be
dadafael	be
di-fael	a
di-ffael	a
diafael	a
diwael	a
dwyael	ell
dyrchafael	be
ffael	eg
gadael	be
gafael	be, eb
gwael	a
hael	a
iselwael	a
mael	eb
trafael	eb
ymadael	be
ymafael	be
ymrafael	be, eg

aell

aell

gwaell	eb

aem

aem	bf
agosaem	bf
baem	bf
caem	bf
gwnaem	bf
mwynhaem	bf
petaem	cys

aen

adwaen	bf
argaen	eg
asurfaen	eg
bedyddfaen	eg
beddfaen	eg
blaen	eg
braen	a
cabolfaen	eg
caen	eb
calchfaen	eg
cistfaen	eb
clogfaen	eg
conglfaen	eg
craen	eg
cromenfaen	eg
diraen	a
draen	eb
egfaen	ell
ehedfaen	eg
esgynfaen	eg
graeanfaen	eg
graen	ebg
gronfaen	eg
gwenithfaen	eg
gwyrddfaen	eg

aen

haen	eb
hogfaen	eg
ithfaen	eg
llaethfaen	eg
llechfaen	eg
llosgfaen	eg
maen	eg
melynfaen	eg
ogfaen	ell
plaen	a, eb
priddfaen	eg
sebonfaen	eg
staen	eg
sylfaen	eb
taen	eb
tormaen	eg
traen	eg
tynfaen	eg
tywodfaen	eg
ymlaen	adf

aent

aent	bf
agosaent	bf
baent	bf
caent	bf
gwnaent	bf
maent	bf
mwynhaent	bf
paent	eg
petaent	cys

aer

aer	eg
agosaer	bf
caer	eb
claer	a
chwaer	eb

aer		**aeth**		**aeth**	
gwnaer	bf	adnabyddiaeth	eb	ardalaeth	eb
llyschwaer	eb	aelodaeth	eb	ardalyddiaeth	eb
maer	eg	aeth	bf, eg	areithyddiaeth	eb
mensaer	eg	aflywodraeth	eb	arfaeth	eb
mwynhaer	bf	afreolaeth	eb	arfogaeth	eb
pensaer	eg	afresymoliaeth	eb	arglwyddiaeth	eb
saer	eg	anghrediniaeth	eb	aristocratiaeth	eb
staer	eb	anghydffurfiaeth	eb	arluniaeth	eb
taer	a	anghyflogaeth	eb	arlwyaeth	eb
		anghymeradwyaeth		arolygiaeth	eb
aes			eb	arweinyddiaeth	eb
briglaes	a	ailenedigaeth	eb	arwriaeth	eb
cadfaes	ebg	alaeth	a, eg	asgetiaeth	eb
camofflaes	eg	alltudiaeth	eb	asiantaeth	eb
clunllaes	a	amaeth	eg	astudiaeth	eb
cymraes	eb	amaethyddiaeth	eb	ataliaeth	eb
garllaes	a	amheuaeth	eb	atalnodiaeth	eb
gwalltlaes	a	amhleidiaeth	eb	atomiaeth	eb
hebraes	eb	amlwreiciaeth	eb	atwrneiaeth	eb
hirllaes	a	amodaeth	eb	athrawiaeth	eb
llaes	a	amrywiaeth	eg	athrodiaeth	eb
maes	eg	anarchiaeth	eb	athroniaeth	eb
slaes	ebg	anfonedigaeth	eg	awenyddiaeth	eb
staes	eg	anffyddiaeth	eb	awtarchiaeth	eb
ydfaes	eg	anhaeddedigaeth	eb	awtistiaeth	eb
		anianaeth	eb	awtocratiaeth	eb
aeth		anllygredigaeth	eb	awtomatiaeth	eb
abadaeth	eb	anllywodraeth	eb	babïaeth	eb
absenoliaeth	eb	annibyniaeth	eb	bagloriaeth	eb
absoliwtiaeth	eb	anogaeth	eb	barceriaeth	eb
achlysuraeth	eb	anturiaeth	eb	barddoniaeth	eb
achosiaeth	eg	anudoniaeth	eb	bariaeth	ebg
achubiaeth	eb	anwariaeth	eb	barnedigaeth	eb
achyddiaeth	eb	anwybodaeth	ebg	barwniaeth	eb
adariaeth	eb	anwyliaeth	eb	bathofyddiaeth	eb
adaryddiaeth	eb	anymyrraeth	eb	bathoriaeth	eb
adeiladaeth	eb	archesgobaeth	eb	beilïaeth	eb
adenedigaeth	eb	archwaeth	eb	beirniadaeth	eb

bioamrywiaeth	eb	canilawiaeth	eb	cowperiaeth	eb
biwrocratiaeth	eb	canmoliaeth	eb	creadigaeth	eb
blaenoriaeth	eb	canoniaeth	eb	crediniaeth	eb
bodolaeth	eb	capelyddiaeth	eb	cristnogaeth	eb
bradwriaeth	eb	caplaniaeth	eb	croesaniaeth	eb
brafiaeth	eb	capteiniaeth	eb	crogedigaeth	eb
brawdmaeth	eg	carthffosiaeth	eb	crwynwriaeth	eb
brawdoliaeth	eb	carwriaeth	eb	cryddaniaeth	eb
brenhiniaeth	eb	catholigiaeth	eb	crynyddiaeth	eb
brodiaeth	eb	cecraeth	eb	curadiaeth	eb
brodoriaeth	eb	cefnogaeth	eb	cwacyddiaeth	eb
brwdaniaeth	eg	ceidwadaeth	eb	cwmnïaeth	eb
brydaniaeth	eg	cenadwriaeth	eb	cwmpeiniaeth	eb
buddugoliaeth	eb	cenhadaeth	eb	cwsmeriaeth	eb
bugeiliaeth	eb	cenhedlaeth	eb	cydbartiaeth	eb
bwrdeisiaeth	eb	cerddoriaeth	eb	cydfaeth	a
bwrsariaeth	eb	cerfiadaeth	eb	cydnabyddiaeth	eb
bydwreigiaeth	eb	cerfluniaeth	eb	cydrywiaeth	eb
bywoliaeth	eb	cigyddiaeth	eb	cydrywogaeth	eb
bywydaeth	eb	cildraeth	eg	cydymffurfiaeth	eb
cabledigaeth	eb	claddedigaeth	ebg	cydymgeisiaeth	eb
cadeiryddiaeth	eb	clerwriaeth	eb	cyfalafiaeth	eb
cadetiaeth	eb	clicyddiaeth	eb	cyfansoddiadaeth	eb
cadfridogaeth	eb	clöedigaeth	eb	cyfarwyddiaeth	eb
cadlywyddiaeth	eb	clymbleidiaeth	eb	cyfatebiaeth	eb
cadofyddiaeth	eb	clywedigaeth	eb	cyfathrebiaeth	eb
cadwedigaeth	eb	cnawdoliaeth	eb	cyfeiriadaeth	eb
cadwraeth	eb	cocraeth	eg	cyferbyniaeth	eb
caeth	a, eg	coedwigaeth	eb	cyfieuaeth	eb
caethwasanaeth	eg	coegfeddyginiaeth	eb	cyflëyddiaeth	eb
caethwasiaeth	eb	coffadwriaeth	eb	cyflogaeth	eb
cangelloriaeth	eb	coginiaeth	eb	cyfluniaeth	eb
calfiniaeth	eb	cogyddiaeth	eb	cyfnesafiaeth	eb
camdriniaeth	eb	colledigaeth	eb	cyfochraeth	eb
camdystiolaeth	eb	comiwnyddiaeth	eb	cyfraniaeth	eb
camddealltwriaeth	eg	consuriaeth	eb	cyfrgolledigaeth	eb
caniadaeth	eb	corffolaeth	eb	cyfrifiaeth	eb
canibaliaeth	eb	corfforaeth	eb	cyfrifyddiaeth	eb

cyfriniaeth	eb
cyfundrefniaeth	eb
cyffelybiaeth	eb
cyhyraeth	eb
cymdogaeth	eb
cymeradwyaeth	eb
cymhariaeth	eb
cymrodoriaeth	eb
cynaniaeth	eb
cynhaliaeth	eb
cynhysgaeth	eb
cynllaeth	eg
cynrychiolaeth	eb
cysefiaeth	eb
cystadleuaeth	eb
cystrawiaeth	eb
cythryblaeth	eb
chwaerfaeth	eb
chwaeroliaeth	eb
chwaeth	eb
chwarelyddiaeth	eb
chwaryddiaeth	eb
chwedloniaeth	eb
dadadeiladaeth	eb
dadleuaeth	eb
daearyddiaeth	eb
daeth	bf
daliadaeth	eb
dallbleidiaeth	eb
damcaniaeth	eb
damnedigaeth	eb
darbodaeth	eb
darfodedigaeth	eg
darllenadwyaeth	eb
darpariaeth	eb
darwiniaeth	eb
datganoliaeth	eb
dealltwriaeth	eb

deddfwriaeth	eb
defodaeth	eb
deiliadaeth	eb
deintyddiaeth	eb
delfrydiaeth	eb
democratiaeth	eb
deoniaeth	eb
derwyddiaeth	eb
deuoliaeth	eb
dewindabaeth	eb
dewiniaeth	eb
di-chwaeth	a
diaconiaeth	eb
dialaeth	a
diamheuaeth	a
diamodaeth	eb
dibenyddiaeth	eb
dibyniaeth	eb
diddarbodaeth	eb
didduwiaeth	ebg
diddymiaeth	eb
difeddyginiaeth	a
difodiaeth	eb
difrïaeth	eb
difrodaeth	eb
diletantiaeth	eb
dilywodraeth	a
dinasyddiaeth	eb
dirfodaeth	eb
diriaeth	eb
dirnadaeth	eb
direolaeth	a
dirprwyaeth	eb
dirwestaeth	eb
disgyblaeth	eb
diwahaniaeth	a
diwasanaeth	a
diwinyddiaeth	eb

diystyriaeth	eb
doethuriaeth	eb
dogfennaeth	eb
dogmatiaeth	eb
drudaniaeth	eb
drwgdybiaeth	eb
drychiolaeth	eb
dugiaeth	eb
dwyfoliaeth	eb
dwywreigiaeth	eb
dyneiddiaeth	eb
dynofyddiaeth	eb
dynoliaeth	eb
dysgedigaeth	eb
dysgeidiaeth	eb
ednogaeth	eb
efrydiaeth	eb
eilunaddoliaeth	eb
eiriolaeth	eb
emynyddiaeth	eb
eneidyddiaeth	eb
enwadaeth	eb
erledigaeth	eb
erlyniaeth	eb
esgobaeth	eb
estroniaeth	eb
etifeddiaeth	eb
etholaeth	eb
etholedigaeth	eb
fandaliaeth	eb
ficeriaeth	eb
ffafriaeth	eb
ffanatigiaeth	eb
ffasgiaeth	eb
ffederaliaeth	eb
ffeministiaeth	eb
ffeminyddiaeth	eb
ffeodaeth	eb

aeth

fferylliaeth	eb
ffilmyddiaeth	eb
ffilosoffyddiaeth	eb
ffisigwriaeth	eb
ffiwdaliaeth	eb
fföedigaeth	eb
ffotograffiaeth	eb
ffraeth	a
ffurfwasanaeth	eg
ffwndamentaliaeth	eb
galaeth	eb
galwedigaeth	eb
garddwriaeth	eb
gaudduwiaeth	eb
geiryddiaeth	eb
gelyniaeth	eb
gemyddiaeth	eb
genedigaeth	eb
gofalaeth	eb
gohebiaeth	eb
goleuedigaeth	eb
golygiaeth	eb
golygyddiaeth	eb
goreuaeth	eb
gorfodaeth	eb
gorfodogaeth	eb
gormodiaeth	eb
goruchafiaeth	eb
goruchwyliaeth	eb
gwaedoliaeth	eb
gwaeth	a
gwaethafyddiaeth	eb
gwaethwaeth	adf
gwahaniaeth	eg
gwaharddedigaeth	eb
gwalchwriaeth	eb
gwalchyddiaeth	eb
gwarchaeëdigaeth	eb

aeth

gwarchodaeth	eb
gwaredigaeth	eb
gwasanaeth	eg
gwastrodaeth	be, eb
gwatwariaeth	eb
gwawdiaeth	eb
gweinidogaeth	eb
gweinyddiaeth	eb
gweithrediaeth	eb
gweledigaeth	eb
gweriniaeth	eb
gwerinlywodraeth	eb
gwinwyddaeth	eb
gwladweiniaeth	eb
gwladwriaeth	eb
gwleidyddiaeth	eb
gwlybaniaeth	eg
gwnaeth	bf
gwniedyddiaeth	eb
gwrachyddiaeth	eb
gwrogaeth	eb
gwroliaeth	eb
gwroniaeth	eb
gwrthderfysgaeth	eb
gwrthfrawychiaeth	eb
gwrywgydiaeth	eb
gwybodaeth	eb
gwyddoniaeth	eb
gwylaeth	eg
gwyliadwriaeth	eb
gwystleidiaeth	eb
gwystloriaeth	eb
haniaeth	eb
hebogyddiaeth	eb
hedoniaeth	eb
heddychiaeth	eb
helaeth	a
helwriaeth	eb

aeth

henaduriaeth	eb
herodraeth	eb
herwriaeth	eb
heteronomiaeth	eb
hierarchaeth	eb
hiliaeth	eb
hiliogaeth	eb
hiraeth	eg
hollalluogaeth	eb
hollwybodaeth	eb
hudoliaeth	eb
hunaniaeth	eb
hunanreolaeth	eb
hwliganiaeth	eb
hwsmonaeth	eb
hyfaeth	a
hynafiaeth	eb
iachawdwriaeth	eb
iarllaeth	eb
iddewiaeth	eb
ieithyddiaeth	eb
isymwybyddiaeth	eb
lladdedigaeth	eb
llaeth	eg
llawdriniaeth	eb
llawddewiniaeth	eb
llawfaeth	a
llawfeddygaeth	eb
lleianaeth	eb
llenyddiaeth	eb
lletyaeth	eb
llofruddiaeth	eb
llongwriaeth	eb
lluniaeth	eg
lluosogaeth	eb
llyfeliaeth	eb
llyfrgellyddiaeth	eb
llyfryddiaeth	eb

llygredigaeth	eb
llysgenhadaeth	eb
llysieuaeth	eb
llythyraeth	eb
llywaeth	a
llywodraeth	eb
llywyddiaeth	eb
mabolaeth	eb
maeroriaeth	eb
maeth	eg
magnelaeth	eb
magwraeth	eb
maintiolaeth	eb
mamaeth	eb
mamogaeth	eb
mamolaeth	eb
marchnadaeth	eb
marchogaeth	be
marchogyddiaeth	eb
marchwriaeth	eb
marsiandïaeth	eb
marwolaeth	eb
masocistiaeth	eb
materoliaeth	eb
matriarchaeth	eb
mechnïaeth	eb
meddygaeth	eb
meddyginiaeth	eb
meistrolaeth	eb
mesuraeth	eb
mesuroniaeth	eb
methodistiaeth	eb
meudwyaeth	eb
mewnddirnadaeth	eb
mewnfaeth	eg
militariaeth	eb
milofyddiaeth	eb
milwriaeth	eb

moderniaeth	eb
morwriaeth	eb
mudaniaeth	eb
mydryddiaeth	eb
myfïaeth	eb
mynachaeth	eb
naturoliaeth	eb
nawddogaeth	eb
negyddiaeth	eb
neilltuaeth	eb
newyddiaduriaeth	eb
niwtraliaeth	eb
ocraeth	eb
odiaeth	a
ofergoeliaeth	eb
ofyddiaeth	eb
offeiriadaeth	eb
ôl-foderniaeth	eb
olyniaeth	eb
optimistiaeth	eb
pabaeth	eb
pabyddiaeth	eb
paganiaeth	eb
palledigaeth	eb
panwriaeth	eb
partïaeth	eb
partneriaeth	eb
patriarchaeth	eb
pedantiaeth	eb
peirianyddiaeth	eb
penaduriaeth	eb
penarglwyddiaeth	eb
pencampwriaeth	eb
pendefigaeth	eb
penderfyniaeth	eb
pennaeth	eg
pensaernïaeth	eb
penydiaeth	eb

perchentyaeth	eb
perchnogaeth	eb
perffeithiaeth	eb
personiaeth	eb
personoliaeth	eb
perthnasolaeth	eb
pesimistiaeth	eb
piwritaniaeth	eb
pleidiaeth	eb
poblogaeth	eb
poenedigaeth	eb
porfelaeth	eb
porthmonaeth	eb
porthoriaeth	eb
preladiaeth	eb
prentisiaeth	eb
priodoliaeth	eb
priodoriaeth	eb
prioriaeth	eb
proctoriaeth	eb
profedigaeth	eb
proffwydoliaeth	eb
protestaniaeth	eb
prydyddiaeth	eb
pryfyddiaeth	eb
puteiniaeth	eb
pwyntiliaeth	eb
phariseaeth	eb
philistiaeth	eb
radicaliaeth	eb
rhagdraeth	eg
rhagdybiaeth	eb
rhaglawiaeth	eb
rhagluniaeth	eb
rhagoriaeth	eb
rhagwybodaeth	eb
rhamantiaeth	eb
rheolaeth	eb

aeth

rhesymoliaeth	eb
rhifyddiaeth	eb
rhigolaeth	eb
rhwymedigaeth	eb
rhyddfrydiaeth	eb
rhywogaeth	eg
sadistiaeth	eb
saernïaeth	eb
saeth	eb
saethwriaeth	eb
saethyddiaeth	eb
sataniaeth	eb
seicolawdriniaeth	eb
seinyddiaeth	eb
sensoriaeth	eb
sentimentaliaeth	eb
seryddiaeth	eb
sillafiaeth	eb
sillebiaeth	eb
siomedigaeth	eb
siwglaeth	eb
snobyddiaeth	eb
sodomiaeth	eb
sosialaeth	eb
strategaeth	eb
sugndraeth	eg
swrrealaeth	eb
swyddogaeth	eb
sylwadaeth	eb
sylwebaeth	eb
symboliaeth	eb
synedigaeth	eb
syniadaeth	eb
tadmaeth	eg
tadogaeth	eb
tadolaeth	eb
taeogaeth	eb
taledigaeth	eb

aeth

tebygoliaeth	eb
teilwriaeth	eb
tenantiaeth	eb
tiriogaeth	eb
tiwtoriaeth	eb
tonyddiaeth	eb
torïaeth	eb
totalitariaeth	eb
tra-arglwyddiaeth	eb
traeth	eg
trafnidiaeth	eb
trafodaeth	eb
trefedigaeth	eb
trefniadaeth	eb
treftadaeth	eb
tremofyddiaeth	eb
tremyddiaeth	eb
triniaeth	eb
triwantiaeth	eb
tröedigaeth	eb
trysoryddiaeth	eb
twristiaeth	eb
tybiaeth	eb
tyngedfenyddiaeth	eb
tynghediaeth	eb
tystiolaeth	eb
tywysogaeth	eb
uchafiaeth	eb
unbennaeth	eb
undebaeth	eb
undodiaeth	eb
unffurfiaeth	eb
unigoliaeth	eb
unigolyddiaeth	eb
unigrywiaeth	eb
unoliaeth	eb
unrhywiaeth	eb
wardeiniaeth	eb

aaeth

ymarddangosiaeth	eb
ymbleidiaeth	eb
ymdriniaeth	eb
ymddiriedaeth	eb
ymddiriedolaeth	eb
ymddygiadaeth	eb
ymerodraeth	eb
ymgecraeth	eb
ymgeisiaeth	eb
ymgosbaeth	eb
ymlyniaeth	eb
ymneilltuaeth	eb
ymreolaeth	eb
ymwybyddiaeth	eb
ymyrraeth	be, eb
ynadaeth	eb
ysbrydegaeth	eb
ysbrydiaeth	eb
ysbrydoliaeth	eb
ysglyfaeth	eb
ysgoloriaeth	eb
ysgrifenyddiaeth	eb
ystadegaeth	eb
ystyriaeth	eb
ysywaeth	adf

af

-af: terfyniad berfol –
   canaf, etc.

af	bf
amdanaf	ardd
anaf	eg
anaraf	a
anhawsaf	a
araf	a
arnaf	ardd
aruchaf	a
ataf	ardd

af

atglaf	a
blaenaf	a
braf	a
bydaf	ebg
byddaf	bf
caf	bf
calaf	eb
claf	a, eg
cnaf	eg
craf	bf
crasgalaf	ell
cydgyfalaf	eg
cyfalaf	eg
cyngaf	eg
cynhaeaf	eg
cyntaf	a, adf
danaf	ardd
deuaf	bf
deusillaf	a
dianaf	a
diweddaraf	a
diwethaf	a
eithaf	a, adf, eg
gaeaf	eg
gorffennaf	eg
gorsaf	eb
goruchaf	a
gwaethaf	a
gwahanglaf	a
gwanaf	eb
gwarthaf	eg
gwnaf	bf
haf	eg
hawsaf	a
hwyaf	a
hynaf	a
ieuaf	a
ieuangaf	a

af

isaf	a
lleiaf	a
lletaf	a
mwyaf	a
nesaf	a
olaf	a
pennaf	a
rheitiaf	a
sillaf	eb
slaf	eg
tanaf	ardd
trechaf	a
uchaf	a

afl

gafl	eb
gwarthafl	eb
tafl	bf, eb

afn

cafn	eg
dafn	eg
gwasg-gafn	eg
hafn	eb
llafn	eg
penysgafn	a
safn	eb
ysgafn	a

afr

clafr	eg
cwafr	eg
ffafr	eb
gafr	eb

aff

argraff	eb
beddargraff	eg

aff

caff	eg
cefnrhaff	eb
craff	a, eb
cynghraff	eg
chwaff	a, adf, eg
ffotograff	eg
graff	eg
gwastraff	eg
gylfinbraff	eg
haff	eg
llygatgraff	a
orgraff	eb
paragraff	eg
praff	a
rhaff	eb
seraff	eg
staff	eg
ysgraff	eb

afft

drafft	eg
gorddrafft	eg
rafft	eb
siafft	eb

ag

bag	eg
beudag	eb
brag	eg
bynnag	rhag
cardiag	a
di-nâg	a
drag	eg
fflag	eb
gorwag	a
gwag	a
gwresfynag	eg
heulfynag	eg

ag

hinfynag	eg
llindag	eg
mag	eb
mindag	eg
nâg	eg
rhag	ardd
safndag	eg
tag	eg
tuag	ardd

agl

bagl	eb
bonffagl	eg
cagl	eg
ffagl	eb
magl	eb
miragl	eg
torfagl	eg
triagl	eg
ysbinagl	eg

agr

dagr	eg
hagr	a

ang

byd-eang	a
damsang	be
eang	a
pang	eg
sang	eb

ai

-ai: terfyniad berfol –
  canai a hefyd
  canasai, etc.

abatai	ell
adardai	ell

ai

adnapai	bf
addoldai	ell
aethai	bf
âi	bf
amaethdai	ell
annifai	a
argrafftai	ell
ariandai	ell
awyrendai	ell
bai	bf, eg
barctai	ell
bathdai	ell
bawdai	ell
beudái	ell
blorai	eg
blotai	ell
bractai	ell
brenhindai	ell
brodordai	ell
buasai	bf
buddai	eb
bwytai	ell
byddai	bf
cabidyldai	ell
cachdai	ell
calanmai	eg
câi	bf
carchardai	ell
carrai	eb
cawsai	bf
cerbytai	ell
clafdai	ell
clai	eg
clasordai	ell
clochdai	ell
cloglai	eg
cneifdai	ell
clwystai	ell

ai

coetai	ell
colomendai	ell
corffdai	ell
crai	a
crefydd-dai	ell
cyfrifdai	ell
cymynai	eb
chwaraedai	ell
daeardai	ell
daethai	bf
darlundai	ell
defeitai	ell
deildai	ell
delai	bf
deondai	ell
deuai	bf
di-drai	a
dimai	eb
diotai	ell
dirwyndai	ell
distylltai	ell
dylai	bf
dylasai	bf
efallai	adf
eglwystai	ell
elai	bf
elsai	bf
elusendai	ell
ertrai	eg
feallai	adf
ficerdai	ell
ffermdai	ell
geudai	ell
glowtai	ell
golchdai	ell
goleudai	ell
gwallgofdai	ell
gweithdai	ell

ai		**ai**		**aib**	
gwestai	eg, ell	mynegai	eg	**aib**	
gwindai	ell	nai	eg	bwyellgaib	eb
gwirotai	ell	odyndai	ell	caib	eb
gwnaethai	bf	ogofdai	ell	llaib	eg
gwnâi	bf	orendai	ell	rhaib	eg
gwnelai	bf	pandai	ell	saib	eg
gwnelsai	bf	pastai	eb		
gwypai	bf	pentai	ell	**aich**	
gwyryfdai	ell	persondai	ell	baich	eg
hafdai	ell	petai	cys	braich	ebg
hafotai	ell	petasai	cys	mynaich	ell
hufendai	ell	plastai	ell		
hundai	ell	poptai	ell	**aid**	
hwrdai	ell	porthordai	ell	abiaid	ell
irai	eg	priddglai	eg	adnaid	eb
labordai	ell	priordai	ell	afraid	a
lifrai	eg	puteindai	ell	anghenraid	eg
lladd-dai	ell	pwerdai	ell	anghredaduniaid	ell
llaethdai	ell	rhai	rhag	alltudiaid	ell
llai	a	rhandai	ell	amaturiaid	ell
llatai	eg	rhewglai	eg	amddifaid	ell
lleiandai	ell	rhywrai	ell	amhlaid	a
lleilai	adf	senedd-dai	ell	amnaid	eb
lluestai	ell	simnai	eb	anafraid	a
llystai	ell	siwrnai	adf, eb	andrasiaid	ell
llythyrdai	ell	slafdai	ell	anglicaniaid	ell
macai	eg	slafweithdai	ell	anifeiliaid	ell
maendai	ell	stordai	ell	anllathraid	a
maenordai	ell	tafarndai	ell	anwariaid	ell
mai	eg	tai	ell	arabiaid	ell
marchdai	ell	tlotai	ell	archoffeiriaid	ell
marwdai	ell	tolltai	ell	arddodiaid	ell
masnachdai	ell	trai	eg	arffedaid	eb
melindai	ell	trysordai	ell	ariannaid	a
mintai	eb	twrnai	eg	aristocratiaid	ell
modurdai	ell	ysbytai	ell	artistiaid	ell
mynachdai	ell	ysgoldai	ell	asbiaid	ell

aid

awtocratiaid	ell
bagaid	eg
barceriaid	ell
barcutiaid	ell
barilaid	ebg
barwniaid	ell
basgedaid	eb
bastardiaid	ell
bawaid	eb
begeriaid	ell
beilïaid	ell
beirniaid	ell
bendigaid	a
berfâid	eb
biwrocratiaid	ell
blaenafiaid	ell
blaenddodiaid	ell
blaenoriaid	ell
bleiddiaid	ell
blychaid	eg
bocsaid	eg
bodiaid	ebg
bolaid	eg
boliaid	eg
bolltaid	eb
bordaid	eg
brebyliaid	ell
brithylliaid	ell
broceriaid	ell
brongochiaid	ell
bronfreithiaid	ell
brwyliaid	ell
brwyniaid	ell
brychiaid	ell
budd-ddeiliaid	ell
bugeiliaid	ell
bwcedaid	eg
bwngleriaid	ell

aid

bwlïaid	ell
bwrdeisiaid	ell
bwtleriaid	ell
byddariaid	ell
byniaid	ell
byrddaid	eg
bytheiaid	ell
cabolaid	a
cachaduriaid	ell
cadetiaid	ell
cadlywiaid	ell
cadnoaid	ell
caffaeliaid	ell
calchaid	a
canibaliaid	ell
cannaid	a
canoniaid	ell
canwriaid	ell
caplaniaid	ell
capryniaid	ell
capteiniaid	ell
capyldiaid	ell
capylltiaid	ell
carmeliaid	ell
casgennaid	eb
cataid	eg
catffyliaid	ell
cawellaid	eb
cegaid	eb
ceidwaid	ell
ceimiaid	ell
ceiniaid	ell
ceisbyliaid	ell
ceisiaid	ell
celtiaid	ell
celyrnaid	eg
cernywiaid	ell
cerubiaid	ell

aid

cerwynaid	eb
ceseilaid	eb
cibynnaid	eg
cimychiaid	ell
ciperiaid	ell
cistaid	eb
cleientiaid	ell
clymblaid	eb
cobleriaid	ell
cochiaid	ell
codaid	eb
cofiaduriaid	ell
coflaid	eb
corgeiniaid	ell
corgimychiaid	ell
cornaid	eg
costrelaid	eb
cowlaid	eb
cowperiaid	ell
crataid	eb
creaduriaid	ell
cribinaid	eg
criciaid	ell
cripliaid	ell
crochenaid	eg
croesaniaid	ell
crombilaid	eg
crothaid	eb
crwneriaid	ell
crwydriaid	ell
crymffastiaid	ell
crytiaid	ell
cunogaid	eb
curadiaid	ell
cwcwalltiaid	ell
cwnstabliaid	ell
cwpanaid	ebg
cwsmeriaid	ell

aid

cwtiaid	ell
cychaid	eg
cydaid	eg
cydweddiaid	ell
cyfarwyddiaid	ell
cyfneisiaid	ell
cyfneseifiaid	ell
cynghreiriaid	ell
cymheiriaid	ell
cynheiliaid	ell
cyntaid	eb
cysgaduriaid	ell
cysylltiaid	ell
cytseiniaid	ell
cythreuliaid	ell
chwiboniaid	ell
datgeiniaid	ell
defaid	ell
degaid	eg
deiliaid	ell
deinosoriaid	ell
democratiaid	ell
demoniaid	ell
deoniaid	ell
dewiniaid	ell
diaconiaid	ell
dianghenraid	a
diawliaid	ell
dibaid	a
dieithriaid	ell
dienaid	a
diletantiaid	ell
dirprwyaid	ell
disteiniaid	ell
doctoriaid	ell
doethoriaid	ell
doethuriaid	ell
draenogiaid	ell

aid

dramaid	eb
dreliaid	ell
dugiaid	ell
dyfodiaid	ell
dyniewaid	ell
dyrnaid	eg
dysglaid	eb
efyddaid	a
ehediaid	ell
eifftiaid	ell
eilltiaid	ell
enaid	eg
eogiaid	ell
eosiaid	ell
epiliaid	ell
estroniaid	ell
estrysiaid	ell
eunuchiaid	ell
euraid	a
eurychiaid	ell
ewropeaid	ell
fandaliaid	ell
ficeriaid	ell
fwlturiaid	ell
ffasgiaid	ell
ffeministiaid	ell
ffidleriaid	ell
fflasgaid	eg
ffleminiaid	ell
ffoaduriaid	ell
ffwlbartiaid	ell
ffwndamentaliaid	ell
ffyddloniaid	ell
ffyliaid	ell
galwynaid	eg
gamboaid	eb
gefeilliaid	ell
giafferiaid	ell

aid

gleisiaid	ell
gograid	eg
gorhendaid	eg
groegiaid	eg
groseriaid	ell
gwangiaid	ell
gwallgofiaid	ell
gwarcheidwaid	ell
gweiniaid	ell
gwenoliaid	ell
gwichiaid	ell
gwirioniaid	ell
gwroniaid	ell
gwrthblaid	eb
gwydraid	eg
gwyddoniaid	ell
gwylliaid	ell
gwyniaid	ell
hafflaid	eg
haid	eb
hebogiaid	ell
heddgeidwaid	ell
henaduriaid	ell
hendaid	eg
henuriaid	ell
hesbyrniaid	ell
hidlaid	eg
hifflaid	eb
hil-leiddiaid	ell
hobaid	eb
honglaid	eg
hunanleiddiaid	ell
hwliganiaid	ell
hwyaid	ell
hynafiaid	ell
indiaid	ell
iraid	eg
israddiaid	ell

aid

landlordiaid	ell
locustiaid	ell
loliaid	ell
llabystiaid	ell
llafariaid	ell
llaid	eg
llathaid	eb
llathennaid	eb
llathraid	a
llawddewiniaid	ell
llawnllonaid	a, eg
lleiddiaid	ell
llewpardiaid	ell
llocaid	eg
llofnaid	eb
llonaid	eg
llwyaid	eb
llydawiaid	ell
llygaid	ell
llymaid	eg
llymrïaid	ell
maceiaid	ell
macwyaid	ell
mamogiaid	ell
manawiaid	ell
masocistiaid	ell
mawaid	eb
meichiaid	ell
meistriaid	ell
mennaid	eb
methodistiaid	eb
meudwyaid	ell
mileiniaid	ell
moelrhoniaid	ell
naid	bf, eb
newydd-ddyfodiaid	
	ell
nythaid	eb

aid

ochenaid	eb
offeiriaid	ell
ôl-ddodiaid	ell
padellaid	eb
paganiaid	ell
paid	bf
parotiaid	ell
partneriaid	ell
patriarchiaid	ell
pecaid	eg
pechaduriaid	ell
pegoriaid	ell
peilotiaid	ell
peilliaid	ell
penaduriaid	ell
penaethiaid	ell
penboethiaid	ell
penbyliaid	ell
penceirddiaid	ell
perigloriaid	ell
personiaid	ell
pibellaid	eg
pinsiaid	eg
piseraid	eg
piwiaid	ell
piwritaniaid	ell
plaid	eb
plataid	eg
pocedaid	eb
porthoriaid	ell
potelaid	eb
preladiaid	ell
prentisiaid	ell
presbyteriaid	ell
prioriaid	ell
proctoriaid	ell
proletariaid	ell
protestaniaid	ell

aid

puteiniaid	ell
pwyliaid	ell
pyrsaid	eg
phariseaid	ell
philistiaid	ell
rhacanaid	eg
rhagddodiaid	ell
rhagflaenoriaid	ell
rhaglawiaid	ell
rhaglofiaid	ell
rhaglywiaid	ell
rhaid	eg
rhawaid	eb
rheithoriaid	ell
rhingylliaid	ell
rhofaid	eb
rhufeiniaid	ell
sachaid	eb
sadistiaid	ell
samariaid	ell
sataniaid	ell
seraffiaid	ell
sgwieriaid	ell
sgorpioniaid	ell
sgowtiaid	ell
sifiliaid	ell
sistersiaid	ell
slafiaid	ell
slebogiaid	ell
sodomiaid	ell
sosbennaid	eb
soseraid	eb
stiwardiaid	ell
stycaid	eb
taid	eg
tamaid	eg
tanbaid	a
tebotaid	eg

aid

teilwriaid	ell
telaid	a
teloriaid	ell
tenantiaid	ell
tenoriaid	ell
tiwtoriaid	ell
toddaid	eg
torïaid	ell
torraid	eb
treiglaid	ell
trueiniaid	ell
trulliaid	ell
tunnaid	eg
tyaid	eg
uchafiaid	ell
uchgapteiniaid	ell
unbeniaid	ell
undodiaid	ell
ustusiaid	ell
wardeiniaid	ell
wesleaid	ell
ymlusgiaid	ell
ysbaid	ebg
ysgutoriaid	ell
ystenaid	eg
ysweiniaid	ell

aidd

abadaidd	a
academaidd	a
afluniaidd	a
afreolaidd	a
affricanaidd	a
angharismataidd	a
angharuaidd	a
anghategorïaidd	a
angylaidd	a
albanaidd	a

aidd

alcoholaidd	a
almaenaidd	a
amaturaidd	a
americanaidd	a
amhlentynnaidd	a
amhoblogaidd	a
amholiticaidd	a
anapostolaidd	a
anarchaidd	a
anatomaidd	a
anathletaidd	a
aneconomaidd	a
anesthetaidd	a
anfamaidd	a
anfeidraidd	a
anfelodaidd	a
anfohemaidd	a
anfoneddigaidd	a
anfursennaidd	a
anfytynaidd	a
anglicanaidd	a
anhoedennaidd	a
anhydraidd	a
anifeilaidd	a
annemocrataidd	a
anninasaidd	a
anniplomataidd	a
annogmataidd	a
annwyfolaidd	a
ansifalraidd	a
anwaraidd	a
anweddaidd	a
anŵraidd	a
anwylaidd	a
apostolaidd	a
arafaidd	a
arbetalaidd	a
ariannaidd	a

aidd

aristocrataidd	a
arthuraidd	a
arwraidd	a
arwylaidd	a
asynnaidd	a
athletaidd	a
athraidd	a
athrawaidd	a
awdlaidd	a
awdurdodaidd	a
babanaidd	a
babïaidd	a
bachgennaidd	a
baidd	bf
balmaidd	a
barbaraidd	a
barddonïaidd	a
barwnaidd	a
basaidd	a
bawaidd	a
bawedaidd	a
beiblaidd	a
benywaidd	a
biwrocrataidd	a
blaidd	eg
bohemaidd	a
boneddigaidd	a
braidd	a, adf
brawdwraidd	a
breisgaidd	a
brenhinaidd	a
brigeraidd	a
brownaidd	a
brwmstanaidd	a
budrogaidd	a
bugeilaidd	a
bustlaidd	a
bwystfilaidd	a

aidd		**aidd**		**aidd**	
bydolaidd	a	cnewyllaidd	a	dirgelaidd	a
cablaidd	a	cobleraidd	a	disbaidd	a
cachgïaidd	a	cocosaidd	a	di-wraidd	a
cachwraidd	a	cochaidd	a	dogmataidd	a
cadnoaidd	a	coegynnaidd	a	duaidd	a
calchaidd	a	coloidaidd	a	duraidd	a
calfinaidd	a	colomennaidd	a	dwyfolaidd	a
camfforaidd	a	copraidd	a	ebrillaidd	a
canadaidd	a	corachaidd	a	eciwmenaidd	a
cancraidd	a	cornaidd	a	economaidd	a
canibalaidd	a	cornifferaidd	a	efengylaidd	a
canonaidd	a	corsennaidd	a	egoistaidd	a
carbonaidd	a	cotymaidd	a	eiconaidd	a
caribïaidd	a	crabaidd	a	eidalaidd	a
caricaturaidd	a	craffaidd	a	eifftaidd	a
carismataidd	a	craidd	eg	eilaidd	a
cartwnaidd	a	crancaidd	a	elfennaidd	a
caruaidd	a	crefftwraidd	a	eliffantaidd	a
castellaidd	a	crwydraidd	a	elitaidd	a
catalogaidd	a	crynwraidd	a	ellyllaidd	a
categorïaidd	a	cuaidd	a	empeiraidd	a
cathaidd	a	culaidd	a	erthylaidd	a
cathlaidd	a	cwyraidd	a	eryraidd	a
catholigaidd	a	cybyddaidd	a	esgobaidd	a
cawraidd	a	cymhennaidd	a	estronaidd	a
cawsaidd	a	cymreigaidd	a	esthetaidd	a
celtaidd	a	cynddilywaidd	a	euraidd	a
ceulaidd	a	chwedlaidd	a	ewropeaidd	a
ciaidd	a	dandïaidd	a	fampiraidd	a
cigaidd	a	delffaidd	a	fictoraidd	a
ciwbaidd	a	democrataidd	a	ffarsaidd	a
clafaidd	a	demograffaidd	a	ffasgaidd	a
clawstroffobaidd	a	dewiniaidd	a	ffeibraidd	a
clerwraidd	a	diaconaidd	a	ffeministaidd	a
clochaidd	a	dichlynaidd	a	ffiaidd	a
clogyrnaidd	a	diletantaidd	a	ffilosoffaidd	a
clwmpaidd	a	dillynaidd	a	ffiwdalaidd	a
cnafaidd	a	diplomataidd	a	ffrilaidd	a

aidd

ffurfaidd	a
ffwndamentalaidd	a
gaeafaidd	a
gaelaidd	a
gafraidd	a
galileaidd	a
genethaidd	a
glasaidd	a
glastwraidd	a
grisialaidd	a
groegaidd	a
gwannaidd	a
gwaraidd	a
gwasaidd	a
gwawnaidd	a
gweddaidd	a
gweddwaidd	a
gwerinaidd	a
gwiberaidd	a
gwladaidd	a
gwladwraidd	a
gwlanennaidd	a
gwrachïaidd	a
gwraidd	eg
gwrengaidd	a
gwreigaidd	a
gwrywaidd	a
gwydraidd	a
gwylaidd	a
gwynnaidd	a
gwyrddaidd	a
haearnaidd	a
hafaidd	a
haidd	ell
halenaidd	a
hebogaidd	a
helïaidd	a
henaidd	a

aidd

henwraidd	a
hierarchaidd	a
hipogynaidd	a
hoedennaidd	a
hoffaidd	a
hogennaidd	a
hogynnaidd	a
hudolaidd	a
hufennaidd	a
hwyraidd	a
hychaidd	a
hydraidd	a
hyfaidd	a
hyfrydaidd	a
iangaidd	a
ieuengaidd	a
ifancaidd	a
iraidd	a
lladradaidd	a
llaidd	a
llancaidd	a
llariaidd	a
llathraidd	a
llawaidd	a
llebanaidd	a
llechgïaidd	a
llechwraidd	a
lledraidd	a
llencynnaidd	a
llibinaidd	a
llinaidd	a
lliprynnaidd	a
lloaidd	a
lluniaidd	a
llwybraidd	a
llwydaidd	a
llwyfannaidd	a
llwynogaidd	a

aidd

llygodaidd	a
llyngyraidd	a
llysaidd	a
mabaidd	a
mabanaidd	a
mabïaidd	a
mabolaidd	a
mabolgampaidd	a
macwyaidd	a
maidd	bf, eg
mamaidd	a
manŵaidd	a
marwaidd	a
masocistaidd	a
maswaidd	a
matriarchaidd	a
meddalaidd	a
meidraidd	a
meistraidd	a
melancolaidd	a
melfedaidd	a
melodaidd	a
melynaidd	a
menywaidd	a
merchetaidd	a
merfaidd	a
meseianaidd	a
metelaidd	a
methodistaidd	a
meudwyaidd	a
militaraidd	a
milwraidd	a
mochaidd	a
mochynnaidd	a
modernaidd	a
môl-glafaidd	a
mursennaidd	a
mwynaidd	a

aidd

mynachaidd	a
mynwentaidd	a
mythaidd	a
nadoligaidd	a
naturiolaidd	a
nefolaidd	a
neidraidd	a
oenaidd	a
oeraidd	a
ôl-fodernaidd	a
olympaidd	a
optimistaidd	a
oraclaidd	a
pabaidd	a
paganaidd	a
pansïaidd	a
paradocsaidd	a
paradwysaidd	a
paragraffaidd	a
patriarchaidd	a
penbylaidd	a
pencerddaidd	a
pendafadaidd	a
pendefigaidd	a
peraidd	a
personaidd	a
pesimistaidd	a
piwritanaidd	a
plasaidd	a
plentynnaidd	a
plymaidd	a
poblogaidd	a
politicaidd	a
pornograffaidd	a
praidd	eg
prennaidd	a
presbyteraidd	a
proletaraidd	a

aidd

protestannaidd	a
pruddaidd	a
prydyddaidd	a
pupraidd	a
puraidd	a
pylaidd	a
phariseaidd	a
philistaidd	a
radicalaidd	a
rwsiaidd	a
rhaidd	eg
rhamantaidd	a
rheolaidd	a
rhigolaidd	a
rhigymaidd	a
sadistaidd	a
sanctaidd	a
santaidd	a
sarffaidd	a
satanaidd	a
sbaenaidd	a
seisnigaidd	a
sgandinafaidd	a
siapaneaidd	a
sidanaidd	a
sifalraidd	a
silindraidd	a
sinigaidd	a
sioraidd	a
sistersaidd	a
siwgraidd	a
slafaidd	a
sosialaidd	a
stoicaidd	a
swbwrbaidd	a
swrrealaidd	a
swyfaidd	a
symbolaidd	a

aidd

tadaidd	a
taeogaidd	a
talïaidd	a
terfysgaidd	a
teuluaidd	a
teyrnaidd	a
tiwbaidd	a
tlodaidd	a
torïaidd	a
traidd	bf
triaglaidd	a
trymaidd	a
twristaidd	a
tymheraidd	a
tymhoraidd	a
tywysogaidd	a
undodaidd	a
ymerodraidd	a
ysgolheigaidd	a

aif

cnaif	eg
craif	ell
cyngnaif	eg
dyrchaif	bf
gwellaif	eg
saif	bf

aiff

caiff	bf
craiff	a

aifft

aifft	eb
enghraifft	ebg

aig

aig	eb
blodwraig	eb

aig

bydwraig	eb
caethwraig	eb
cariadwraig	eb
craig	eb
cyfarwyddwraig	eb
cynhaig	a
cyn-wraig	eb
chwedleuwraig	eb
draig	eb
eglwyswraig	eb
golchwraig	eb
gweithredwraig	eb
gwniadwraig	eb
gwraig	eb
gwresfynaig	ell
haig	eb
heulfynaig	ell
hinfynaig	ell
lletywraig	eb
nofelwraig	eb
penwaig	ell
saig	eb
swynwraig	eb
tafarnwraig	eb
ysgolhaig	eg

aing

gaing	eb

ail

ad-ddail	ell
adail	be, eg
adfail	eg
addail	eg
ail	a
anifail	eg
arail	be
beddadail	eg

ail

biswail	eg
bogail	ebg
buail	ell
bugail	eg
cail	eb
cardail	eg
cesail	eb
cofadail	eb
cogail	eg
collddail	a
cribddail	eg
cynddail	ell
cynsail	eb
dail	ell
di-ail	a
eursail	a
gefail	eb
gwiail	ell
irddail	ell
llogail	eg
manddail	ell
sail	eb
tail	eg
teyrnwiail	ell
ysbail	eb

aill

caill	eb
cyfaill	eg
eraill	all, rhag
naill	rhag
paill	eg
traill	eg

aillt

aillt	eg

aim

saim	eg

ain

ain

adain	eb
amrysain	a
arddwyrain	be
arwain	be
atsain	eb
berfain	a
blaenfain	a
brain	ell
brasliain	eg
bremain	be
buain	all
bychain	all
bygythiain	be
cabolfain	ell
cain	a
camarwain	be
celain	eb
certwain	eb
cigfrain	ell
cigwain	eb
clustfain	a
cnofain	be
cogfrain	ell
conglfain	ell
corfrain	ell
crochlefain	be
cwynofain	be, eg
cydarwain	be
cyfain	all
cyfarwain	be
cylcharwain	be
cysain	eb
cytsain	eb
cywain	be
cywrain	a
chwain	ell
chweugain	eg

ain

dain	a
damwain	eb
deugain	a
deusain	eb
diasbedain	be
distain	eg
dolefain	be
drain	ell
dwyrain	eg
elain	eb
eurgain	a
germain	be
glain	eg
gwain	eb
gwyrain	ell
hirfain	a
hunain	rhag
hysain	a
lefain	eg
llain	eb
llefain	be
llemain	be
llenlliain	eg
lliain	eg
llydain	all
main	a, ell
milain	a, eg
mirain	a
morfrain	ell
mulfrain	ell
nain	eb
ochain	be
olrhain	be
pedrain	eb
penlliain	eg
persain	a
pigfain	a
plygain	eg

ain

putain	eb
rhagarwain	be
rhain	rhag
rhechain	be
rhiain	eb
rhochain	be
sachliain	eg
sain	eb
sgrechain	be
trigain	a
truain	all, ell
trwynfain	a
ubain	be
udain	be
ugain	a
unsain	a
wylofain	be, eg
yswain	eg

ainc

amlgainc	a
brenhinfainc	eb
cainc	eb
ffrainc	eb
gorseddfainc	eb
ieuainc	all
ifainc	all
mainc	eb
morgainc	eb
troedfainc	eb

aint

braint	eb
brenhinfraint	eb
cenfaint	eb
ceraint	ell
cwfaint	ebg
cyfaint	eg
cymaint	a

aint

daint	eg
digofaint	eg
dinasfraint	eb
dioddefaint	eg
dynaint	ell
ennaint	eg
etholfraint	eb
eurofaint	ell
faint	rhag
gofaint	ell
haint	ebg
hawlfraint	eb
henaint	eg
llifeiriaint	ell
llyffaint	ell
maint	eg
marchwraint	ell
neiaint	ell
rhagorfraint	eb
rhyddfraint	eb
rhywfaint	eg
saint	ell
tridaint	a
trymaint	ebg
uchelfraint	eb
ysgyfaint	ell

aip

maip	ell

air

anghysonair	a
anghywair	a
anair	eg
anniwair	a
ansoddair	eg
arwyddair	eg
bragwair	eg
buddair	eb

air

byddair	all
cablair	eg
cadair	eb
celfair	eg
cellwair	be, eg
cesair	ell
cludair	eb
crair	eg
croesair	eg
cryfbair	eg
cyfair	eg
cyfansoddair	eg
cynghrair	eg
cyniwair	be
cysylltair	eg
cywair	a, eg
dengair	eg
dianair	a
digellwair	a
dilestair	a
dilyffethair	a
disglair	a
diwair	a
drygair	eg
esgair	eb
ffair	eb
ffraethair	eg
gair	eg
genwair	eb
gwair	eg
gwreiddair	eg
llesmair	eg
llestair	eg
llyffethair	eb
mynegair	eg
mwysair	eg
pair	bf, eg
pedair	ab

air

perlesmair	eg
rhagair	eg
silwair	eg
tair	ab
trwyddedair	eg

ais

-ais: terfyniad berfol
  – cenais, etc.

adlais	eg
aflednais	a
anghwrtais	a
ais	ell
anfantais	eb
arlais	eb
awrlais	eg
barnais	eb
bwrdais	eg
cais	bf, eg
cefais	bf
clais	eg
crochlais	a, eg
crychlais	eg
cryglais	eg
crysbais	eb
cwrtais	a
cydlais	a, eg
cydymgais	eg
deulais	a, eg
difantais	a
dyfais	eb
farnais	eg
ffwrnais	eb
goglais	be
gwrthbleidlais	eb
harnais	eg
hyfrydlais	a, eg
llais	eg

ais

llednais	a
malais	eg
mantais	eb
meinllais	eg
melyslais	a
morgais	eg
mortais	eb
pais	eb
palfais	eb
pereiddlais	eg
pleidlais	eb
pwyslais	eg
sais	eg
trais	eg
trosgais	eg
uchelgais	eg
ymgais	eb

aisg

braisg	a

aist

-aist: terfyniad berfol
  – cenaist, etc.

cefaist	bf

ait

agosait	bf
ait	bf
bait	bf
cait	bf
gwnait	bf
mwynhait	bf
petait	cys

aith

adeiladwaith	eg
adwaith	eg

aith		aith		aith	
addurnwaith	eg	cyfanwaith	eg	goddaith	eb
afiaith	eg	cyfariaith	eb	gorberffaith	a
anghyfiaith	a	cyfiaith	a	gorchestwaith	eg
amdaith	eb	cyflaith	eg	goreugwaith	eg
amherffaith	a	cyfraith	eb	gormodiaith	eb
anfadwaith	eg	cyffaith	eg	gorymdaith	eb
anhywaith	a	cylchdaith	eb	gwaith	ebg
anobaith	eg	cymysgiaith	eb	gwanobaith	eg
anrhaith	eb	cynrhaith	eb	gweniaith	eb
araith	eb	cywaith	eg	gwibdaith	eb
arianwaith	eg	cywreinwaith	eg	gwieilwaith	eg
artaith	eb	chwaith	adf	gwniadwaith	eg
artistwaith	eg	dadlaith	be, eg	gwrtaith	eg
bastardiaith	eb	dengwaith	adf	hemwaith	eg
boregwaith	eg	delltwaith	eg	heniaith	eb
braith	ab	di-waith	a	hirfaith	a
bratiaith	eb	diadwaith	a	hurwaith	eg
brithwaith	eg	dichellwaith	eg	hywaith	a
brodwaith	eg	dieffaith	a	iaith	eb
bronfraith	eb	diffaith	a, eg	llafurwaith	eg
brwydwaith	eg	dilaith	eg	llaith	a
bwnglerwaith	eg	dilediaith	a	llediaith	eb
bwriadwaith	eg	diobaith	a	mabiaith	eb
caledwaith	eg	diweniaith	a	maith	a
campwaith	eg	dodrefnwaith	eg	mamiaith	eb
canfaswaith	eg	dotwaith	eg	mecanwaith	eg
canwaith	adf	drygwaith	eg	mecanyddwaith	eg
celfyddwaith	eg	dwywaith	adf	milwaith	adf
cerfwaith	eg	dyddgwaith	eg	mordaith	eb
cledrwaith	eg	effaith	eb	noswaith	eb
clymwaith	eg	eilwaith	adf	oferiaith	eb
clytwaith	eg	estroniaith	eb	paith	eg
craith	eb	eurwaith	eg	patrymwaith	eg
crefftwaith	eg	ffaith	eb	peirianwaith	eg
crochenwaith	eg	fframwaith	eg	perffaith	a
crychwaith	eg	gemwaith	eg	pleserdaith	eb
cydiaith	eb	glanwaith	a	plethwaith	eg
cydymaith	eg	gobaith	eg	plygeinwaith	adf

aith

prentiswaith	eg
prynhawngwaith	eg
rhaith	eb
rheolwaith	eg
rhwydwaith	eg
rhwyllwaith	eg
rhyddiaith	eb
saith	a
seilwaith	eg
sgileffaith	eb
smocwaith	eg
somwaith	eg
tafodiaith	eb
taith	eb
talaith	eb
teirgwaith	adf
trymwaith	eg
ugeinwaith	adf
uniaith	a
unwaith	adf
ychwaith	adf
ymaith	adf
ymdaith	be, eb
ymenyddwaith	eg
ymylwaith	eg
ysgafnwaith	eg

al

ad-dâl	eg
afal	eg
anghyfartal	a
amryfal	a
anffederal	a
anhafal	a
anial	a, eg
annormal	a
anwadal	a
ardal	eb

al

arial	ebg
artiffisial	a
atal	be
bal	a
blaendal	eg
blwydd-dal	eg
bral	eg
breindal	eg
bual	eg
budd-dal	eg
cal	eb
camatal	be
ceubal	eg
cipial	be
coedwal	eb
cwthwal	eg
cyfartal	a
cyfatal	a, be
cyhafal	a
cymal	eg
cymhorthdal	eg
cynnal	be, bf
cystal	a
cytal	be
chwâl	bf
dal	be
deial	eg
di-dâl	a
di-ddal	a
dial	be, bf, eg
dianwadal	a
diatal	a
dihafal	a
diofal	a
diymatal	a
dyfal	a
dywal	a
eidral	eg

al

eurafal	eg
fandal	eg
ffederal	a
ffiwdal	a
ffwndamental	a
gofal	eg
gorofal	eg
grawnafal	eg
greal	eg
grisial	eg
grugwal	eb
gwal + gwâl	eb
gwamal	a
hafal	a
hoywal	eb
hual	eg
iawndal	eg
llwyrymatal	be
mâl	a, bf, ebg
medal	ebg
meddal	a
morwyal	ell
mwmial	be
myngial	be
normal	a
pâl	ebg
pedal	eg
pedryfal	a, eg
petryal	a
pinafal	eg
poethwal	eg
potensial	eg
rasal	eb
rhactal	eg
rhagofal	eg
rhastal	eb
rhwchial	be
sâl	a

al

sandal	eg
sentimental	a
siâl	eg
sisial	be, eg
stâl	eb
swnial	be
symbal	eg
tal + tâl	a, bf, eg
tincial	be
tolldal	eg
uwchnormal	a
ymatal	be
ymddial	be

alc

balc	eg
calc	eg
gwalc	ebg
malc	eg
sialc	eg

alch

alch	eb
astalch	eb
balch	a
cadwalch	eg
calch	eg
ceinfalch	a
coegfalch	a
cudwalch	eg
difalch	a
gwalch	eg
gwyddwalch	ebg
gwyngalch	eg
madalch	ell
mawrfalch	a
mwyalch	eb
talch	eg

ald

ald

ffald	eb
hald	eg
sgaffald	eg

alf

falf	eb
palf	eb

alff

palff	eg

alm

balm	a, eg
salm	eb
talm	eg

alp

talp	eg

als

di-ffals	a
ffals	a

alst

ffalst	a

all

angall	a
anniwall	a
arall	a
call	a
camddeall	be
cibddall	a
coegddall	a
coegfall	a
dall	a, eg
deall	be, bf, eg
diball	a

all

diddeall	a
diwall	a
gall	bf
gwall	eg
llaethysgall	ell
llall	rhag
madfall	eb
mall	a, eg
pall	eg
synhwyrgall	a
ysgall	ell

allt

allt	eb
anystywallt	a
broniallt	eb
bronnallt	eb
cwcwallt	eg
dallt	be
emrallt	eg
ewinallt	eb
gallt	eb
gwallt	eg
gwrthallt	eb
hallt	a
llaeswallt	eg
mallt	eg
rhiwallt	eb
tywallt	be

am

adlam	eg
alcam	eg
am	ardd
anagram	eg
bedlam	ebg
bergam	a
bongam	a

am

bram	eb
bwcram	eg
bwdram	eg
cam	a, eg
carlam	eg
centigram	eg
cilogram	eg
coesgam	a
crychlam	eg
cyrgam	a
decagram	eg
decigram	eg
diadlam	a
dinam	a
epigram	eg
fflam	eb
ffrâm	eb
gargam	a
glingam	a
gogam	a
gorhenfam	eb
gram	eg
gwargam	a
gwenfflam	a
gwrthlam	eg
gwyrgam	a
gyddfgam	a, eg
hecsagram	eg
hectogram	eg
henfam	eb
igam-ogam	a
jam	eg
llam	eg
lletgam	a, eg
llygatgam	a
llysfam	eb
mam	eb
miligram	eg

am

nam	eg
paham	adf
pam + pâm	adf, eg
pengam	a
pentagram	eg
pram	eg
seilam	eg
tram	eg

ambl

gambl	eb

ambr

siambr	eb

aml

aml	a
anaml	a

amp

camp	eb
clamp	eg
cramp	eg
gwrolgamp	eb
lamp	eb
penigamp	a
sgamp	eg
stamp	eg
tamp	a

ampl

esiampl	eb
sampl	eg

an

achlân	adf
adran	eb
adroddgan	eb
afan	ell

an

aflan	a
alban	eg
allan	adf
amcan	eg
amlran	a
anheddfan	eb
anian	eb
anniddan	a
argan	eg
arian	eg
awffian	be
baban	eg
baglan	be, eb
baldorddan	be
ban	a, ebg
barcutan	eg
barfan	eb
bechan	ab
bedyddfan	eb
begian	be
beisfan	ebg
bidogan	eb
bigitian	be
bleiddian	eg
bloeddian	be
bochian	be
boddran	be
bragaldian	be
bran + brân	ebg
brasamcan	eg
bratsian	be
brechdan	eb
brewlan	be
briwlan	be
briwlian	be
brolian	be
brwchan	eg
brwmstan	eg

brwylian	be	cilan	eb	croesfan	ebg
brychan	eg	cistan	eb	cropian	be
brygawthan	be, eg	clapian	be	crwban	a, eg
buan	a	clebran	be	crwman	eg
bwcran	eg	clecian	be	cryman	eg
bwdlan	be	cleddyfan	eg	cuddfan	eb
bwdran	eg	clepian	be	curan	eg
bwgan	eg	clochdorian	be	cusan	ebg
bwhwman	be	clochdran	be	cwblgyfan	a
bwlgan	eb	cloncian	be	cwencian	be
bwlian	be	clorian	ebg	cwhwfan	be, eg
bwyellan	eb	clunhecian	be	cwman	eg
bychan	a	clunhercian	be	cwpan	ebg
bydan	eg	clwcian	be	cwrian	be
bylan	ebg	cnapan	eg	cwynfan	be, ebg
bythan	eg	cnecian	be	cydran	eb
caban	eg	coban	eb	cyfadran	eb
cabarlatsian	be	cocian	be	cyfan	a, eg
cadfan	eg	coedlan	eb	cyfanian	a
cadgamlan	eb	coetan	eb	cyflafan	eb
calan	eg	coethan	be	cyfran	eb
camlan	eb	cogfran	eb	cyhwfan	be
can + cân	a, bf, ebg	conan	be	cylchfan	eg
canolfan	eb	corddlan	eb	cylchgan	eb
canran	eb	corfan	eg	cynllyfan	eg
capan	eg	corfran	eb	cynnan	a
caplan	eg	corgan	eb	cynrhan	eb
carafán	eb	corlan	eb	cyrchfan	eg
caregan	eb	crawcian	be	cysegr-lân	a
carfan	eb	crecian	be	cytgan	ebg
castan	eb	creiglan	eb	chwarfan	eb
cecian	be	crensian	be	chwerfan	eb
cecran	be	crewcian	be	chwiban	be, eg
ceian	eb	crewtian	be	chwilibawan	be
cerddetan	be	cripian	be	chwilmantan	be
ceulan	eb	crochan	eg	chwirligwgan	eg
cian	eg	croenlan	a	dalfan	eg
cigfran	eb	croesan	eg	dan	ardd

an		**an**		**an**	
darogan	be, eb	gan	ardd	hencian	be
datgan	be	garan	ebg	heolan	eb
deuban	a	gellan	eb	hepian	be
diamcan	a	glân + glan	a, eb	hercian	be
diddan	a	gogan	eg	herian	be
diegwan	a	golfan	eg	hewian	be
diffwdan	a	gorfychan	a	hisian	be
di-lan	a	gorffwysfan	eb	hoetian	be
dinadman	a	gorweddfan	eb	hofran	be
diogan	a	gorweddian	be	hongian	be
dirgelfan	eb	graban	ell	honcian	be
diwahân	a	graean	ell	hopran	eb
doctoran	be	gran	eg	hosan	eb
dolian	be	griddfan	be, eg	hucan	eb
driblan	be	grillian	be	hugan	eb
dripian	be	grwnan	be	hulpan	eb
dwdlian	be	gwahân	eg	hunan	eg, rhag
dwmpian	be	gwan + gwân		hŵan	eb
dwndrian	be		a, be, bf, eg	hwtian	be
dychan	eg	gwantan	a	hwyrgan	eb
ebran	eg	gwefan	eb	hymian	be
egwan	a	gwegian	be	hysian	be
ehedfan	be	gwepian	be	igian	be
eirian	a	gwichian	be	injan	eb
erddigan	eb	gwidman	eg	isadran	eb
ffadlian	be	gwilihoban	be	jocan	be
ffan	eb	gwinllan	eb	jocian	be
ffetan	eb	gwlân	eg	jolihoetian	be
ffidlan	be	gwreigan	eb	lan	adf
fflapian	be	gwrthban	eg	lapan	be
fflechdan	a	gwrthgan	eb	lapswchan	be
fflyrtian	be	gwylan	eb	loetran	be
fforman	eg	hafan	eb	lolian	be
ffrwcsan	be	haldian	be	loncian	be
ffrwtian	be	halian	be	llan	eb
ffullian	be	hedfan	be	llawban	eg
ffwdan	eb	heislan	eb	lleban	eg
galargan	eb	helogan	eb	llechfan	eb

an

llechian	be
lleian	eb
llempian	be
llepian	be
llercian	be
lloergan	eg
llopan	eb
llostlydan	eg
lluman	eg
llwyfan	ebg
llydan	a
llymeitian	be
maban	eg
maenan	eb
mân + man	
	a, adf, ebg
marchdaran	eb
marchlan	eb
marian	eg
mawlgan	eb
melan	eb
mewian	be
morfran	eb
morlan	eb
mudan	a, eg
mulfran	eb
mwmian	be
newyddian	eg
oedran	eg
olewyddlan	eb
organ	ebg
orohïan	eb
pagan	eg
pan + pân	
	a, adf, cys, eb
pecian	be
pedeiran	eb
pedryfan	eg

an

peiran	eg
penchwiban	a
pendwmpian	be
pensyfrdan	a
pentan	eg
pentrefan	eg
penwan	a
penydfan	eb
perllan	eb
piffian	be
pigan	be
piltran	be
pistyllian	be
piwritan	eg
plaengan	eb
plan + plân	a, eg
plisman	eg
potsian	be
pratian	be
preblan	be
pregowthan	be
prepian	be
purdan	eg
pwffian	be
pwlffagan	be
pwnian	be
pwtian	be
ruban	eg
rŵan	adf
rwdlan	be
rhan	bf, eb
rhangan	eb
rhechan	be
rhichian	be
rhincian	be
rhochian	be
rholian	be
rhoncian	be

an

rhwbian	be
rhwchian	be
rhyfelgan	eb
satan	eg
sbecian	be
sefyllian	be
seitan	a
sgaldian	be
sgan	eg
sgrechian	be
sgriblan	be
sgryffinllan	eb
sguthan	eb
sgwlcan	be
sidan	eg
simsan	a
sipian	be
slobran	be
slochian	be
slogan	ebg
slotian	be
snwffian	be
sopian	be
sosban	eb
stocan	eb
stwnsian	be
sucan	eg
suran	eg
sweipan	eb
swgan	eb
swnian	be
syfrdan	a
talpentan	eg
tampan	be
tan + tân	ardd, eg
taran	eb
tarian	eb
tegan	eg

an

tegeirian	eg
teiran	a
tethan	eb
tician	be
tincian	be
tipian	be
tisian	be
torlan	eb
traean	eg
treflan	eb
triban	eg
trigfan	eb
trolian	be
trostan	eb
trotian	be
truan	eg
trwstan	a
trydan	eg
trywan	a
tuchan	be, eg
tuthian	be
twrian	be
twtian	be
tylluan	eb
tympan	eb
unfan	eb
unman	eg
weipan	eb
weithian	adf
wfftian	be
wincian	be
wythban	a
ydlan	eb
yngan	be
ymdeithgan	eb
ymddiddan	be, eg
ymdderian	be
ymgropian	be

an

ymlwybran	be
ysgrepan	eb
ysgrytian	be
yslotian	be
ystelcian	be
ystwyrian	be

anc

afanc	eg
banc	eg
blanc	eg
crafanc	eb
cranc	eg
cyfranc	ebg
dianc	be, bf
didranc	a
glaslanc	eg
gwanc	eb
hoglanc	eg
ieuanc	a
ifanc	a
irlanc	eg
llanc	eg
morgranc	eg
planc	eg
pranc	eg
stranc	eb
tanc	eg
tranc	eg
ystanc	eg

ancr

bancr	eg
cancr	eg

and

band	eg
crand	a

ans

ans

cans	cys
lŵans	eg
lwfans	eg

ant

-ant: terfyniad berfol
   – canant a hefyd
    canasant, etc.

achosiant	eg
adfeiliant	eg
adloniant	eg
adwaenant	bf
aethant	bf
afalfreuant	eg
aflwyddiant	eg
amgant	eg
amhendant	a
amrant	eg
annhyciant	eg
ânt	bf
anwyliant	eg
ardrefniant	eg
ardduniant	eg
arwerthiant	eg
arwyliant	eg
asiant	eg
atyfiant	eg
boddiant	eg
breuant	eg
broliant	eg
buddiant	eg
byddant	bf
canfuant	bf
canmlwyddiant	eg
cânt + cant	bf, eg
cawsant	bf
cefnbant	a

46

ant

ceunant	eg
cildant	eg
cilddant	eg
cilgant	eg
cludiant	eg
cofiant	eg
cornant	eb
crastant	eg
cyfarfuant	bf
cyfathiant	eg
cyfeiliant	eg
cyfluniant	eg
cynhyrchiant	eg
cyweirdant	eg
chwant	eg
chwyddiant	eg
chwysiant	eg
daethant	bf
daliant	eg
dant	eg
darfuant	bf
darganfuant	bf
deilliant	eg
deuant	bf
didoriant	eg
didrachwant	a
diddymiant	eg
difeddiant	a
difodiant	eg
difwyniant	a, eg
diffuant	a
dilyniant	eg
dilysiant	a
disgyrchiant	eg
diwydiant	eg
diwylliant	eg
drygchwant	eg
dyfnant	eb

ant

dymuniant	eg
dynodiant	eg
ebargofiant	eg
efelychiant	eg
eiddiniant	eg
eliffant	eg
etifeddiant	eg
ewyngant	eg
falant	eb
folant	eb
ffesant	ebg
ffolant	eb
ffrithiant	eg
ffuant	eg
ffurfiant	eg
ffwythiant	eg
ffyniant	eg
goddefiant	eg
gogoniant	eg
gohiriant	eg
gordyfiant	eg
gorfant	eg
gorfoliant	eg
gorfuant	bf
gorwant	eg
graddiant	eg
grant	eg
gwalbant	eb
gwant	eg
gwarant	ebg
gwariant	eg
gweithrediant	eg
gwelliant	eg
gwerthiant	eg
gwnaethant	bf
gwnânt	bf
gwrthiant	eg
gwyddant	bf

ant

gwylmabsant	eb
gyriant	eg
haeddiant	eg
helaethiant	eg
hyfforddiant	eg
hynofiant	eg
hyrddiant	eg
lafant	eg
llechfeddiant	eg
llesteiriant	eg
llieingant	eg
llifeiriant	eg
lloniant	eg
lluddiant	eg
lluniant	eg
llwyddiant	eg
llyffant	eg
llysblant	ell
llys-riant	eg
llystyfiant	eg
mabsant	eg
maddeuant	eg
maeliant	eg
mant	ebg
meddiant	eg
mesuriant	eg
methiant	a, eg
milflwyddiant	eg
moliant	eg
mwyniant	eg
mynegiant	eg
nant	eb
nawddsant	eg
nerthiant	eg
nesiant	eg
nodiant	eg
nwyfiant	eg
offeriant	eg

ant		ant		ar	
palmant	eg	triongliant	eg	anghymengar	a
pant	eg	triwant	a, eg	anghymwynasgar	a
pasiant	eg	trosiant	eg	alar	eg
peiriant	eg	tyciant	eg	amhleitgar	a
pendant	a	tyfiant	eg	amyneddgar	a
plant	ell	tyniant	eg	aneiddgar	a
plygiant	eg	unfathiant	eg	anewyllysgar	a
poriant	eg	yswiriant	eg	anfaddeugar	a
porthiant	eg			anfoesgar	a
prifiant	eg	**ap**		anhawddgar	a
pryniant	eg	amlap	eg	anhreiddgar	a
rhagwant	eg	anap	eg	anhringar	a
rhamant	eb	cap	eg	anhunangar	a
rhewlifiant	eg	clap	eg	anhygar	a
rhiant	eg	cnap	eg	annengar	a
rhusiant	eg	crap	eg	annheyrngar	a
rhychwant	eg	chwap	a	anniolchgar	a
rhyddfynegiant	eg	hap	eb	anoddefgar	a
sant	eg	llinfap	eg	anrheithgar	a
secant	eg	map	eg	anrhyfelgar	a
seibiant	eg	sgrap	eg	ansylwgar	a
siant	eb	siâp	eg	anwahoddgar	a
siomiant	eg	slap	eb	anwar	a, eg
soriant	eg	strap	eg	anymchwilgar	a
sturmant	eg	tap + tâp	eg	anymladdgar	a
symiant	eg	trap	eg	anymofyngar	a
tanbeiriant	eg			anymyrgar	a
tant	eg	**apl**		ar + âr	ardd, eg
tarddiant	eg	stapl	eb	ariangar	a
tenant	eg			athrotgar	a
toddiant	eg	**ar**		athrylithgar	a
toliant	eg	achwyngar	a	awengar	a
trachwant	eg	adar	ell	bâr + bar	eg, eg
trefniant	eg	addolgar	a	beiddgar	a
tremiant	eg	aflafar	a	bilidowcar	eg
trethiant	eg	anghroesawgar	a	blaengar	a
treuliant	eg	anghyfeillgar	a	bloeddgar	a
tridant	eg	anghymdeithasgar	a	blysgar	a

ar

bodlongar	a	cyfeillachgar	a	disgamar	a
bolgar	a	cyfeillgar	a	disgwylgar	a
braenar	eg	cyflafar	a, eg	distrywgar	a
brolgar	a	cyffesgar	a	diweddar	a
brysgar	a	cyhuddgar	a	diymhongar	a
busnesgar	a	cymar	eg	dowciar	eb
byddar	a, eg	cymdeithasgar	a	drâr	eg
caffaelgar	a	cymdeithgar	a	dyfeisgar	a
capelgar	a	cymhengar	a	dyfriar	eb
câr + car	bf, eg	cymwynasgar	a	edifar	a
carchar	eg	cynffongar	a	eiddgar	a
celfyddgar	a	cynllwyngar	a	eilunaddolgar	a
celwyddgar	a	cynnar	a	elusengar	a
cenedlaetholgar	a	cyrhaeddgar	a	enillgar	a
cerddgar	a	cystadleugar	a	epilgar	a
ceryddgar	a	cywilyddgar	a	ewyllysgar	a
claear	a	chwaraegar	a	ffasiyngar	a
clebar	ebg	chwedleugar	a	fflachdar	a
clegar	be, eg	chwerthingar	a	ffraegar	a
clepgar	a	chwilgar	a	gafaelgar	a
clochdar	be	chwilotgar	a	galar	eg
clugiar	eb	dadleugar	a	gar	ebg
clustfyddar	a	daear	eb	giaffar	eg
clyfar	a	dagreugar	a	giamstar	eg
coediar	eb	darllengar	a	gochelgar	a
corsiar	eb	darpar	be, bf, eg	goddefgar	a
cotiar	eb	deallgar	a	gofalgar	a
creciar	eb	dengar	a	gorweithgar	a
crechwengar	a	deubar	a, eg	grugiar	eb
crefyddgar	a	dialeddgar	a	gwahoddgar	a
cribddeilgar	a	dialgar	a	gwâr + gwar	a, ebg
croesawgar	a	dichellgar	a	gwasanaethgar	a
cwar	eg	diedifar	a	gwasgar	be
cwerylgar	a	digymar	a	gwatwar	be, bf, eg
cwestiyngar	a	dilafar	a	gweddgar	a
cwtiar	eb	dioddefgar	a	gweddigar	a
cyfarchgar	a	diolchgar	a	gweithgar	a
cyfarpar	be, eg	diotgar	a	gwengar	a

ar		ar		ar	
gwingar	a	pedwar	a	ymdrechgar	a
gwlatgar	a	penddar	eb	ymddiddangar	a
gwrandawgar	a	penfar	eg	ymddiheurgar	a
hawddgar	a	penwar	eg	ymddirietgar	a
hectar	eg	petrusgar	a	ymffrostgar	a
hiraethgar	a	pleidgar	a	ymholgar	a
hirsgwar	a	potsiar	eg	ymhongar	a
hoffgar	a	protestgar	a	ymladdgar	a
holgar	a	prydeingar	a	ymlyngar	a
hunangar	a	pwyllgar	a	ymochelgar	a
hygar	a	rhodresgar	a	ymofyngar	a
iâr	eb	rhyfelgar	a	ymostyngar	a
ieithgar	a	sbâr	a	ymrafaelgar	a
iswasanaethgar	a	seingar	a	ymroddgar	a
jar	eb	seintwar	eb	ymrysongar	a
landar	ebg	seminar	eg	ymwthgar	a
llachar	a	sengar	a	ymyrgar	a
llafar	a, eg	sgilgar	a	ysbeilgar	a
llengar	a	sgwâr	a, ebg	ysgar	be
lletygar	a	sigâr	eb	ysglyfgar	a
lliwgar	a	stilgar	a	ystrywgar	a
llungar	a	straegar	a		
llwyar	eb	stumongar	a	**arc**	
llymbar	eg	swyddgar	a	carc	eg
maddeugar	a	sylwgar	a	marc	eg
meddiangar	a	talar	eb	parc	eg
meddylgar	a	tar	eg	siarc	eg
meistrolgar	a	tawgar	a		
merchetgar	a	teiar	eg	**arch**	
mewnsyllgar	a	teyrngar	a	afonfarch	eg
moesgar	a	treiddgar	a	alarch	eg
mwyar	ell	treisgar	a	amarch	eg
myfyrgar	a	tringar	a	arch	eb
myniar	eb	trydar	be, eg	cadfarch	eg
neithdar	eg	uchelfar	eg	cawrfarch	eg
niwclear	a	ymbilgar	a	cydgyfarch	eg
opiniyngar	a	ymchwilgar	a	cyfarch	be
pâr	a, eg	ymdeithgar	a	cywarch	eb

arch

dyfrfarch	eg
ebolfarch	eg
gwiwbarch	a
helfarch	eg
hunan-barch	eg
hybarch	a
llongyfarch	be
llymarch	eg
madarch	ell
march	eg
moesgyfarch	be
parch	eg
picwarch	eb
pwnfarch	eg
rhedegfarch	eg
tywarch	ell

ard

bastard	eg
cwstard	eg
iard	eb
mwstard	eg
stiward	eg
ward	eg

ardd

anhardd	a
ardd	bf
bardd	eg
blaendardd	eg
cadeirfardd	eg
crachfardd	eg
creigardd	eb
crogardd	eb
cynfardd	eg
chwardd	bf
dihardd	a
diwahardd	a

ardd

eginfardd	eg
gardd	eb
gogynfardd	eg
gwahardd	be, eg
hardd	a
pastynfardd	eg
prentisfardd	eg
prifardd	eg
tardd	bf, eg

arf

arf	eb
barf	eb
coesarf	eb
tarf	bf

arff

sarff	eb
sgarff	eg
tsiarff	eg

arll

iarll	eg
isiarll	eg

arm

ffarm	eb

arn

adfarn	eb
amgarn	ebg
barn	eb
cadarn	a
cam-farn	eb
canhwyllarn	eg
carn	ebg
coesarn	ebg
collfarn	eb
culfarn	eb

arn

cydfarn	eb
darn	eg
deuddarn	eg
gwasarn	eg
haearn	eg
isarn	eb
llwyarn	eb
masarn	ell
pedwarcarn	eg
pengadarn	a
rhagfarn	eb
sarn	ebg
tafarn	ebg
unfarn	a

arp

carp	eg
llarp	eg

ars

ffârs	eb
misdimanars	ell
siars	eb

art

bwmbart	eg
cart	eg
chwart	eg
dart	eg
fflodiart	eb
ffwlbart	eg
libart	eg
llewpart	eg
llidiart	ebg
meilart	eg
mwstart	eg
olgart	eg
siart	eb

arts

arts

starts — eg

arth

anniwarth — a
annosbarth — a, eg
arogldarth — eg
arth — eb
buarth — eg
cadafarth — eg
cadawarth — eg
canolbarth — eg
carth — eg
codwarth — eg
cyfarth — be, eg
deheubarth — eg
deuparth — eg
dosbarth — eg
garth — ebg
gwarth — eg
lluarth — eb
mygdarth — eg
parth — eg
rhanbarth — eg
tarth — eg

as

adflas — eg
addas — a
anghyfaddas — a
anghymwynas — eb
anghytras — a
aml-bwrpas — a
anaddas — a
andras — eg
anras — eg
arwrwas — eg
as — eb

as

atgas — a
bacas — eb
bardas — ell
barddas — ebg
bas — a, ebg
blas — eg
botas — ell
bras — a
brithlas — a
brithwas — eg
brwdias — a
bwlas — eg
bwtsias — ell
cadlas — eb
caethwas — eg
cafas — bf
calchgas — a
camlas — eb
carwas — eb
cas — a, bf, eg
cochlas — a
cowlas — ebg
crabas — ell
cras — a
crychias — a, ebg
culwas — eg
cwffas — eb
cwmpas — eg
cydberthynas — eb
cyfaddas — a
cymdeithas — eb
cymwynas — eb
cynfas — ebg
cynflas — eg
cytras — a
danas — eg
diflas — a
digrifwas — eg

as

digymwynas — a
dinas — eb
diras — a
eirias — a
ffas — eb
ffras — eb
galanas — eb
gardas — eb
glas — a
gras — eg
gwaltas — eb
gwas — eg
gwelwlas — a
gwynias — a
gwynlas — a
gwyrddlas — a
hafodlas — eb
heddwas — eg
hurbwrcas — eg
hurwas — eg
ias — eb
irlas — a
llas — bf
lluddias — be
llwydlas — a
mamddinas — eb
marchwas — eg
matras — eg
micas — eg
morlas — a
palas — eg
pannas — ell
pas — eg
penfas — a
penfras — a, eg
perthynas — ebg
picas — ebg
piglas — a

as

pincas	eg
pinnas	eg
plas	eg
plwyfwas	eg
porthwas	eg
prifddinas	eb
priodas	eb
pwrcas	eg
pwrpas	eg
ras	eb
rhagflas	eg
rhocas	eg
rhyngberthynas	eb
sbenglas	eg
siabas	a, ell
socas	eg
solas	eg
syrcas	eb
taplas	eb
tas	eb
teyrnas	eb
tras	eb
troedlas	eb
urddas	eg
uwch-las	eg
ysbâs	eg

asb

asb	eb
clasb	eg

asg

ballasg	eg
casg	eb
cawswasg	eb
ffasg	eb
fflasg	eb
gwasg	bf, ebg

asg

masg	eb
pasg	eg
tasg	eb

asgl

casgl	bf, ebg
masgl	eg
rhasgl	eb

asn

basn	eg

ast

bleiddast	eb
brecwast	ebg
cast	eg
clapgast	eb
clapiast	eb
crymffast	eg
cwffast	eb
gast	eb
gellast	eb
gwast	eg
hast	eb
llanast	eg
llechiast	eb
mast	eg
miliast	eb

astl

rhastl	eb

astr

castr	eb
llanastr	eg
plastr	eg

at

amdanat	ardd

at

arnat	ardd
at	ardd
atat	ardd
awtocrat	eg
barlat	eg
bat	eg
biwrocrat	eg
brat	eg
cat	eg
chwit-chwat	a
danat	ardd
ffat	eb
fflat	a, eb
giât	eb
grat	ebg
mat	eg
plât	eg
preifat	a
seiat	eb
tanat	ardd
twmffat	eg
wit-wat	a

atr

theatr	eb

atsh

clatsh	a
cratsh	eg
watsh	eb

ath

amryfath	a
bath	a, eg
boncath	eg
brath	bf, eg
bwncath	eg
canllath	eg

ath		au		au	
cath	eb	aberthau	ell	adnoddau	ell
croeslath	eb	absennau	ell	adnewyddiadau	ell
croglath	eb	absenoldebau	ell	adolygiadau	ell
cwrcath	eg	academïau	ell	adrannau	ell
cyfath	a	aceniadau	ell	adroddiadau	ell
cymath	a	acennau	ell	adroddweddau	ell
darfath	eg	actau	ell	aduniadau	ell
dirwynlath	eb	actoresau	ell	adweithiadau	ell
hudlath	eb	achau	ell	adweithiau	ell
llath	eb	achlesau	ell	adweithrediadau	ell
math	ebg	achlinau	ell	adwyau	ell
mesurlath	eb	achresau	ell	adwythau	ell
osglath	eb	achwyniadau	ell	addasiadau	ell
rhath	eg	adalwadau	ell	addodau	ell
sabath	eg	adargraffiadau	ell	addoliadau	ell
trawslath	eb	adbryniadau	ell	addunedau	ell
troedlath	eb	ad-daliadau	ell	addurnau	ell
tulath	eb	adegau	ell	addurniadau	ell
twmpath	eg	adeiladaethau	ell	aeliau	ell
unfath	a	adeiladau	ell	aelodau	ell
wynebfath	eg	adeileddau	ell	aerwyau	ell
		adenwau	ell	aethau	ell
athl		adfeddiadau	ell	afalau	ell
cathl	eb	adferfau	ell	afallennau	ell
dathl	bf	adferiadau	ell	afluneddau	ell
		adflasau	ell	afluniadau	ell
athr		adfywhau	be	aflwyddau	ell
disathr	a	adfywiadau	ell	aflwyddiannau	ell
hylathr	a	adfywiocáu	be	afrlladau	ell
llathr	a	adlamau	ell	afrlladennau	ell
mathr	eg	adleisiau	ell	afwynau	ell
sathr	a, bf, eg	adlewyrchiadau	ell	affeithiadau	ell
		adlogau	ell	afflau	eg
au		adloniannau	ell	agendâu	ell
abadaethau	ell	adnabyddiadau	ell	agennau	ell
abadau	ell	adnau	eg	agerlongau	ell
abadesau	ell	adneidiau	ell	agorawdau	ell
abau	ell	adnodau	ell	agoriadau	ell

agosáu	be	allweddau	ell	amrywiaethau	ell
agweddau	ell	allweddeiriau	ell	amserau	ell
angau	eg	allweddellau	ell	amseriadau	ell
angenrheidiau	ell	amau	be	amsernodau	ell
anghydfodau	ell	amcangyfrifiadau	ell	anableddau	ell
anghydnawseddau	ell	amdeithiau	ell	anadliadau	ell
anghydraddoldebau		amdoeau	ell	anafiadau	ell
	ell	amddiffyniadau	ell	anaelau	a, eg
anghydrifau	ell	amfesurau	ell	anafau	ell
anghydweddau	ell	amgaeadau	ell	anafiadau	ell
anghyfiawnderau	ell	amgarnau	ell	anawsterau	ell
anghyfleusterau	ell	amgáu	be	anecdotau	ell
anghysondebau	ell	amgloddiau	ell	aneddiadau	ell
anghysonderau	ell	amgodiadau	ell	aneiriau	ell
anghysoneddau	ell	amgylchau	ell	anelau	ell
anghytgordiau	ell	amgylcheddau	ell	aneliadau	ell
anghytundebau	ell	amgylchiadau	ell	anerchiadau	ell
angladdau	ell	amheuaethau	ell	anfoesau	ell
angorau	ell	amhiniogau	ell	anfonebau	ell
ailadroddiadau	ell	amhurdebau	ell	anffurfiadau	ell
ailargraffiadau	ell	amhureddau	ell	anffurfiau	ell
ailddechrau	be	amlapiau	ell	anheddau	ell
aildroseddau	ell	amleddau	ell	anhwyldebau	ell
ailfywhau	be	amlhau	be	anhwylderau	ell
ailgyfeiriadau	ell	amlinellau	ell	anhwyliadau	ell
ailgynnau	be	amlinelliadau	ell	anhwyliau	ell
ailosodiadau	ell	amliniau	ell	anianau	ell
ailwampiadau	ell	amlygiadau	ell	animeiddiadau	ell
ailymweliadau	ell	amlygynnau	ell	annethau	a
ailysgrifeniadau	ell	amneidiau	ell	annhymerau	ell
albymau	ell	amnerau	ell	anniau	a
alchau	ell	amnewidiadau	ell	anodau	ell
algorithmau	ell	amodaethau	ell	anogaethau	ell
aliniadau	ell	amodau	ell	anogiadau	ell
almanaciau	ell	amrannau	ell	anrheithiau	ell
allbynnau	ell	amrediadau	ell	anrhydeddau	ell
allforiadau	ell	amryfuseddau	ell	ansoddau	ell
allorau	ell	amrywiadau	ell	ansoddeiriau	ell

au

anterliwtiau	ell
anturiaethau	ell
anturiau	ell
anthemau	ell
anudonau	ell
anudoneddau	ell
anudoniaethau	ell
anufuddhau	be
anwesau	ell
anwireddau	ell
anwybodaethau	ell
anwydau	ell
apelau	ell
apeliadau	ell
apigau	ell
apwyntiadau	ell
arafiadau	ell
aralleiriadau	ell
archesgobaethau	ell
archifau	ell
archwaethau	ell
archwiliadau	ell
ardalaethau	ell
ardrefniannau	ell
arddangosiadau	ell
arddeliadau	ell
arddulliau	ell
arddyrnau	ell
arddywediadau	ell
areithiau	ell
arennau	ell
arestiadau	ell
arfaethau	ell
arfaethiadau	ell
arfau	ell
arferiadau	ell
arffedau	ell
arffedeidiau	ell

au

argaeau	ell
argaeniau	ell
arglwyddesau	ell
arglwyddiaethau	ell
argoeliadau	ell
argraffau	ell
argraffiadau	ell
argyfyngau	ell
argyhoeddiadau	ell
argymelliadau	ell
arholiadau	ell
arleisiau	ell
arlliwiau	ell
aroglau	eg, ell
arogldarthau	ell
arolygiadau	ell
arolygiaethau	ell
arosiadau	ell
arteithiau	ell
arthesau	ell
aruthreddau	ell
arweiniadau	ell
arweinyddiaethau	ell
arwerthiannau	ell
arwisgiadau	ell
arwresau	ell
arwyddeiriau	ell
arwyddluniau	ell
arwyddnodau	ell
arwyddocáu	be
arwyliannau	ell
arwynebau	ell
arwynebeddau	ell
arysgrifau	ell
arysgrifennau	ell
asedau	ell
asennau	ell
aseiniadau	ell

au

asesiadau	ell
asgennau	ell
asiantaethau	ell
asiantau	ell
asidau	ell
asolau	ell
astudiaethau	ell
ataliadau	ell
ataliaethau	ell
atalnodau	ell
atalnwydau	ell
atchwyliau	ell
atgnoau	ell
atgoffáu	be
atgorau	ell
atgrychynnau	ell
atgryfhau	be
atgyfeiriadau	ell
atgyweiriadau	ell
atmosfferau	ell
atodiadau	ell
atomau	ell
atomfâu	ell
atseiniau	ell
atyniadau	ell
athletau	ell
athrawesau	ell
athrawiaethau	ell
athrofâu	ell
athroniaethau	ell
au	eg
awdlau	ell
awdurdodau	ell
awdurdodiadau	ell
awduresau	ell
awenau	ell
awgrymiadau	ell
awrleisiau	ell

au		au		au	
awrwydrau	ell	barileidiau	ell	beriau	eb
awyrennau	ell	barnau	ell	berieuau	ell
awyrlongau	ell	barnedigaethau	ell	berrau	ell
bacasau	ell	barrau	ell	berwbwyntiau	ell
bacynau	ell	basau	ell	betiau	ell
bachau	ell	basgedau	ell	beudyau	ell
bachdroeau	ell	basgerfiadau	ell	bidiau	ell
bachellau	ell	basluniau	ell	bidogau	ell
bachiadau	ell	basnau	ell	biliau	ell
badau	ell	bastardesau	ell	biliynau	ell
baddau	ell	batiadau	ell	bilygau	ell
baddonau	ell	batiau	ell	biniau	ell
baeau	ell	batogau	ell	blaenau	ell
baeolau	ell	bathau	ell	blaendaliadau	ell
bagadau	ell	bathodynnau	ell	blaendarddiadau	ell
bagbibau	ell	baweidiau	ell	blaenffrwythau	ell
bageidiau	ell	bedyddfannau	ell	blaengnydau	ell
bagiau	ell	bedyddfâu	ell	blaenlythrennau	ell
baglau	ell	bedyddiadau	ell	blaenoriaethau	ell
balciau	ell	beddargraffiadau	ell	blaenrhesau	ell
balconïau	ell	beddau	ell	blasau	ell
baledau	ell	beddrodau	ell	bleiddiau	ell
balogau	ell	beiau	ell	bleindiau	ell
balwnau	ell	beiblau	ell	blinderau	ell
bancawiau	ell	beichiau	ell	blociau	ell
banciau	ell	beiciau	ell	blodau	ell
bandiau	ell	beilïau	ell	blodeugoesau	ell
banerau	ell	beirniadaethau	ell	blodiau	ell
banllefau	ell	beisfannau	ell	bloddestau	ell
banlloriau	ell	beisgawnau	ell	bloeddiadau	ell
bannau	ell	beistonnau	ell	bloeddiau	ell
banodau	ell	beitiau	ell	bloeddnadau	ell
banonau	ell	belau	eg	blotiau	ell
barclodiau	ell	benthyciadau	ell	blychau	ell
barfau	ell	berâu	ell	blycheidiau	ell
bargeniau	ell	berfau + berfâu	ell	blysiau	ell
bariau	ell	berfeidiau	ell	bocseidiau	ell
barilau	ell	berfenwau	ell	bochau	ell

bochdyllau	ell	bralau	ell	brigystodiau	ell
bochgernau	ell	brasáu	be	briliau	ell
bodau	ell	brasbwythau	ell	brithweithiau	ell
bodeidiau	ell	braslieiniau	ell	briwiau	ell
bodiau	ell	brasluniau	ell	brodiadau	ell
boddhau	be	brasterau	ell	brodiaethau	ell
bogeiliau	ell	bratiau	ell	brodiau	ell
bogelau	ell	brathau	ell	brodoresau	ell
bogelynnau	ell	brathiadau	ell	brodoriaethau	ell
boglymau	ell	brau	a	brodweithiau	ell
boglynnau	ell	brawdladdiadau	ell	broesau	ell
bolâu	ell	brawddegau	ell	broglau	a
boleidiau	ell	brawiau	ell	brongenglau	ell
boliau	ell	breciau	ell	broliannau	ell
bolrwymynnau	ell	brecwastau	ell	broliau	ell
bolltau	ell	brecwestau	ell	bronegau	ell
bomiau	ell	brechau	ell	bronnau	ell
bonau	ell	brechdanau	ell	brwydrau	ell
bonclustiau	ell	brechiadau	ell	brychau	ell
bondiau	ell	brefau	ell	brydiau	ell
bondidau	ell	brefiadau	ell	bryncynnau	ell
boneddigesau	ell	breichdlysau	ell	bryniau	ell
bonffaglau	ell	breichiau	ell	brysebau	ell
bonllefau	ell	breichledau	ell	brysnegesau	ell
bonllostau	ell	breiniau	ell	brytáu	be
bonsygiau	ell	breinlennau	ell	brywesau	ell
bordau	ell	breintiau	ell	bualau	ell
bordeidiau	ell	breisgáu	be	buarthau	ell
boreau	ell	breithgadau	ell	bucheddau	ell
borebrydau	ell	breninesau	ell	buchesau	ell
boreddyddiau	ell	breniniaethau	ell	budd-daliadau	ell
botasau	ell	brestiau	ell	buddeiau	ell
botymau	ell	brethynnau	ell	buddiannau	ell
bothau	ell	breuhau	be	buddrannau	ell
bowliadau	ell	briciau	ell	buddsoddiadau	ell
bowliau	ell	bridiau	ell	buddugoliaethau	ell
bradau	ell	brigadau	ell	bugeilesau	ell
braenarau	ell	brigau	ell	bugeiliaethau	ell

au		au		au	
buriâu	ell	bywiocáu	be	canghellau	ell
busnesau	ell	bywioliaethau	ell	canghennau	ell
bustlau	ell	bywluniadau	ell	calafau	ell
bwáu + bwâu	be, ell	bywluniau	ell	calciau	ell
bwletinau	ell	bywoliaethau	ell	caledennau	ell
bwlganau	ell	bywydau	ell	calendrau	ell
bwriadau	ell	bywydfadau	ell	calennau	ell
bwrsariaethau	ell	bywynnau	ell	caliau	ell
bwydlysiau	ell	cabanau	ell	calonnau	ell
bwyellau	ell	cablau	ell	calorïau	ell
bwyellodau	ell	cableddau	ell	calorimedrau	ell
bwylltidau	ell	cableiriau	ell	callorau	ell
byclau	ell	cacennau	ell	camamseriadau	ell
bydafau	ell	cadachau	ell	camau	ell
bydau	ell	cadarnhadau	ell	cambyllau	ell
bygylau	ell	cadarnhau	be	camdybiau	ell
bygythiadau	ell	cadau	ell	camdystiolaethau	ell
byngau	ell	cadeiriau	ell	camddealltwriaethau	
bylau	ell	cadfannau	ell		ell
bylbiau	ell	cadlasau	ell	camddeongliadau	ell
bylchau	ell	cadlongau	ell	camddulliau	ell
byrbrydau	ell	cadwrfâu	ell	camddywediadau	ell
byrddau	ell	cadwynau	ell	camennau	ell
byrddeidiau	ell	caeadau	ell	camenwau	ell
byrddyddiau	ell	caeau	ell	camerâu	ell
byrfoddau	ell	caenau	ell	camfarnau	ell
byriau	eg	caenennau	ell	camfâu	ell
byrlymau	ell	caerau	ell	camfoddau	ell
byrlymiadau	ell	caethgludiadau	ell	camfrodiau	ell
byrnau	ell	caethlongau	ell	camgymeriadau	ell
byrhadau	ell	cafellau	ell	camlyryau	ell
byrhau	be	cafnau	ell	camnïau	ell
bysiau	ell	cafodau	ell	camogau	ell
bysledrau	ell	caffellau	ell	camosodiadau	ell
bytynau	ell	caffiau	ell	campau	ell
bythau	ell	caglau	ell	campweithiau	ell
bywgraffiadau	ell	cangau	ell	camseiniadau	ell
bywhau	be	cangeniadau	ell	camsillafiadau	ell

au

camsyniadau	ell	canwyrau	ell	catalogau	ell
camweddau	ell	capanau	ell	categorïau	ell
camynganiadau	ell	capelau	ell	cateidiau	ell
camymddygiadau	ell	capiau	ell	catgyrchau	ell
canfyddiadau	ell	carafanau	ell	catiau	ell
canhwyllau	ell	carcharau	ell	catrodau	ell
caniadau	ell	carchariadau	ell	cathau	ell
caniatadau	ell	cardfyrddau	ell	cathlau	ell
caniatáu	be	cardiau	ell	cau	a, be
caniau	ell	cardodau	ell	cawciau	ell
canlyniadau	ell	careglau	ell	cawgiau	ell
canllawiau	ell	careiau	ell	cawiau	ell
canmlwyddiannau	ell	carfaglau	ell	cawelleidiau	ell
canmoliaethau	ell	carfanau	ell	cawodau	ell
canolau	ell	carlamau	ell	cawresau	ell
canolbarthau	ell	carlamiadau	ell	cawselltau	ell
canolbrisiau	ell	carnau	ell	cawswasgau	ell
canolbwyntiau	ell	carneddau	el:	ceblau	ell
canolfannau	ell	carolau	ell	cebystrau	ell
canolfâu	ell	carpedau	ell	cedau	ell
canolfuriau	ell	carpiau	ell	cedorau	ell
canolgaeau	ell	cartwnau	ell	cefnau	ell
canolrifau	ell	carthiadau	ell	cefnennau	ell
canonau	ell	carthlynnau	ell	cefnlloerau	ell
canoniaethau	ell	carwriaethau	ell	cefnrhaffau	ell
canpwysau	ell	casáu	be	ceffylau	ell
canrannau	ell	casbethau	ell	cegau	ell
canrifau	ell	casetiau	ell	cegeidiau	ell
cansennau	ell	casgedau	ell	cegesau	ell
cantau	ell	casgeneidiau	ell	ceginau	ell
cantawdau	ell	casgiau	ell	cenglau	ell
cantelau	ell	casgliadau	ell	ceiau	ell
cantellau	ell	casogau	ell	ceibiau	ell
cantiglau	ell	castanau	ell	ceibrau	ell
cantoresau	ell	castanedau	ell	ceiliagwyddau	ell
canuau	ell	castiau	ell	ceiliau	ell
canwyllarnau	ell	castrau	ell	ceilliau	ell
canwyllbrennau	ell	casuliau	ell	ceinciau	ell

ceiniogau	ell	cethrau	ell	claddau	ell
ceiniogwerthau	ell	ceubrennau	ell	claddedigaethau	ell
ceisiadau	ell	ceubyllau	ell	claddogofâu	ell
celciau	ell	ceudyllau	ell	clapiau	ell
celfau	ell	ceufadau	ell	clasbiau	ell
celfyddydau	ell	ceulannau	ell	clau	a
celwyddau	ell	ceuliau	ell	cleciadau	ell
celyrnau	ell	cewynnau	ell	cleciau	ell
celyrneidiau	ell	cibau	ell	cledrau	ell
cellïau	ell	cibyneidiau	ell	cleddau	eg
cellweiriau	ell	ciciau	ell	cleddyfau	ell
cenadaethau	ell	cigfachau	ell	clefydau	ell
cenadwrïau	ell	cigweiniau	ell	clegyrau	ell
cenau	eg	cilbrennau	ell	cleiau	ell
cenawesau	ell	cildannau	ell	cleibyllau	ell
cenedlaethau	ell	cildraethau	ell	cleisiau	ell
cenfeintiau	ell	cilfachau	ell	clemiau	ell
cenfigennau	ell	cilfachellau	ell	clepiau	ell
cenhadau	ell	cilfiniau	ell	clepynnau	ell
centigramau	ell	cilgannau	ell	clewynnau	ell
centilitrau	ell	ciliadau	ell	cliciadau	ell
centimetrau	ell	ciliau	ell	cliciedau	ell
cerbydau	ell	cilobeitiau	ell	clinomedrau	ell
cerddau	ell	cilogramau	ell	clipfyrddau	ell
cerfddelwau	ell	cilolitrau	ell	clociau	ell
cerfiadaethau	ell	cilometrau	ell	clocsiau	ell
cerfiadau	ell	cilwenau	ell	cloddiadau	ell
cerfluniau	ell	ciniawau	ell	cloddiau	ell
cerfysgrifau	ell	cipdremiau	ell	cloeau	ell
cernau	ell	cipedrychiadau	ell	cloënnau	ell
cernennau	ell	cipiadau	ell	cloerau	ell
cernodiau	ell	ciprysau	ell	cloffrwymau	ell
certweiniau	ell	cisiau	ell	clogau	ell
cerwyneidiau	ell	cistannau	ell	clogwynau	ell
ceryntau	ell	cisteidiau	ell	clogynnau	ell
ceseileidiau	ell	cistiau	ell	clogyrnau	ell
ceseiliau	ell	ciwboidau	ell	clonau	ell
cestiau	ell	ciweidiau	ell	clonciau	ell

au

clopanau	ell	cnycau	ell	conglau	ell
clopau	ell	cnydau	ell	coleddiadau	ell
clorennau	ell	cobanau	ell	colegau	ell
cloriannau	ell	cobau	ell	colerau	ell
cloriau	ell	cobiau	ell	colfachau	ell
closau	ell	cobynnau	ell	colfennau	ell
cloynnau	ell	cochlau	ell	colofnau	ell
cludeiriau	ell	codau	ell	colynnau	ell
cludiadau	ell	codeidiau	ell	collfarnau	ell
cluniau	ell	codennau	ell	colliadau	ell
clustfodrwyau	ell	codiadau	ell	collnodau	ell
clustiau	ell	codymau	ell	comedau	ell
clustlysau	ell	coedlannau	ell	comedïau	ell
clustogau	ell	coedwalau	ell	comisiynau	ell
clwciadau	ell	coegbethau	ell	conau	ell
clwydau	ell	coelbrennau	ell	condemniadau	ell
clwyfau	ell	coelgrefyddau	ell	conellau	ell
clybiau	ell	coesarfau	ell	confensiynau	ell
clychau	ell	coesarnau	ell	contiau	ell
clyffiau	ell	coesau	ell	contractau	ell
clymau	ell	coetennau	ell	copâu	ell
clymbleidiau	ell	cofadeiladau	ell	copïau	ell
clystyrau	ell	cofadeiliau	ell	copynnau	ell
clytiau	ell	cofgolofnau	ell	corau	ell
clytweithiau	ell	cofiannau	ell	corbyllau	ell
cnapiau	ell	cofleidiadau	ell	cordeddiadau	ell
cnau	ell	cofleidiau	ell	cordiau	ell
cneciau	ell	coflyfrau	ell	corddiadau	ell
cneifiadau	ell	cofrestrau	ell	corddlannau	ell
cneifiau	ell	cofrestriadau	ell	coredau	ell
cnithiadau	ell	coffadwriaethau	ell	corfannau	ell
cnoadau	ell	coffáu	be	corfau	ell
cnocellau	ell	coffrau	ell	corfforaethau	ell
cnociau	ell	cogau	ell	corganau	ell
cnotiau	ell	cogeiliau	ell	coridorau	ell
cnuau	ell	cogesau	ell	corlannau	ell
cnufau	ell	cogyddesau	ell	corneidiau	ell
cnuliau	ell	cogyrnau	ell	cornelau	ell

corniadau	ell	creciau	ell	crochaneidiau	ell
coronau	ell	crechwenau	ell	crochleisiau	ell
coronblethau	ell	credau	ell	croendenau	a
corongylchau	ell	crediniaethau	ell	croenynnau	ell
coroniadau	ell	credoau	ell	croesau	ell
corsennau	ell	credydau	ell	croesbrennau	ell
cortynnau	ell	crefyddau	ell	croesddywediadau	ell
corunau	ell	crefyddesau	ell	croeseiriau	ell
corygau	ell	crefftau	ell	croesfâu	ell
coryglau	ell	creffynnau	ell	croesgadau	ell
cosbau	ell	creiddiau	ell	croesgeryntau	ell
cosbedigaethau	ell	creigiau	ell	croesholiadau	ell
cosinau	ell	creiglannau	ell	croesinebau	ell
costau	ell	creiglethrau	ell	croeslathau	ell
costrelau	ell	creiriau	ell	croesliniau	ell
costreleidiau	ell	creithennau	ell	croestoriadau	ell
cosynnau	ell	creithiau	ell	crofennau	ell
cotiau	ell	crempogau	ell	crofftau	ell
cotymau	ell	creuau	ell	crogau	ell
cowlasau	ell	creulondebau	ell	croglathau	ell
cowrtiau	ell	creulonderau	ell	croglennau	ell
craciau	ell	crewynnau	ell	croglithiau	ell
craeniau	ell	criau	ell	crogwelyau	ell
crafangau	ell	cribau	ell	crombileidiau	ell
crafangiadau	ell	cribellau	ell	crombiliau	ell
crafiadau	ell	cribineidiau	ell	cromellau	ell
craffau	ell	cribiniau	ell	cromennau	ell
cramennau	ell	criciau	ell	cromfachau	ell
cranciau	ell	criglynnau	ell	cromlechau	ell
crastannau	ell	crimogau	ell	cromliniau	ell
crateidiau	ell	crimpiau	ell	cromnennau	ell
crau	eg	criniadau	ell	cronellau	ell
crawciau	ell	cripiadau	ell	croniadau	ell
crawennau	ell	cripiau	ell	crotesau	ell
crawniadau	ell	criwiau	ell	crothau	ell
creadigaethau	ell	crocbrennau	ell	crothellau	ell
creaduresau	ell	crocbrisiau	ell	crudau	ell
creciadau	ell	crochanau	ell	crugiau	ell

au		au		au	
cruglwythau	ell	crythau	ell	cwmpodau	ell
crugynnau	ell	crywiau	ell	cwndidau	ell
crwybrau	ell	cucumerau	ell	cwpanau	ell
crwydradau	ell	cuchiau	ell	cwpaneidiau	ell
crwydrau	ell	cudynnau	ell	cwpeliadau	ell
crwysau	ell	cuddfannau	ell	cwpláu	be
crybwylliadau	ell	cuddfâu	ell	cwpledau	ell
cryciau	ell	cuddiadau	ell	cwponau	ell
crychdonnau	ell	cuddiau	ell	cwrelau	ell
crychiadau	ell	cuddlennau	ell	cwrlidau	ell
crychiau	ell	cufyddau	ell	cwtáu	be
crychlamau	ell	culfarnau	ell	cwtiadau	ell
crychleisiau	ell	culhau	be	cwtogiadau	ell
crychnodau	ell	cunogeidiau	ell	cwympau	ell
crychnodwyddau	ell	cunogau	ell	cwympiadau	ell
crychynnau	ell	curadiaethau	ell	cwympodau	ell
cryd-cymalau	eg	curanau	ell	cwynau	ell
crydiau	ell	curfâu	ell	cwynfanau	ell
cryfderau	ell	curiadau	ell	cwyrau	ell
cryfhau	be	curiau	ell	cwyrdebau	ell
crygleisiau	ell	curnau	ell	cwyrennau	ell
cryngylchau	ell	curnennau	ell	cwysau	ell
crymachau	ell	cusanau	ell	cwysiadau	ell
crymanau	ell	cutiau	ell	cybiau	ell
crymffastiau	ell	cwafrau	ell	cybyddesau	ell
crymgleddau	ell	cwarrau	ell	cycyllau	ell
crymiadau	ell	cwartiau	ell	cycheidiau	ell
crymlinellau	ell	cwblhadau	ell	cychwynfâu	ell
cryndoeau	ell	cwblhau	be	cychwyniadau	ell
crynfâu	ell	cwcwyau	ell	cydadferiadau	ell
crynhau	be	cwerylau	ell	cydamseriadau	ell
cryniadau	ell	cwestau	ell	cydau	ell
crynoadau	ell	cwestiynau	ell	cydberthnasau	ell
crynodebau	ell	cwilsynnau	ell	cydberthyniadau	ell
crynoddisgiau	ell	cwiltiau	ell	cydbwyllgorau	ell
crysau	ell	cwlbrennau	ell	cyd-destunau	ell
crysbeisiau	ell	cwmnïau	ell	cydeidiau	ell
crystiau	ell	cwmpasau	ell	cydfodau	ell

au		au		au	
cydffederasiynau	ell	cyfanrifau	ell	cyferbyniadau	ell
cydgadwyniadau	ell	cyfansoddeiriau	ell	cyfernodau	ell
cydgyfarfyddiadau	ell	cyfansoddiadau	ell	cyfesurynnau	ell
cydgyfnewidiadau	ell	cyfansymiau	ell	cyfiawnderau	ell
cydhanfodau	ell	cyfanweithiau	ell	cyfiawnhau	be
cydiadau	ell	cyfarchiadau	ell	cyfieithiadau	ell
cydiau	ell	cyfareddau	ell	cyfieuadau	ell
cydlefau	ell	cyfareddiadau	ell	cyfieuaethau	ell
cydlifau	ell	cyfarfyddiadau	ell	cyflafanau	ell
cydnabyddiadau	ell	cyfartaleddau	ell	cyflafareddiadau	ell
cydnabyddiaethau	ell	cyfarthiadau	ell	cyflau	ell
cydosodiadau	ell	cyfarwyddebau	ell	cyflawniadau	ell
cydraddau	ell	cyfarwyddiadau	ell	cyfleadau	ell
cydraniadau	ell	cyfarwyddiau	ell	cyflegrau	ell
cydrannau	ell	cyfarwyddlyfrau	ell	cyflenwadau	ell
cydroddiadau	ell	cyfatebiadau	ell	cyfleusterau	ell
cydrywogaethau	ell	cyfatebiaethau	ell	cyflifiadau	ell
cydseiniadau	ell	cyfathiannau	ell	cyflinellau	ell
cydsyniadau	ell	cyfathrachiadau	ell	cyflinogau	ell
cydweddau	ell	cyfathrebau	ell	cyflogau	ell
cydweddiadau	ell	cyfddyddiau	ell	cyfluneddau	ell
cydweithrediadau	ell	cyfebriadau	ell	cyfluniadau	ell
cydwelediadau	ell	cyfeddachau	ell	cyfluniau	ell
cydwybodau	ell	cyfeiliannau	ell	cyflwyniadau	ell
cydymdeimladau	ell	cyfeiliornadau	ell	cyflwynlyfrau	ell
cydymffurfiadau	ell	cyfeiliornau	ell	cyflyfrau	ell
cydymffurfiaethau	ell	cyfeillachau	ell	cyflymderau	ell
cydymgeisiau	ell	cyfeillesau	ell	cyflymiadau	ell
cyfadrannau	ell	cyfeintiau	ell	cyflyniadau	ell
cyfaddasiadau	ell	cyfeiriadaethau	ell	cyflyrau	ell
cyfaddawdau	ell	cyfeiriadau	ell	cyflythreniadau	ell
cyfaddefiadau	ell	cyfeiriannau	ell	cyfnerthiadau	ell
cyfamodau	ell	cyfeiriau	ell	cyfnewidfâu	ell
cyfamserau	ell	cyfeirlyfrau	ell	cyfnewidiadau	ell
cyfaneddfau	ell	cyfeirnodau	ell	cyfnewidiau	ell
cyfanhau	be	cyfenwadau	ell	cyfnodau	ell
cyfanheddau	ell	cyfenwau	ell	cyfnosau	ell
cyfaniadau	ell	cyferbwyntiau	ell	cyfochraethau	ell

cyfochreddau	ell
cyfodennau	ell
cyfodiadau	ell
cyfoethogiadau	ell
cyfogiadau	ell
cyfonglau	ell
cyfosodiadau	ell
cyfraddau	ell
cyfrangau	ell
cyfran-ddaliadau	ell
cyfraniadau	ell
cyfrannau	ell
cyfrdroadau	ell
cyfreithiau	ell
cyfresau	ell
cyfresoliadau	ell
cyfresymiadau	ell
cyfrifau	ell
cyfrifiadau	ell
cyfrifianellau	ell
cyfriflyfrau	ell
cyfrifoldebau	ell
cyfrinachau	ell
cyfrineiriau	ell
cyfrinfâu	ell
cyfrolau	ell
cyfrwyau	ell
cyfryngau	ell
cyfseriadau	ell
cyfuchliniau	ell
cyfundebau	ell
cyfundrefnau	ell
cyfuniadau	ell
cyfweliadau	ell
cyfyngau	ell
cyfyngderau	ell
cyfyngiadau	ell
cyffeithiau	ell

cyffelybiaethau	ell
cyffesiadau	ell
cyffiadau	ell
cyffiau	ell
cyffiniau	ell
cyffredinoliadau	ell
cyffroadau	ell
cyffroau	ell
cyffuriau	ell
cyffyrddiadau	ell
cyngherddau	ell
cynghorau	ell
cynghreiriau	ell
cyngorynnau	ell
cyngresau	ell
cyhoeddebau	ell
cyhoeddiadau	ell
cyhuddiadau	ell
cyhydnosau	ell
cyhyrau	ell
cylchau	ell
cylchdeithiau	ell
cylchdroadau	ell
cylcheddau	ell
cylchennau	ell
cylchfannau	ell
cylchfâu	ell
cylchgronau	ell
cylchlwybrau	ell
cylchlythyrau	ell
cylchrediadau	ell
cylchrwyau	ell
cylchynnau	ell
cylffiau	ell
cyliau	ell
cyllidau	ell
cyllidebau	ell
cylltyrau	ell

cymalau	ell
cymarebau	ell
cymaresau	ell
cymariadau	ell
cymariaethau	ell
cymdeithasau	ell
cymdeithasfâu	ell
cymdogaethau	ell
cymedrau	ell
cymelliadau	ell
cymelliannau	ell
cymeradwyaethau	ell
cymerau	ell
cymerebau	ell
cymeriadau	ell
cymesureddau	ell
cymhibau	ell
cymorthdaliadau	ell
cymreigesau	ell
cymunedau	ell
cymwynasau	ell
cymwyseddau	ell
cymwysiadau	ell
cymwysterau	ell
cymydau	ell
cymylau	ell
cymysgeddau	ell
cynadleddau	ell
cynaeafau	ell
cynalfuriau	ell
cynaniadau	ell
cyndadau	ell
cynebryngau	ell
cyneddfau	ell
cynfasau	ell
cynffonnau	ell
cynffrwythau	ell
cynhennau	ell

cynhorau	ell	cysgodluniau	ell	chwarterau	ell
cynhyrfau	ell	cysodau	ell	chwartiau	ell
cynigiadau	ell	cysoniadau	ell	chwâu	ell
cynlluniau	ell	cystadlaethau	ell	chwecheiniogau	ell
cynllyfanau	ell	cystrawennau	ell	chwedegau	ell
cynnau	be	cystuddiau	ell	chwedlau	ell
cynosodiadau	ell	cysylltau	ell	chwelydrau	ell
cynrychiolaethau	ell	cysyllteiriau	ell	chwenychiadau	ell
cynrychioliadau	ell	cysylltiadau	ell	chweonglau	ell
cynrhannau	ell	cysylltnodau	ell	chwerfannau	ell
cynseiliau	ell	cysyniadau	ell	chweugeiniau	ell
cynteddau	ell	cytau	ell	chwibanoglau	ell
cynteidiau	ell	cytganau	ell	chwibolau	ell
cynulliadau	ell	cytgordiau	ell	chwifiadau	ell
cynwyseddau	ell	cytiau	ell	chwiliadau	ell
cynwysiadau	ell	cytserau	ell	chwilolau	eg
cynyrchiadau	ell	cytundebau	ell	chwipiadau	ell
cynyrfiadau	ell	cytuniadau	ell	chwipiau	ell
cyplau	ell	cytysau	ell	chwiredau	ell
cyplysau	ell	cythrau	ell	chwistrellau	ell
cyplysiadau	ell	cythriadau	ell	chwithau	rhag
cyplysnodau	ell	cythymau	ell	chwiwiau	ell
cypyrddau	ell	cywasgiadau	ell	chwydalau	ell
cyraeddiadau	ell	cyweiriau	ell	chwydiadau	ell
cyrbau	ell	cyweirnodau	ell	chwyddiadau	ell
cyrcydau	ell	cyweithiau	ell	chwyddwydrau	ell
cyrchau	ell	cywiriadau	ell	chwyldroadau	ell
cyrchfannau	ell	cywreinbethau	ell	chwyliau	ell
cyrchnodau	ell	cywyddau	ell	chwythbibau	ell
cyrchiadau	ell	chwaeroliaethau	ell	chwythiadau	ell
cyrddau	ell	chwaethau	ell	dadafaeliadau	ell
cyrfau	ell	chwaffiau	ell	dadansoddiadau	ell
cyrnennau	ell	chwaliadau	ell	dadatafaeliadau	ell
cyrrau	ell	chwantau	ell	dadelfeniadau	ell
cyrsiau	ell	chwarddiadau	ell	dadfathiadau	ell
cyrtiau	ell	chwarelau	ell	dadfeiliadau	ell
cysegrau	ell	chwarennau	ell	dadlau be, eg, ell
cysgodau	ell	chwarfannau	ell	dadleniadau	ell

dadleoliadau	ell
dadlygriadau	ell
dadorchuddiadau	ell
dadrithiadau	ell
daeargrydiau	ell
daeargrynfâu	ell
dafadennau	ell
dafatesau	ell
dafnau	ell
dagrau	ell
dangoseiriau	ell
dangosiadau	ell
dalennau	ell
dalenodau	ell
dalfannau	ell
daliadaethau	ell
daliadau	ell
dalweddau	ell
dalynnau	ell
dallesau	ell
dallgopïau	ell
damcaniaethau	ell
damweiniau	ell
daneddiadau	ell
darganfyddiadau	ell
darlithiau	ell
darluniadau	ell
darluniau	ell
darllediadau	ell
darllenawdau	ell
darlleniadau	ell
darnau	ell
daroganau	ell
darostyngiadau	ell
darpariadau	ell
darpariaethau	ell
dartau	ell
datblygiadau	ell

datganiadau	ell
datgeliadau	ell
datguddiadau	ell
datgymaliadau	ell
datgysegriadau	ell
datrysiadau	ell
dathliadau	ell
dau	a, eg
dawnsiau	ell
dealltwriaethau	ell
deau	a, ebg
debydau	ell
decagonau	ell
decagramau	ell
decalitrau	ell
decametrau	ell
decigramau	ell
decilitrau	ell
decimetrau	ell
dechau	a
dechrau	be, eg
dedfrydau	ell
deddfau	ell
deddflyfrau	ell
deddfwriaethau	ell
defeidiogau	ell
defnyddenwau	ell
defnyddiau	ell
defnyddioldebau	ell
defnynnau	ell
defodau	ell
defosiynau	ell
deffroadau	ell
degau	all
degawdau	ell
degiadau	ell
degymau	ell
deheubarthau	ell

deiliadaethau	ell
deilliadau	ell
deilliannau	ell
deintiadau	ell
deintrodau	ell
deisebau	ell
deisyfiadau	ell
delfrydau	ell
delwau	ell
delweddau	ell
delweddiadau	ell
delltennau	ell
deniadau	ell
deongliadau	ell
deoniaethau	ell
deorfâu	ell
derbynebau	ell
derbyniadau	ell
dernynnau	ell
desgiau	ell
dethau	a
detholiadau	ell
deuawdau	ell
deunyddiau	ell
deuoliaethau	ell
dewindabaethau	ell
dewisiadau	ell
di-ddau	a
diaconiaethau	ell
diadellau	ell
diagramau	ell
diangfâu	ell
dialau	ell
dialeddau	ell
dialogau	ell
diamau	a
diamedrau	ell
diarddeliadau	ell

au		au		au	
diasbadau	ell	dilysiadau	ell	dociau	ell
diau	a	dilywiau	ell	dogfennau	ell
diblau	ell	dilladau	ell	dogmâu	ell
dibrisiadau	ell	dimeiau	ell	dognau	ell
dibyniadau	ell	dimensiynau	ell	dolau	ell
dibyniaethau	ell	dinasfreiniau	ell	dolefau	ell
dibynnau	ell	dinasyddiaethau	ell	dolennau	ell
dicterau	ell	diod-offrymau	ell	doliau	ell
didau	ell	diodlynnau	ell	doluriau	ell
didelerau	a	diolchiadau	ell	doniau	ell
didennau	ell	diptonau	ell	dorau	ell
didfapiau	ell	dirboenau	ell	dosbarthau	ell
didoliadau	ell	dirdyniadau	ell	dosbarthiadau	ell
didolnodau	ell	dirgelfannau	ell	dosraniadau	ell
diddordebau	ell	dirgelychau	ell	dotiau	ell
diddwythiadau	ell	dirgryniadau	ell	dotweithiau	ell
diddymiadau	ell	dirprwyaethau	ell	dowciadau	ell
dieisiau	a	dirwasgiadau	ell	drabiau	ell
diemyntau	ell	dirwestau	ell	draenennau	ell
dienyddiadau	ell	dirwynennau	ell	draeniau	ell
difaddau	a	dirywiadau	ell	drafftiau	ell
difenwadau	ell	disgiau	ell	dragiau	ell
diferynnau	ell	disgrifiadau	ell	dramateiddiadau	ell
difiau	eg	disgwyliadau	ell	dramâu	ell
diflanbwyntiau	ell	disgyblaethau	ell	drefâu	ell
diflaniadau	ell	disgyniadau	ell	dreigiau	ell
difrifoldebau	ell	disiau	ell	dribiau	ell
difrodiau	ell	distiau	ell	dringlynnau	ell
difrychau	a	diswyddiadau	ell	driliau	ell
difyniadau	ell	diweddariadau	ell	dugesau	ell
diffyniadau	ell	diweddebau	ell	drwgdybiaethau	ell
diffygiadau	ell	diweddiadau	ell	drychau	ell
diffyndollau	ell	diweddnodau	ell	drychfeddyliau	ell
digidau	ell	diweddnodiadau	ell	drychiadau	ell
digwyddiadau	ell	diwrnodau	ell	drychiolaethau	ell
diheintiadau	ell	diwydiannau	ell	drygau	ell
diliau	ell	diwygiadau	ell	drygchwantau	ell
dilyniannau	ell	diwylliannau	ell	drygeiriau	ell

au		au		au	
drygiau	ell	dyfyniadau	ell	efrau	ell
dryllfetelau	ell	dyfynodau	ell	efrydiaethau	ell
drylliau	ell	dyheadau	ell	efrydiau	ell
drymiau	ell	dylanwadau	ell	efyddennau	ell
dryntolau	ell	dyletswyddau	ell	efyddynnau	ell
drysau	ell	dyluniadau	ell	efyntau	rhag
dugiaethau	ell	dymchweliadau	ell	effeithiau	ell
dulliau	ell	dymuniadau	ell	eglurebau	ell
dullweddau	ell	dynesau	ell	eglurynnau	ell
duwiau	ell	dynodiadau	ell	egwyliau	ell
duwiesau	ell	dynwarediadau	ell	enghreifftiau	ell
dwbledau	ell	dyraniadau	ell	eiconau	ell
dwsinau	ell	dyrchafiadau	ell	eidalesau	ell
dwyfronegau	ell	dyrïau	ell	eidionnau	ell
dwyfronnau	ell	dyrnau	ell	eigionau	ell
dwysáu	be	dyrneidiau	ell	eingionau	ell
dwysbigiadau	ell	dyrnfolau	ell	eilebau	ell
dwyseddau	ell	dyrnodau	ell	eiliadau	ell
dyblau	ell	dyrydiadau	ell	eilrifau	ell
dyblygiadau	ell	dyrysbynciau	ell	einionau	ell
dychanau	ell	dysglau	ell	eirchiau	ell
dychmygiadau	ell	dysgleidiau	ell	eirlysiau	ell
dychrynfâu	ell	dywalhau	be	eisiau	eg
dychryniadau	ell	dywediadau	ell	eisteddfodau	ell
dychweliadau	ell	dyweddïau	ell	eitemau	ell
dyddhau	be	eangderau	ell	eithafbwyntiau	ell
dyddiadau	ell	ebrannau	ell	eithriadau	ell
dyddiau	ell	ebychau	ell	electrodau	ell
dyddlyfrau	ell	ebychiadau	ell	electronfoltau	ell
dyfalbarhau	be	economïau	ell	elfennau	ell
dyfaliadau	ell	echelau	ell	elïau	ell
dyfarniadau	ell	echelinau	ell	elinau	ell
dyfeisiau	ell	echryslonderau	ell	elorau	ell
dyfnderau	ell	edau	eb	elorgerbydau	ell
dyfnhau	be	edifarhau	be	elusennau	ell
dyfodiadau	ell	edrychiadau	ell	e-lythyrau	ell
dyfrhau	be	efengylau	ell	ellynnau	ell
dyfrlliwiau	ell	efelychiadau	ell	embargoau	ell

au		au		au	
emosiynau	ell	etholaethau	ell	fferau	ell
emynau	ell	etholedigaethau	ell	fferinau	ell
enciliadau	ell	etholfreiniau	ell	ffetanau	ell
endidau	ell	etholfreintiau	ell	ffeuau	ell
eneidiau	ell	etholiadau	ell	ffidilau	ell
eneiniadau	ell	eurafalau	ell	ffieiddbethau	ell
eneiniau	ell	euremau	ell	ffigurau	ell
enfysau	ell	ewyllysiau	ell	ffigysbrennau	ell
enrhifiadau	ell	faniau	ell	ffilmiau	ell
ensyniadau	ell	fersiynau	ell	ffiniau	ell
enwadau	ell	ficeriaethau	ell	ffiolau	ell
enwau	ell	fioledau	ell	ffiordau	ell
enwebiadau	ell	fotiau	ell	ffiwdalhau	be
enynfâu	ell	ffabrigau	ell	ffiwsiau	ell
enyniadau	ell	ffactorau	ell	fflachiadau	ell
epistolau	ell	ffaeleddau	ell	fflachiau	ell
erchwynnau	ell	ffafrau	ell	ffagiau	ell
erddiganau	ell	ffaglau	ell	fflangellau	ell
erfyniadau	ell	ffaglennau	ell	fflangelliadau	ell
erledigaethau	ell	ffagodau	ell	fflamau	ell
erlyniadau	ell	ffaldau	ell	fflasgeidiau	ell
ernesau	ell	ffannau	ell	fflasgiau	ell
erthyglau	ell	ffantasïau	ell	fflatiau	ell
erwau	ell	ffasadau	ell	ffliwtiau	ell
esblygiadau	ell	ffasau	ell	fflochiau	ell
esboniadau	ell	ffasgau	ell	fflurolau	eg
esgeiriau	ell	ffasgellau	ell	ffoaduresau	ell
esgidiau	ell	ffasiynau	ell	ffolennau	ell
esgobaethau	ell	ffatiau	ell	ffonau	ell
esgoriadau	ell	ffau	eb	ffoniadau	ell
esgynbrennau	ell	ffederasiynau	ell	ffonodiau	ell
esgyniadau	ell	ffedogau	ell	ffontiau	ell
esgynloriau	ell	ffefrynnau	ell	fforestau	ell
esiamplau	ell	ffeibrau	ell	fforiadau	ell
esmwytháu	be	ffeiliau	ell	fformwlâu	ell
estyniadau	ell	ffeiriau	ell	ffortiynau	ell
etifeddiaethau	ell	ffeithiau	ell	ffortunau	ell
etifeddiannau	ell	ffenomenâu	ell	fforymau	ell

au		au		au	
ffosiliau	ell	ffyngau	ell	geirynnau	ell
ffotograffau	ell	ffynhonnau	ell	gemau	ell
ffowndrïau	ell	ffynonellau	ell	genau	eg, ell
ffracsiynau	ell	ffyrfhau	be	genedigaethau	ell
ffraeau	ell	ffyrlingau	ell	geneuau	ell
fframiau	ell	ffyrllingau	ell	genfâu	ell
fframweithiau	ell	ffyrnau	ell	genweiriau	ell
ffregodau	ell	ffyrrau	ell	genynnau	ell
ffreuturiau	ell	ffyrymau	ell	geometregau	ell
ffrewyllau	ell	gaeafau	ell	gewynnau	ell
ffrewylliadau	ell	gafaelfachau	ell	giau	ell
ffrigadau	ell	gaflachau	ell	glanhau	be
ffrindiau	ell	gaflau	ell	glaniadau	ell
ffroenau	ell	galaethau	ell	glannau	ell
ffroenellau	ell	galanasau	ell	glasbrintiau	ell
ffrogiau	ell	galarganau	ell	glaslanciau	ell
ffrwstymau	ell	galarnadau	ell	glaslysiau	ell
ffrwydradau	ell	galerïau	ell	glasogau	ell
ffrwydrynnau	ell	galiynau	ell	glawiadau	ell
ffrwynau	ell	galwadau	ell	gleiniau	ell
ffrwythau	ell	galwedigaethau	ell	gliniau	ell
ffrydiadau	ell	galwynau	ell	globau	ell
ffrydiau	ell	gamedau	ell	gloddestau	ell
ffrygydau	ell	gardysau	ell	gloesau	ell
ffugchwedlau	ell	garglymau	ell	gloynnau	ell
ffugenwau	ell	garlantau	ell	glyniadau	ell
ffugiadau	ell	garrau	ell	glythau	ell
ffuneglau	ell	garwhau	be	gobennau	ell
ffunenau	ell	gatiau	ell	gobenyddiau	ell
ffunudau	ell	gau	a	goblygiadau	ell
ffuredau	ell	gefeiliau	ell	godriadau	ell
ffurfafennau	ell	gefelennau	ell	goddefiadau	ell
ffurfiadau	ell	gefynnau	ell	goddrychau	ell
ffurfiau	ell	geingiau	ell	gofidiau	ell
ffurfweddiadau	ell	geirdroeau	ell	gofodau	ell
ffustiau	ell	geiriadau	ell	gofyniadau	ell
ffwrneisiau	ell	geiriau	ell	gofynodau	ell
ffwythiannau	ell	geirlyfrau	ell	goganau	ell

gogoniannau	ell
gograu	ell
gogreidiau	ell
gogwyddiadau	ell
gogwyddeiriau	ell
gohiriadau	ell
golau	a, eg
golchyddesau	ell
goleddau	ell
goleuadau	ell
golygiadau	ell
golygweddau	ell
gomeddiadau	ell
gorau	a
gorchestweithiau	ell
gorchfygiadau	ell
gordderchiadau	ell
gorddrafftiau	ell
goresgyniadau	ell
gorfannau	ell
gorfodaethau	ell
gorffwysfannau	ell
gorgodiadau	ell
gorgyffyrddiadau	ell
gornestau	ell
goroesiadau	ell
gororau	ell
gorseddau	ell
gorseddfeinciau	ell
gorsinau	ell
gorsymiau	ell
gorthrymderau	ell
goruchwyliaethau	ell
gorwahanodau	ell
gorweddfannau	ell
gorymdeithiau	ell
gorhendadau	ell
gorhendeidiau	ell

gorhenfamau	ell
gosberau	ell
gosgeddau	ell
goslefau	ell
gosodiadau	ell
gostyngiadau	ell
graddau	ell
graddegau	ell
graddiadau	ell
graddiannau	ell
graddliwiau	ell
graffiau	ell
gramadegau	ell
gramaffonau	ell
gramau	ell
grannau	ell
grantiau	ell
grasau	ell
grasusau	ell
gratiau	ell
grawnafalau	ell
grawnffrwythau	ell
grawnsypiau	ell
greddfau	ell
gridiau	ell
gridyllau	ell
grilliau	ell
grisiau	ell
groegesau	ell
gronellau	ell
gronynnau	ell
gruddiau	ell
grwpiau	ell
grymusterau	ell
grynnau	ell
gwacáu	be
gwacterau	ell
gwadnau	ell

gwaddoliadau	ell
gwaeau	ell
gwaedogennau	ell
gwaeddau	ell
gwaelbethau	ell
gwagnodau	ell
gwahanfâu	ell
gwahaniadau	ell
gwahaniaethau	ell
gwahanlithiau	ell
gwahanodau	ell
gwahanodiadau	ell
gwaharddedigaethau	ell
gwaharddiadau	ell
gwahoddiadau	ell
gwalabrau	ell
gwalau	ell
gwalcennau	ell
gwalchesau	ell
gwaledau	ell
gwalfâu	ell
gwaliau	ell
gwalteisiau	ell
gwallau	ell
gwalltiau	ell
gwanafau	ell
gwanau	ell
gwanegau	ell
gwaneifiau	ell
gwanhau	be
gwaniadau	ell
gwantau	ell
gwanwynau	ell
gwanychiadau	ell
gwarantau	ell
gwarantiadau	ell
gwarbinnau	ell

au

gwarchodaethau	ell
gwarchodfâu	ell
gwarddrysau	ell
gwaredigaethau	ell
gwarhau	be
gwariannau	ell
gwarogau	ell
gwarrau	ell
gwarthaflau	ell
gwartháu	be
gwarthnodau	ell
gwasanaethau	ell
gwasarnau	ell
gwasg-gafnau	ell
gwasgariadau	ell
gwasgau	ell
gwasgfâu	ell
gwasgiadau	ell
gwasgodau	ell
gwastadeddau	ell
gwastatáu	be
gwau	be, eg
gwawchiadau	ell
gwawchiau	ell
gwawriadau	ell
gwdennau	ell
gweadau	ell
gweddau	ell
gweddïau	ell
gweddlysiau	ell
gweddwhau	be
gwefannau	ell
gweflau	ell
gwefusau	ell
gweinellau	ell
gweiniau	ell
gweinidogaethau	ell
gweinyddesau	ell

au

gweinyddiaethau	ell
gweirgloddiau	ell
gweiriau	ell
gweirynnau	ell
gweisgennau	ell
gweithfyrddau	ell
gweithgareddau	ell
gweithgorau	ell
gweithiau	ell
gweithrediadau	ell
gwelediadau	ell
gweledigaethau	ell
gwelïau	ell
gwelyau	ell
gwellau	eg
gwelleifiau	ell
gwellhau	be
gwelliannau	ell
gwenau	ell
gwendidau	ell
gwenwynau	ell
gwepau	ell
gwerddonau	ell
gweriniaethau	ell
gwerinlywodraethau	
	ell
gwersau	ell
gwerslyfrau	ell
gwerthfawrogiadau	ell
gwerthiadau	ell
gwerthiannau	ell
gwerthusiadau	ell
gwerydau	ell
gwestyau	ell
gwibdeithiau	ell
gwibiadau	ell
gwibiau	ell
gwichiadau	ell

au

gwichiau	ell
gwifiau	ell
gwifrau	ell
gwigwyliau	ell
gwinau	a
gwinllannau	ell
gwirebau	ell
gwireddau	ell
gwiriadau	ell
gwirioneddau	ell
gwirodau	ell
gwladwriaethau	ell
gwlanau	ell
gwneuthuriadau	ell
gwniadau	ell
gwniaduriau	ell
gwniyddesau	ell
gwobrau	ell
gwrandawiadau	ell
gwregysau	ell
gwreiddeiriau	ell
gwreiddiau	ell
gwrolgampau	ell
gwrthatyniadau	ell
gwrthbannau	ell
gwrthbleidiau	ell
gwrthbleidleisiau	ell
gwrthbwyntiau	ell
gwrthbwysau	ell
gwrthbwythau	ell
gwrthdrawiadau	ell
gwrthdroau	ell
gwrthdystiadau	ell
gwrthddadlau	be
gwrthddywediadau	
	ell
gwrthfradau	ell
gwrthgefnau	ell

gwrthgiliadau	ell	gyrfâu	ell	hawlysgrifau	ell
gwrthgloddiau	ell	gyriannau	ell	hebogau	ell
gwrthgyferbyniadau		haciau	ell	hecsagonau	ell
	ell	hadau	ell	hecsagramau	ell
gwrthrychau	ell	haearnau	ell	hectarau	ell
gwrthwynebiadau	ell	haeddiannau	ell	hectogramau	ell
gwrydau	ell	haenau	ell	hectolitrau	ell
gwrychynnau	ell	haenellau	ell	hectometrau	ell
gwrymiau	ell	haenennau	ell	heglau	ell
gwthiau	ell	haenluniau	ell	heidiau	ell
gwybodaethau	ell	haeriadau	ell	heigiau	ell
gwybodau	ell	hafaliadau	ell	heintiau	ell
gwychderau	ell	hafalnodau	ell	helaethiadau	ell
gwydnhau	be	hafanau	ell	helfâu	ell
gwydrau	ell	hafau	ell	helmau	ell
gwydreidiau	ell	hafddyddiau	ell	helwriaethau	ell
gwyddau	ell	hafnau	ell	hemiau	ell
gwyddorau	ell	hafodlasau	ell	hendadau	ell
gwylfâu	ell	haffiau	ell	hendeidiau	ell
gwyliau	ell	hafflau	ell	hepgoriadau	ell
gwylmabsantau	ell	haffleidiau	ell	heptagonau	ell
gwylnosau	ell	haldiadau	ell	herciau	ell
gwyndonnau	ell	halwynau	ell	herwlongau	ell
gwynfydau	ell	hambyrddau	ell	hesbennau	ell
gwyniau	ell	hamogau	ell	hesglifiau	ell
gwyntellau	ell	hanerau	ell	hetiau	ell
gwyntyllau	ell	hanergylchau	ell	heuliau	ell
gwyrdroadau	ell	hanerobau	ell	heuslau	ell
gwyrddlysiau	ell	hapau	ell	hiciau	ell
gwyriadau	ell	hapnodau	ell	hidlau	ell
gwyrthiau	ell	haprifau	ell	hierarchaethau	ell
gwysiadau	ell	harneisiau	ell	hinsoddau	ell
gwysigennau	ell	hatlingau	ell	hipiau	ell
gwythiennau	ell	hau	be	hirbarhau	be
gyddfau	ell	hawlfreintiau	ell	hirddyddiau	ell
gylfinau	ell	hawliadau	ell	hirgylchau	ell
gynau	ell	hawliau	ell	hirnodau	ell
gynnau	adf, ell	hawlrwymau	ell	hirnosau	ell

hirsgwarau	ell	hwyrganau	ell	isafrifau	ell
hithau	rhag	hwyrhau	be	isarnau	ell
hobau	ell	hwyrnosau	ell	is-bwyllgorau	ell
hobeidiau	ell	hwythau	rhag	iselderau	ell
hobïau	ell	hybiau	ell	iselhau	be
hoedlau	ell	hydau	ell	islyth(y)rennau	ell
hoelbrennau	ell	hydrefau	ell	israddau	ell
hoenynnau	ell	hyfforddiadau	ell	jariau	ell
hoffterau	ell	hylifau	ell	jiwbilïau	ell
hogiau	ell	hymynnau	ell	jochiau	ell
holiadau	ell	hynafiaethau	ell	jygiau	ell
holnodau	ell	hypergysylltiadau	ell	labiau	ell
holwyddoregau	ell	hyrddiadau	ell	lampau	ell
holltau	ell	hyrddiau	ell	lanlwythiadau	ell
holltennau	ell	hyrwyddiadau	ell	lansiadau	ell
honciadau	ell	hysbysfyrddau	ell	lanternau	ell
honciau	ell	hysbysiadau	ell	lapiadau	ell
honiadau	ell	iacháu	be	larfâu	ell
horobau	ell	iadau	ell	larymau	ell
hosanau	ell	iäennau	ell	lawnsiadau	ell
hualau	ell	iardau	ell	lawntiau	ell
huchennau	ell	iarllaethau	ell	lawrlwythiadau	ell
hudlathau	ell	iarllesau	ell	lefelau	ell
hudolesau	ell	iasau	ell	leiniau	ell
hudoliaethau	ell	iau	a, ebg	libartiau	ell
hufennau	ell	iawndaliadau	ell	lifftiau	ell
huganau	ell	iawnderau	ell	lilïau	ell
hugau	ell	iawnonglau	ell	limpinnau	ell
hulingau	ell	iddewesau	ell	limrigau	ell
hunanladdiadau	ell	ietiau	ell	linciau	ell
hunellau	ell	ieuau	ell	litrau	ell
hunglwyfau	ell	impiau	ell	liwtiau	ell
hunllefau	ell	incymau	ell	loesau	ell
huriau	ell	indemniadau	ell	logarithmau	ell
hwyhau	be	ireidiau	ell	lorïau	ell
hwylbrennau	ell	irlanciau	ell	lwfansau	ell
hwyliadau	ell	isadrannau	ell	lwferau	ell
hwyliau	ell	isafbwyntiau	ell	lympiau	ell

au

llabedau	ell
llabyddiadau	ell
llabystiau	ell
llacáu	be
llachiau	ell
lladau	ell
lladradau	ell
lladronesau	ell
lladdedigaethau	ell
lladdiadau	ell
llafarweddau	ell
llafnau	ell
llafnesau	ell
llafuriau	ell
llamau	ell
llamddelwau	ell
llancesau	ell
llanciau	ell
llanerchau	ell
llannau	ell
llarpiau	ell
llathau	ell
llatheidiau	ell
llatheneidiau	ell
llau	ell
llawdriniaethau	ell
llawdryferau	ell
llawddrylliau	ell
llawenhau	be
llawlifiau	ell
llawlyfrau	ell
llawnodiadau	ell
llawysgrifau	ell
llecynnau	ell
llechau	ell
llechfannau	ell
llechfâu	ell
llechfeddiannau	ell

au

llechweddau	ell
lledau	ell
lledrau	ell
lledymylau	ell
llefau	ell
lleiafrifau	ell
lleiafsymiau	ell
lleibiau	ell
lleidiau	ell
lleihau	be
lleiniau	ell
lleisiau	ell
llên-ladradau	ell
llenllieiniau	ell
llenyddiaethau	ell
lleolbwyntiau	ell
lleoliadau	ell
lleolnodau	ell
llesáu	be
llesgáu	be
llesmeiriau	ell
llesteiriau	ell
lletemau	ell
lletwadau	ell
lletyau	ell
llethennau	ell
llethrau	ell
llethrfâu	ell
lleuadau	ell
llewygfâu	ell
llidau	ell
llidiardau	ell
llieiniau	ell
llifddorau	ell
llifddurau	ell
llifgloddiau	ell
llifiau	ell
llifolau	eg

au

llinborthiadau	ell
llindagau	ell
llinellau	ell
llinfapiau	ell
llinynnau	ell
llithiadau	ell
llithiau	ell
llithrau	ell
llithriadau	ell
lliwiau	ell
llociau	ell
llochesau	ell
llodrau	ell
lloeau	ell
lloerau	ell
lloerennau	ell
llofneidiau	ell
llofnodau	ell
llofnodiadau	ell
llofruddiaethau	ell
llogau	ell
llogeiliau	ell
llogellau	ell
llongau	ell
llongddrylliadau	ell
llongyfarchiadau	ell
llonodau	ell
llopanau	ell
llorfau	ell
lloriau	ell
llorpiau	ell
llorweddau	ell
llosgiadau	ell
llosgyrnau	ell
llostau	ell
lluarthau	ell
lluchiadau	ell
lluddiau	ell

au

lluestau	ell	llysenwau	ell	mapiadau	ell
llumanau	ell	llysgenadaethau	ell	mapiau	ell
llungopïau	ell	llysiau	ell	marciau	ell
lluniadau	ell	llyslau	ell	marchdaranau	ell
lluniau	ell	llystadau	ell	marchesau	ell
llunweddau	ell	llystyfiannau	ell	marchlannau	ell
lluosiadau	ell	llythrennau	ell	marchnadaethau	ell
lluosrifau	ell	llythrenwau	ell	marwhau	be
lluosymiau	ell	llythyrau	ell	marwnadau	ell
llurigau	ell	llythyrnodau	ell	marwolaethau	ell
llusernau	ell	llywethau	ell	masgiau	ell
llusgiadau	ell	llywiau	ell	masglau	ell
lluwchfâu	ell	llywodraethau	ell	masnachau	ell
llwfrhau	be	llywyddiaethau	ell	matiau	ell
llwncdestunau	ell	mabolgampau	ell	matogau	ell
llwyau	ell	macynnau	ell	mathau	ell
llwybrau	ell	machludiadau	ell	mau	rhag
llwyddiannau	ell	maddau	be	maweidiau	ell
llwyeidiau	ell	maddeuebau	ell	mawnbyllau	ell
llwyerau	ell	maenolau	ell	mawrddrygau	ell
llwyfannau	ell	maenorau	ell	mawrhau	be
llwynau	ell	maethfâu	ell	mecanweithiau	ell
llwythau	ell	maglau	ell	medalau	ell
llyfiadau	ell	magnelau	ell	medelau	ell
llyfnhau	be	magwrfâu	ell	medrau	ell
llyfrau	ell	malciau	ell	meddalnodau	ell
llyfrnodau	ell	maleithiau	ell	meddiannau	ell
llyfryddiaethau	ell	mamaethau	ell	meddyginiaethau	ell
llyfrynnau	ell	mamau	ell	meddylddrychau	ell
llyffetheiriau	ell	mamwyddau	ell	meddyliadau	ell
llygadau	ell	mân-ddarluniau	ell	meddyliau	ell
llygreddau	ell	manbethau	ell	meddylrithiau	ell
llyngesau	ell	mandragorau	ell	meflau	ell
llymderau	ell	mandyllau	ell	megabeitiau	ell
llymeidiau	ell	mannau	ell	meginau	ell
llymhau	be	mantau	ell	meichiau	eg, ell
llynciadau	ell	manylebau	ell	meilyngau	ell
llynnau	ell	manynnau	ell	meinciau	ell

meincnodau	ell	modelau	ell	mwythau	ell
meindyllau	ell	modemau	ell	mydrau	ell
meindyrau	ell	modiwlau	ell	mydylau	ell
meinhau	be	modrwyau	ell	myfïau	ell
meintiau	ell	moddau	ell	myfyrdodau	ell
meithderau	ell	moddlinellau	ell	mygiadau	ell
melinau	ell	moesau	ell	mygydau	ell
memrynau	ell	moethau	ell	myngau	ell
meneidiau	ell	molawdau	ell	mymrynnau	ell
mentrau	ell	moledau	ell	mynachesau	ell
merbyllau	ell	moliannau	ell	mynawydau	ell
merllynnau	ell	momentau	ell	myncïau	ell
mesurau	ell	monitorau	ell	mynediadau	ell
mesuriadau	ell	monopolïau	ell	mynegiadau	ell
mesuriannau	ell	mordeithiau	ell	mynegiannau	ell
mesurlathau	ell	morgadau	ell	mynwentau	ell
mesurynnau	ell	morgeinciau	ell	mynwesau	ell
metelau	ell	morgloddiau	ell	mynyglau	ell
metrau	ell	morlannau	ell	myrddiynau	ell
methdaliadau	ell	morliniau	ell	myrthylau	ell
methodolegau	ell	morteisiau	ell	myswynogau	ell
methiannau	ell	morydiau	ell	mythau	ell
mewnbynnau	ell	morynnau	ell	nablau	ell
mewnforiadau	ell	mudesau	ell	nacáu	be, eg
mewnoliadau	ell	mudiadau	ell	nadau	ell
mewnosodiadau	ell	mulesau	ell	namau	ell
mewnrwydau	ell	munudau	ell	napgynau	ell
micromedrau	ell	munudiau	ell	nawdegau	ell
migyrnau	ell	muriau	ell	nawddseintiau	ell
miligramau	ell	murluniau	ell	nawnau	ell
mililitrau	ell	mwyafrifau	ell	nawsau	ell
milimetrau	ell	mwyafsymiau	ell	neddau	eb
miliynau	ell	mwyngloddiau	ell	neddyfau	ell
milrhithiau	ell	mwyhau	be	negesau	ell
miniocáu	be	mwynau	ell	negeseuau	ell
minnau	rhag	mwynderau	ell	negodiadau	ell
miraglau	ell	mwynhau	be	negyddiadau	ell
misyrnau	ell	mwyniannau	ell	neidiau	ell

au

neiniau	ell
neithdarfâu	ell
neithiorau	ell
nenfydau	ell
nennau	ell
nerfau	ell
nesáu	be
neuaddau	ell
newidiadau	ell
newidynnau	ell
newyddleuadau	ell
newyddloerau	ell
nifylau	ell
ninnau	rhag
niweidiau	ell
nodau	ell
nodiadau	ell
nodiannau	ell
nodlyfrau	ell
nodwyddau	ell
nodwyddesau	ell
nodynnau	ell
noddau	ell
noeau	ell
nofelau	ell
nofiadau	ell
nogiadau	ell
normau	ell
nosau	ell
nosweithiau	ell
noswyliau	ell
nwyau	ell
nwydau	ell
nwyddau	ell
nwysau	ell
nythlwythau	ell
octagonau	ell
octahedronau	ell

au

ocheneidiau	ell
ochrau	ell
odlau	ell
odrifau	ell
odynau	ell
oddfau	ell
oddfynnau	ell
oedau	ell
oediadau	ell
oedrannau	ell
oerddrysau	ell
oernadau	ell
oesau	ell
ofnau	ell
offerennau	ell
offerynnau	ell
offrymau	ell
ogau	ell
ogedau	ell
ogofâu	ell
onglau	ell
ôl-fylchau	ell
ôl-nodiadau	ell
ôl-ysgrifau	ell
olewyddlannau	ell
olhau	be
olpau	ell
olrheiniadau	ell
olsylliadau	ell
opiniynau	ell
opsiynau	ell
oraclau	ell
ordeiniadau	ell
ordinhadau	ell
orennau	ell
organau	ell
orgraffau	ell
oriau	ell

au

orielau	ell
oriorau	ell
ornestau	ell
osglathau	ell
pabau	ell
pabïau	ell
paciau	ell
padellau	ell
padelleidiau	ell
paderau	ell
padlau	ell
padreuau	ell
paentiadau	ell
pangau	ell
palasau	ell
palau	ell
paledau	ell
palfau	ell
palfeisiau	ell
palfodau	ell
palisau	ell
palmantau	ell
pamau	ell
pamffledau	ell
paneidiau	ell
pantiau	ell
panylau	ell
papurau	ell
paragraffau	ell
paralelogramau	ell
paramedrau	ell
paratoadau	ell
parau	ell
parciau	ell
pardynau	ell
parhau	be
pariadau	ell
parlyrau	ell

au

partneresau	ell
partneriaethau	ell
parthau	ell
parwydennau	ell
pasiannau	ell
pastynau	ell
pastyniadau	ell
patrymau	ell
patrymluniau	ell
patrymweithiau	ell
pau	eb
pawennau	ell
peceidiau	ell
pecynnau	ell
pechodau	ell
pedalau	ell
pedolau	ell
pedrannau	ell
pedreiniau	ell
pedrochrau	ell
pedronglau	ell
pedryfalau	ell
pedwarawdau	ell
pegiau	ell
pegorau	ell
pegynau	ell
penglogau	ell
penglymau	ell
peillgodau	ell
peintiau	ell
peirannau	ell
peiriannau	ell
peirianweithiau	ell
peiriau	ell
peisiau	ell
peithiau	ell
peithynau	ell
pelau	ell

au

pelennau	ell
pelydrau	ell
pellennau	ell
pellhau	be
pellterau	ell
pellwelediadau	ell
penawdau	ell
pencampwriaethau	ell
pencydau	ell
pendefigesau	ell
penderfyniadau	ell
pendifaddau	a
pendiliau	ell
pendistiau	ell
penfarau	ell
penffestrau	ell
penffrwynau	ell
penffustau	ell
penliniau	ell
penllieiniau	ell
pennau	ell
penodau	ell
penodiadau	ell
penolau	ell
penorau	ell
penrhynnau	ell
pensiliau	ell
pensiynau	ell
pentagonau	ell
pentagramau	ell
pentanau	ell
pentyrrau	ell
penwarau	ell
penwythnosau	ell
penydfannau	ell
penydiau	ell
penynnau	ell
peraroglau	ell

au

perchnogaethau	ell
pererindodau	ell
perfformiadau	ell
perimedrau	ell
perlau	ell
perlysiau	ell
perllannau	ell
persawrau	ell
personau	ell
personiaethau	ell
personoliadau	ell
personoliaethau	ell
perthnasau	ell
pesychiadau	ell
petryalau	ell
pethau	ell
piau	bf
pibau	ell
pibellau	ell
pibelleidiau	ell
pibgodau	ell
picellau	ell
picsfapiau	ell
pictiyrau	ell
pictogramau	ell
picynnau	ell
piffiadau	ell
piffiau	ell
pigau	ell
pigdyrau	ell
pigiadau	ell
pigodynnau	ell
pigynnau	ell
pigyrnau	ell
pilasterau	ell
pilennau	ell
pilerau	ell
pilynnau	ell

au

pinaclau	ell
pinafalau	ell
pinasau	ell
pincasau	ell
pincysau	ell
pinnau	ell
pinseidiau	ell
pinsiadau	ell
pinsiyrnau	ell
pirwetau	ell
piserau	ell
pistonau	ell
pisynnau	ell
piwau	ell
pladuriau	ell
plaeniau	ell
planau	ell
planciau	ell
planedau	ell
planiadau	ell
planiau	ell
plasau	ell
plastrau	ell
plateidiau	ell
platiau	ell
plâu	ell
pledrennau	ell
pleidiau	ell
pleidleisiau	ell
pleserau	ell
pleserdeithiau	ell
pleserlongau	ell
pletiadau	ell
pletiau	ell
plethau	ell
plethdorchau	ell
plisgennau	ell
plismonesau	ell

au

plociau	ell
plocynnau	ell
plotiau	ell
plyciadau	ell
plyciau	ell
plygeiniau	ell
plygellau	ell
plygiadau	ell
plygiau	ell
plymiadau	ell
pobiadau	ell
poblogaethau	ell
pocedeidiau	ell
pocerau	ell
poenau	ell
poenfâu	ell
poeriadau	ell
polisïau	ell
polygonau	ell
polyhedronau	ell
polylinellau	ell
pomgranadau	ell
pompiynau	ell
ponciau	ell
porfâu	ell
portreadau	ell
porthfâu	ell
porthiannau	ell
posau	ell
posibiliadau	ell
potelau	ell
poteleidiau	ell
potiau	ell
pothellau	ell
powdrau	ell
powltiau	ell
pramiau	ell
pranciau	ell

au

pregethau	ell
preiddiau	ell
prennau	ell
presebau	ell
priciau	ell
priddellau	ell
priddlechau	ell
priflythrennau	ell
prifodlau	ell
prifsymiau	ell
prinderau	ell
prinhau	be
printiadau	ell
printiau	ell
priodasau	ell
priod-ddulliau	ell
priodoleddau	ell
priodoliaethau	ell
priodweddau	ell
prisiadau	ell
prisiau	ell
prismau	ell
problemau	ell
procerau	ell
prociadau	ell
prociau	ell
proestau	ell
profedigaethau	ell
profiadau	ell
proffesau	ell
proffesiynau	ell
proffiliau	ell
proffwydoliaethau	ell
prosesau	ell
prosiectau	ell
protocolau	ell
pruddhau	be
prydau	ell

au

prydiau	ell
prydlesau	ell
prydlyfrau	ell
pryddestau	ell
prynhawnau	ell
pryniadau	ell
pulpudau	ell
pumochrau	ell
punnau	ell
puprau	ell
puprennau	ell
puprynnau	ell
pŵerau	ell
pwniadau	ell
pwrcasau	ell
pwrpasau	ell
pwyllgorau	ell
pwyntiau	ell
pwysau	ell
pwyseddau	ell
pwysïau	ell
pwysleisiau	ell
pwythau	ell
pwythiadau	ell
pydewau	ell
pyffiau	ell
pyliau	ell
pyllau	ell
pympiau	ell
pynciau	ell
pynnau	ell
pypedau	ell
pyramidiau	ell
pyrsau	ell
pyrseidiau	ell
pytiau	ell
pythefnosau	ell
ralïau	ell

au

recordiau	ell
rowndiau	ell
rubanau	ell
ryseitiau	ell
rhacanau	ell
rhacaneidiau	ell
rhactalau	ell
rhadau	ell
rhaeadrau	ell
rhaffau	ell
rhagamodau	ell
rhagarweiniadau	ell
rhagchwiliadau	ell
rhagdraethau	ell
rhagdybiaethau	ell
rhagdybiau	ell
rhagddorau	ell
rhageiriau	ell
rhagenwau	ell
rhagfarnau	ell
rhagfuriau	ell
rhagfynegiadau	ell
rhagffurfweddiadau	
	ell
rhaglithiau	ell
rhagluniaethau	ell
rhagluniau	ell
rhagnodiadau	ell
rhagofnau	ell
rhagorfreintiau	ell
rhagoriaethau	ell
rhagosodiadau	ell
rhagwantau	ell
rhamantau	ell
rhanbarthau	ell
rhaniadau	ell
rhannau	ell
rhanrifau	ell

au

rhasglau	ell
rhastlau	ell
rhathau	ell
rhathellau	ell
rhaweidiau	ell
rhawiau	ell
rhediadau	ell
rheffynnau	ell
rhengau	ell
rheibesau	ell
rheibiau	ell
rheidiau	ell
rheiddiau	ell
rheiliau	ell
rheithgorau	ell
rheolaethau	ell
rheolau	ell
rheoliadau	ell
rheolweithiau	ell
rhesau	ell
rhesinau	ell
rhestrau	ell
rhestriadau	ell
rhesymau	ell
rhesymiadau	ell
rhewbwyntiau	ell
rhewynnau	ell
rhiciau	ell
rhidyllau	ell
rhifau	ell
rhifynnau	ell
rhigodau	ell
rhigolau	ell
rhigymau	ell
rhimynnau	ell
rhinciau	ell
rhiniau	ell
rhiniogau	ell

au		**au**		**au**	
rhinweddau	ell	rhyfeddnodau	ell	sbonciau	ell
rhipiau	ell	rhyfeddodau	ell	sbwliau	ell
rhithdybiau	ell	rhyfelgrïau	ell	sebonau	ell
rhithganfyddiadau	ell	rhygnennau	ell	secannau	ell
rhithiau	ell	rhyngweithiau	ell	sectorau	ell
rhiwiau	ell	rhywiau	ell	seddau	ell
rhodau	ell	rhywogaethau	ell	sefydliadau	ell
rhodlau	ell	sachau	ell	sefydlogiadau	ell
rhofiadau	ell	sacheidiau	ell	seiadau	ell
rhofiau	ell	sachellau	ell	seibiau	ell
rholiau	ell	sachlieiniau	ell	seiffrau	ell
rhonellau	ell	sadyrnau	ell	seigiau	ell
rhosynnau	ell	saesnesau	ell	seiliau	ell
rhuadau	ell	saethau	ell	seilweithiau	ell
rhuddemau	ell	saethiadau	ell	seimiau	ell
rhugladau	ell	saethnodau	ell	seiniadau	ell
rhuthradau	ell	saethynnau	ell	seiniau	ell
rhwydau	ell	safbwyntiau	ell	seintiau	ell
rhwydweithiau	ell	safiadau	ell	selau	ell
rhwyddhau	be	safnau	ell	seldau	ell
rhwyfau	ell	safonau	ell	seldremau	ell
rhwyflongau	ell	sagrafennau	ell	selerau	ell
rhwygau	ell	sangau	ell	seminarau	ell
rhwygiadau	ell	sangiadau	ell	seneddau	ell
rhwyllau	ell	saithdegau	ell	sennau	ell
rhwymau	ell	salmau	ell	septagonau	ell
rhwymedigaethau	ell	samplau	ell	serchiadau	ell
rhwymiadau	ell	sancsiynau	ell	seremonïau	ell
rhwymynnau	ell	sandalau	ell	seroau	ell
rhwystradau	ell	sarnau	ell	sesiynau	ell
rhwystrau	ell	sarhadau	ell	setiau	ell
rhwystredigaethau	ell	sarhau	be	setliadau	ell
rhychau	ell	sasiynau	ell	sfferau	ell
rhychwantau	ell	sawrlysiau	ell	sgaffaldiau	ell
rhydau	ell	sawsiau	ell	sgertiau	ell
rhydwelïau	ell	sbectrymau	ell	sgetsiau	ell
rhyddfreiniau	ell	sbelau	ell	sgileffeithiau	ell
rhyddhau	be	sbiralau	ell	sgiliau	ell

sglefriadau	ell	siociau	ell	stolau	ell
sgorau	ell	sioeau	ell	stonau	ell
sgoriau	ell	siolau	ell	stondinau	ell
sgrechiadau	ell	siomau	ell	storau	ell
sgriniau	ell	siomedigaethau	ell	storïau	ell
sgrinluniau	ell	siopau	ell	stranciau	ell
sgriptiau	ell	sisiadau	ell	strapiau	ell
sgriwiau	ell	sisyrnau	ell	strategaethau	ell
sgrwbiadau	ell	siwrneiau	ell	streiciau	ell
sgwadau	ell	siwrhau	be	stripluniau	ell
sgwariau	ell	siwtiau	ell	stroduriau	ell
sgwarynnau	ell	slabiau	ell	strwythurau	ell
sgwrfâu	ell	slaesau	ell	stumogau	ell
sgwriadau	ell	sloganau	ell	sturmantau	ell
sgyrsiau	ell	smotiau	ell	stycau	ell
siadau	ell	socasau	ell	styceidiau	ell
siafftau	ell	socedau	ell	styffylau	ell
sialciau	ell	sodlau	ell	stympiau	ell
siambrau	ell	sodrau	ell	suddiadau	ell
siamplau	ell	soledau	ell	sugneddau	ell
siantau	ell	somau	ell	suliau	ell
siapiau	ell	sonedau	ell	switsfyrddau	ell
siartiau	ell	sosbeneidiau	ell	swmerau	ell
sicrhau	be	sosereidiau	ell	swperau	ell
sidanau	ell	stablau	ell	swyddau	ell
sieciau	ell	stadau	ell	swyddogaethau	ell
siediau	ell	staeniau	ell	sychau	ell
siewau	ell	staeriau	ell	sylwadaethau	ell
sigarennau	ell	stalau	ell	sylwadau	ell
sigaretau	ell	stampiau	ell	sylweddau	ell
sigladau	ell	staplau	ell	sylltau	ell
silindrau	ell	steiliau	ell	syllwydrau	ell
sillafau	ell	stemiau	ell	symbalau	ell
sillafiadau	ell	stensiliau	ell	symbolau	ell
sillebau	ell	stocanau	ell	symbylau	ell
sillgollau	ell	stoc-ddaliadau	ell	symbyliadau	ell
sillwyddorau	ell	stociau	ell	symiau	ell
sinemâu	ell	stocrestrau	ell	symptomau	ell

au

symudiadau	ell	talcennau	ell	tebotau	ell
synagogau	ell	talebau	ell	teboteidiau	ell
synau	ell	taledigaethau	ell	tecáu	be
synfennau	ell	taleithiau	ell	teclynnau	ell
synhwyrau	ell	talentau	ell	technegau	ell
syniadau	ell	talgryniadau	ell	technolegau	ell
synwyrebau	ell	talfyriadau	ell	teflynnau	ell
synwyriadau	ell	talgudynnau	ell	teganau	ell
sypiau	ell	taliadau	ell	tegellau	ell
sypynnau	ell	talmau	ell	tenglau	ell
syrnau	ell	talogau	ell	teiau	ell
syrthiadau	ell	talpiau	ell	teidiau	ell
systemau	ell	talyrnau	ell	teimladau	ell
tabiau	ell	tameidiau	ell	teimlyrau	ell
tablau	ell	tanasiadau	ell	teipiau	ell
tabledau	ell	tanau	ell	teisennau	ell
tabliadau	ell	tanbeiriannau	ell	teitlau	ell
tabyrddau	ell	tanbelennau	ell	teithebau	ell
taclau	ell	tanciau	ell	teithiau	ell
tactegau	ell	tanennau	ell	teithlyfrau	ell
tadau	ell	taniadau	ell	telathrebiadau	ell
tadmaethau	ell	tanlinelliadau	ell	teleffonau	ell
taenfâu	ell	tannau	ell	telerau	ell
tafarnau	ell	tanysgrifiadau	ell	telmau	ell
tafellau	ell	tapiau	ell	telynau	ell
tafl-arfau	ell	tapinau	ell	telynoresau	ell
taflegrau	ell	taplasau	ell	temigau	ell
taflennau	ell	taranau	ell	temlau	ell
tafliadau	ell	tarddiadau	ell	temtasiynau	ell
tafluniadau	ell	tarddiannau	ell	tenau	a
taflwybrau	ell	targedau	ell	tenantiaethau	ell
tafodau	ell	tarianau	ell	tendrau	ell
tagellau	ell	tarthau	ell	tenewynnau	ell
tagiau	ell	taselau	ell	tensiynau	ell
tangiadau	ell	tasgau	ell	tenynnau	ell
talarau	ell	tau	bf, rhag	terfynau	ell
talau	ell	tawlbyrddau	ell	terfynellau	ell
talcenigau	ell	tawnodau	ell	terfyniadau	ell

au

termau	ell	torchau	ell	treciau	ell
testamentau	ell	toreidiau	ell	trefedigaethau	ell
testunau	ell	toriadau	ell	trefgorddau	ell
tethau	ell	torlannau	ell	treflannau	ell
tewhau	be	torrau	ell	trefnau	ell
teyrngedau	ell	torthau	ell	trefniadaethau	ell
ticynnau	ell	tosau	ell	trefniadau	ell
tidau	ell	tosturiaethau	ell	trefniannau	ell
tidmwyau	ell	tra-arglwyddiaethau		trengholiadau	ell
tiliau	ell		ell	treigladau	ell
timau	ell	traciau	ell	treiglau	ell
tinciadau	ell	tractorau	ell	treillongau	ell
tinciau	ell	trachwantau	ell	treillrwydau	ell
tipiadau	ell	traddodiadau	ell	tremiannau	ell
tipiau	ell	traeanau	ell	tremiau	ell
tipynnau	ell	traeniau	ell	tremwydrau	ell
tirfyrddau	ell	traethau	ell	trenau	ell
tirffurfiau	ell	traethellau	ell	treuliau	ell
tiriogaethau	ell	traethiadau	ell	triawdau	ell
tirluniau	ell	traethodau	ell	tribannau	ell
tirweddau	ell	traflyncau	ell	triciau	ell
tithau	rhag	trafodaethau	ell	tridiau	ell
tiwniau	ell	trallodau	ell	trigfannau	ell
tlysau	ell	trallwysiadau	ell	trimiadau	ell
tociadau	ell	tramgwyddau	ell	trindodau	ell
tociau	ell	tramgwyddiadau	ell	triniaethau	ell
tocynnau	ell	trapiau	ell	trionglau	ell
toddeidiau	ell	trasiedïau	ell	tristáu	be
toddiannau	ell	trawiadau	ell	troadau	ell
toeau	ell	trawsblaniadau	ell	trobwyntiau	ell
tolciau	ell	trawsbrennau	ell	trobyllau	ell
tolchau	ell	trawsfudiadau	ell	troeau	ell
tollau	ell	trawsffurfiadau	ell	troedfeinciau	ell
tollfuriau	ell	trawsnewidiadau	ell	tröedigaethau	ell
tonau	ell	trawstoriadau	ell	troedlasau	ell
tonnau	ell	trawslathau	ell	troedlathau	ell
tonsiliau	ell	trawstiau	ell	troednodiadau	ell
topiau	ell	trawsyriadau	ell	troedynnau	ell

troellau	ell	tulathau	ell	tywyniadau	ell
troelliadau	ell	tunellau	ell	tywynnau	ell
trofannau	ell	tuniau	ell	tywysennau	ell
trofâu	ell	turnennau	ell	tywysogaethau	ell
trogylchau	ell	tursiau	ell	tywysogesau	ell
troliau	ell	tuswâu	ell	theatrau	ell
tronsiau	ell	tuthiau	ell	themâu	ell
troseddau	ell	twffiau	ell	theorïau	ell
troseddiadau	ell	twmpathau	ell	therapïau	ell
trosgeisiau	ell	twnelau	ell	thermomedrau	ell
trosglwyddiadau	ell	twymynau	ell	thuserau	ell
trosiadau	ell	tybiaethau	ell	uchafbwyntiau	ell
trosiannau	ell	tybiau	ell	uchafrifau	ell
trosleisiadau	ell	tyddynnau	ell	uchafsymiau	ell
trosluniau	ell	tyeidiau	ell	uchderau	ell
trostanau	ell	tyfiannau	ell	uchelderau	ell
trothwyau	ell	tyngedfennau	ell	uchelwyliau	ell
trowsusau	ell	tynghedau	ell	udiadau	ell
trugareddau	ell	tylciau	ell	ufuddhau	be
trugarhau	be	tyleau	ell	uffernau	ell
trulliau	ell	tylwythau	ell	ugeiniau	ell
trumau	ell	tyllau	ell	unau	ell
trumiau	ell	tymherau	ell	unawdau	ell
trwmpedau	ell	tymhorau	ell	undebau	ell
trwsiadau	ell	tymigiadau	ell	undodau	ell
trwyddedau	ell	tympanau	ell	unedau	ell
trwynau	ell	tynfadau	ell	uniadau	ell
trwythau	ell	tynhau	be	urddasau	ell
tryciau	ell	tynrwydau	ell	urddau	ell
trychiadau	dl	tyrau	ell	urddiadau	ell
trychinebau	ell	tyrfâu	ell	usynnau	ell
tryloywderau	ell	tyrrau	ell	utganiadau	ell
trymhau	be	tystebau	ell	uwchefrydiau	ell
trysorau	ell	tystiolaethau	ell	uwchraddiadau	ell
trystau	ell	tystlythyrau	ell	waledau	ell
tudalennau	ell	tystysgrifau	ell	waliau	ell
tueddau	ell	tywalltiadau	ell	wardiau	ell
tueddiadau	ell	tywodfryniau	ell	wardrobau	ell

au

weithiau	adf
wyau	ell
wybrennau	ell
wynebau	ell
wynebeddau	ell
wynebfathau	ell
wynebiadau	ell
wynebluniau	ell
wythawdau	ell
wythdegau	ell
wythnosau	ell
ychwanegiadau	ell
ydau	ell
ydlannau	ell
ynganiadau	ell
ymagweddau	ell
ymarferiadau	ell
ymarferoldebau	ell
ymarweddau	ell
ymarweddiadau	ell
ymataliadau	ell
ymbellhau	be
ymbiliau	ell
ymchwiliadau	ell
ymchwyddiadau	ell
ymdecáu	be
ymdeimladau	ell
ymdeithiadau	ell
ymdeithiau	ell
ymdriniadau	ell
ymdriniaethau	ell
ymddadlau	be
ymddangosiadau	ell
ymddatodiadau	ell
ymddeoliadau	ell
ymddiheuriadau	ell
ymddiorseddiadau	ell
ymddiriedaethau	ell

au

ymddiriedolaethau	ell
ymddiswyddiadau	ell
ymddygiadau	ell
ymelwadau	ell
ymenyddiau	ell
ymerodraethau	ell
ymerodresau	ell
ymestyniadau	ell
ymfrasáu	be
ymfudiadau	ell
ymgomiau	ell
ymgyngoriadau	ell
ymgymeriadau	ell
ymholiadau	ell
ymladdau	ell
ymlawenhau	be
ymliwiau	ell
ymlyniadau	ell
ymnesáu	be
ymnyddiadau	ell
ymofyniadau	ell
ymolchiadau	ell
ymosodiadau	ell
ymraniadau	ell
ymresymiadau	ell
ymroadau	ell
ymroddiadau	ell
ymrwymiadau	ell
ymryddhau	be
ymrysonau	ell
ymsonau	ell
ymwacáu	be
ymweliadau	ell
ymwrthodiadau	ell
ymylnodau	ell
ymyriadau	ell
yntau	rhag
ysbardunau	ell

au

ysbasau	ell
ysbeidiau	ell
ysbeiliau	ell
ysbienddrychau	ell
ysbonciau	ell
ysbrydoliaethau	ell
ysbyngau	ell
ysgafellau	ell
ysgafnhau	be
ysgariadau	ell
ysgarmesau	ell
ysgarthiadau	ell
ysgelerderau	ell
ysgerbydau	ell
ysgithrau	ell
ysglentiau	ell
ysglyfaethau	ell
ysgogiadau	ell
ysgoloriaethau	ell
ysgraffau	ell
ysgrepanau	ell
ysgribliadau	ell
ysgrifau	ell
ysgrifbinnau	ell
ysgrifellau	ell
ysgrifeniadau	ell
ysgrythurau	ell
ysgubau	ell
ysgubellau	ell
ysgubiadau	ell
ysguboriau	ell
ysgwyddau	ell
ysgytwadau	ell
ysgythrau	ell
ysgythriadau	ell
ystadau	ell
ystadegau	ell
ystanciau	ell

au		aus		aw	
ystarnau	ell	**aus**		glaw	eg
ystenau	ell	boddhaus	a	gwacsaw	a
ysteneidiau	ell	bywiocaus	a	gwaglaw	a
ystidau	ell	dyfalbarhaus	a	gwlithlaw	eg
ystlysau	ell	hunan-foddhaus	a	heblaw	ardd
ystodau	ell	parhaus	a	horslaw	eg
ystofau	ell	sarhaus	a	hylaw	a
ystradau	ell	trahaus	a	hyrddlaw	eg
ystrydebau	ell	trofaus	a	is-alaw	eb
ystrywiau	ell			islaw	ardd
ystumiadau	ell	**aw**		lawlaw	adf
ystumiau	ell	adlaw	a, eg	llaw	eb
ystyriaethau	ell	alaw	eb	manlaw	eg
yswiriannau	ell	anhylaw	a	naw	a
		bancaw	eg	odlaw	eg
audd		baw	eg	piglaw	eg
gwaudd	eb	blaenllaw	a	praw	eg
		braw	a, eg	rhaglaw	eg
aul		brithlaw	eg	rhaw	eb
anaraul	a	canllaw	eg	rhyslaw	eg
araul	a	caw	a, eg	smwclaw	eg
caul	eg	curlaw	eg	stidlaw	eg
cythraul	eg	cwtoglaw	a	taw	cys, eg
di-draul	a	cyfalaw	eb	traw	eg
haul	eg	cyngaw	eg	unllaw	a
hendraul	a	cynharlaw	eg	uwchlaw	ardd
hydraul	a	darllaw	be	ysgaw	ell
traul	eb	daw	bf, eg		
		deheulaw	eb	**awb**	
aun		deunaw	a	pawb	eg
gwaun	eb	di-ben-draw	a		
paun	eg	di-daw	a	**awc**	
		difraw	a	crawc	eb
aur		distaw	a		
aur	a, eg	draw	adf	**awch**	
manaur	eg	dwylaw	ell	awch	eg
melynaur	eg	eirlaw	eg	gwawch	eb
rhuddaur	eg	gerllaw	adf, ardd	tawch	eg

awd		**awd**		**awf**	
awd		triawd	eg	nawf	bf
agorawd	eb	unawd	eb	prawf	bf, eg
anawd	eg	wythawd	eg	rhagbrawf	eg
anffawd	eb				
anianawd	eg	**awdl**		**awg**	
arawd	eb	awdl	eb	cawg	eg
barddwawd	eb	huawdl	a	rhawg	adf
bawd	eg	sawdl	ebg	yrhawg	adf
blawd	eg				
brawd	ebg	**awdr**		**awl**	
bydysawd	eg	dysgawdr	eg	cawl	eg
cablawd	eg	llywiawdr	eg	corawl	a
camfrawd	eb			diawl	eg
cantawd	eb	**awdd**		gwawl	eg
catrawd	eb	amglawdd	eg	hawl	bf, eb
cnawd	eg	anhydawdd	a	mawl	bf, eg
cwmpawd	eg	ansawdd	eg	paratoawl	a
cyfaddawd	eg	bawdd	bf	pawl	eg
cyfystrawd	eg	cawdd	bf	rhagbaratoawl	a
cymrawd	eg	clawdd	eg	sawl	a, rhag
cysawd	eg	cyfansawdd	a, eg	tawl	bf
cytgnawd	eg	gwrthglawdd	eg		
darllenawd	eg	hawdd	a	**awn**	
degawd	eg	hinsawdd	eb	agosawn	bf
deuawd	ebg	hydawdd	a	anghyfiawn	a
diamdlawd	a	llifglawdd	eg	anghyflawn	a
ffawd	eb	morglawdd	eg	amryddawn	a
ffosawd	eg	mwynglawdd	eg	aniawn	a
gwastrawd	eg	nawdd	eg	awn	bf
gwawd	eg	sawdd	bf	bawn	bf
llawd	eg	tawdd	a, bf, eg	beisgawn	eb
llysfrawd	eg			cariadlawn	a
molawd	ebg	**awf**		cawn	bf, ell
pedwarawd	eg	arbrawf	eg	ciniawn	bf
pennawd	eg	blaenbrawf	eg	crawn	bf, eg
rhawd	eb	diheurbrawf	eg	crychrawn	a
tlawd	a	gwrthbrawf	eg	cyfiawn	a, eg
traethawd	eg	hynawf	a	cyflawn	a

awn

cylchgrawn	eg
dawn	eb
diddawn	a
eurgrawn	eg
gadawn	bf
gorlawn	a
grawn	ell
gwawn	eg
gwinrawn	ell
gwnawn	bf
gwrandawn	bf
iawn	a, adf, eg
llawn	a, adf
mawn	eg
mwynhawn	bf
nawn	eg
petawn	cys
prynhawn	eg
rhawn	eg
tawn	bf
trawn	bf
uniawn	a
ymadawn	bf

awns

dawns	eb
siawns	eb

awnt

lawnt	eb

awr

-awr: gellir hefyd
gwrandäwr (i odli â
gŵr), etc.

awr	eb
banllawr	eg

awr

bawr	bf
bloeddfawr	a
bostfawr	a
buddfawr	a
bwytawr	eg
casawr	eg
cawr	eg
clawr	eg
clodfawr	a
cnydfawr	a
costfawr	a
cydawr	a, eb
cyfiawnhawr	eg
cynhwysfawr	a
dawr	bf
deulawr	a
diddawr	a
dirfawr	a
drewsawr	a
drudfawr	a
drycsawr	eg
eneidfawr	eg
enfawr	a
enillfawr	a
esgynlawr	eg
gawr	eb
glanhawr	eg
gogleddwawr	eb
gwawr	eb
gwerthfawr	a
gwrandawr	eg
haelfawr	a
iachawr	eg
ionawr	eg
lawr	adf, eg
llafurfawr	a
llawr	eg

awr

mawr	a
mwynfawr	a
nawr	adf
nennawr	ell
oriawr	eb
pawr	bf, eg
penllawr	eg
persawr	eg
prisfawr	a
pwysfawr	a
rhwysgfawr	a
sawr	eg
seinfawr	a
tesfawr	a
trillawr	a
trystfawr	a
unllawr	a

awrth

mawrth	eg

aws

anghydnaws	a
caws	eg
cydnaws	a, eg
gwrthnaws	a, eg
gwyrdraws	a
haws	a
hynaws	a
lletraws	a
lliaws	eg
naws	eb
saws	eg
traws	a

awst

awst	eg
trawst	eg

ayw

ayw

-ayw: pe cyfrifid yr **w** yn llafariad, gellid odli **-ayw** â **-w**

cyhyrwayw	eg
gwayw	eg

e

anaele	a
anheddle	eg
anwe	eb
arianwe	eb
asgre	eb
bale	eg
beisle	eg
bore	eg
brawdle	eg
bre	a, eb
brithwe	eb
brogle	a
bysle	eg
cadarnle	eg
caeadle	eg
caethgyfle	eg
camre	eg
cartrefle	eg
ceule	eg
cnodwe	eb
coetre	eb
creigle	eg
cuddle	eg
cyfanheddle	eg
cyfle	eg
cyrchle	eg
cysegrle	eg
chwaraele	eg
chware	be, eg
chwe	a

e

de	a, ebg
diffeithle	eg
ebe	bf
efe	rhag
eisteddle	eg
eurwe	eb
fe	rhag
godre	eg
gorffwysle	eg
gorweddle	eg
gre	eb
gwagle	eg
gware	be
gwe	eb
gweithle	eg
gwele	eg
gwernlle	eg
hwde	bf
hwre+hwrê	bf, ebych
ie	adf
llawdde	a
lle	eg
maethle	eg
mangre	eb
marchnadle	eg
meinwe	eb
nythle	eg
onide	adf
pantle	eg
pe	cys
pethe	ell
ple	eg, rhag
rhodle	eg
rhywle	adf
safle	eg
safwe	eg
simdde	eb
tarddle	eg

e

te	eg
tre	eb
trigle	eg
troedle	eg
tyle	eg
unlle	eg
wele	ebych
wtre	eb
ymylwe	eb

eb

absenoldeb	eg
afresymoldeb	eg
afrwyddineb	eg
anghydraddoldeb	eg
anghyfeb	a
anghymaroldeb	eg
anghynwysoldeb	eg
anghysondeb	eg
anghytundeb	eg
anghywirdeb	eg
amhurdeb	eg
amseroldeb	eg
anfarwoldeb	eg
anfoesoldeb	eg
anfoneb	eb
anffyddlondeb	eg
anhwyldeb	eg
annaearoldeb	eg
annherfynoldeb	eg
anniweirdeb	eg
annoethineb	eg
annuwioldeb	eg
annymunoldeb	eg
anwarineb	eg
anwyldeb	eg
archeb	eb
arwyneb	eg

eb

ateb	be, eg
bodlondeb	eg
boddineb	eg
breuoldeb	eg
bryseb	eb
buddioldeb	eg
bydoldeb	eg
caethineb	eg
callineb	eg
casineb	eg
cenedlaetholdeb	eg
claerineb	eg
cofeb	eb
crefyddoldeb	eg
creulondeb	eg
croesineb	eg
crynodeb	eg
cudeb	eg
cwyrdeb	eg
cydateb	be
cydraddoldeb	eg
cydweddoldeb	eg
cydwybodoldeb	eg
cyfarwydd-deb	eg
cyfarwyddeb	eb
cyfarwyddineb	eg
cyfateb	be
cyfathreb	eb
cyfeb	a, eb
cyfreithlondeb	eg
cyfrifoldeb	eg
cyfundeb	eg
cyfwyneb	a
cyllideb	eb
cymedroldeb	eg
cymhareb	eb
cymundeb	eg

eb

cynildeb	eg
cysondeb	eg
cytundeb	eg
cythreuldeb	eg
cyweirdeb	eg
cywirdeb	eg
cywreindeb	eg
daearoldeb	eg
dallineb	eg
defnyddioldeb	eg
deiseb	eb
derbynneb	eb
di-dderbyn-wyneb	a
diawlineb	eg
diddordeb	eg
difrifoldeb	eg
digamsynioldeb	eg
digonoldeb	eg
digytundeb	a
dihareb	eb
disgleirdeb	eg
disgynneb	eb
diweddeb	eb
diweirdeb	eg
diwrtheb	a
doethineb	eg
donioldeb	eg
duwioldeb	eg
dwyfoldeb	eg
dyleb	eb
dymunoldeb	eg
dynoldeb	eg
eb	bf
eglurdeb	eg
eglureb	eb
eileb	eb
esgynneb	eb

eb

ffolineb	eg
ffraetheb	eb
ffraethineb	eg
ffrwythlondeb	eg
ffurfioldeb	eg
ffyddlondeb	eg
gerwindeb	eg
geudeb	eg
glythineb	eg
godineb	eg
gofynneb	eb
goseb	eb
graddeb	eb
gwarineb	eg
gwerseb	eb
gwireb	eb
gwirfoddoldeb	eg
gwiriondeb	eg
gwiwdeb	eg
gwleb	ab
gwreiddioldeb	eg
gwroldeb	eg
gwrthwyneb	a, eg
gwylltineb	eg
gyfarwyneb	ardd
halltineb	eg
heb	ardd
hoywdeb	eg
hunanoldeb	eg
hysbyseb	eb
israddoldeb	eg
llwyrdeb	eg
maddeueb	eb
manyldeb	eg
manyleb	eb
marwoldeb	eg
meidroldeb	eg

eb

moesoldeb	eg
naturioldeb	eg
neb	eg
newydd-deb	eg
plwyfoldeb	eg
preseb	eg
presenoldeb	eg
priodoldeb	eg
proffesiynoldeb	eg
prydlondeb	eg
prysurdeb	eg
purdeb	eg
rhadlondeb	eg
rhagoroldeb	eg
rhwyddineb	eg
rhyngwyneb	eg
salwineb	eg
silleb	eb
sirioldeb	eg
synhwyreb	eb
synwyroldeb	eg
taerineb	eg
taleb	eb
talwyneb	eg
teitheb	eb
terfynoldeb	eg
tiriondeb	eg
tlysineb	eg
torcytundeb	eg
tragwyddoldeb	eg
trychineb	ebg
tysteb	eb
undeb	eg
uniondeb	eg
wyneb	eg
ymarferoldeb	eg
ymateb	be, eg
ystrydeb	eb

ebr

ebr

cyfebr	a, eb
ebr	bf

ec

cec	eg
clec	eb
cnec	eb
crec	eb
ffrec	eb
siec	eb
slec	eg
trec	eg

ecr

cecr	eg
secr	a

ech

-ech: terfyniad berfol
– canech a hefyd
   canasech, etc.

adnapech	bf
aethech	bf
anorthrech	a
brech	ab, eb
buasech	bf
byddech	bf
cawsech	bf
coflech	eb
crech	ab
cromlech	eb
cydymdrech	ebg
chwech	a
daethech	bf
delech	bf
deuech	bf
dilech	a

ech

dylasech	bf
dylech	bf
elech	bf
elsech	bf
gorthrech	eg
gorwech	ab
gwech	ab
gwnaethech	bf
gwnelech	bf
gwnelsech	bf
gwypech	bf
llech	eb
oeddech	bf
petasech	cys
priddlech	eb
sech	ab
sgrech	eb
trech	a, eg
ymdrech	bf, eb

ed

-ed: terfyniad berfol –
   caned, etc.

aberthged	eb
adweithred	eb
adweled	be
adduned	eb
aeddfed	a
afrifed	a
agored	a
ailystyried	be
amgyffred	be, eg
anhawsed	a
anhudded	eg
anuniongred	a
arbed	be
arffed	eb
arofuned	eg

95

ed

ased	eg
baled	eb
basged	eb
biliynfed	a
bisged	eb
blanced	eb
blodeuged	eb
breichled	eb
brwysged	eb
brysgerdded	be, eg
bwced	eg
bwcled	ebg
bwled	eb
bydded	bf
cabined	eg
caethferched	ell
caethiwed	eg
caled	a
cam-gred	eb
camsynied	be
canfed	a
carped	eg
casged	eb
castaned	eg
ced	eb
cerdded	be, eg
ceuled	eg
cilagored	a
ciwed	eb
clared	eg
cled	ab
cleiled	ab
clicied	eb
clywed	be
colled	eb
comed	eb
cored	eb
corned	eg

ed

crabed	a
cred	bf, eb
criced	eg
croengaled	a
cwpled	eg
cwysed	eb
cydfyned	be
cydgerdded	be
cydsynied	be
cydweled	be
cydystyried	be
cyfled	a
cyfred	a, eg
cylchred	ebg
cymuned	eb
cynted	a
chweched	a
chwired	eg
darymred	be, eg
degfed	a
deled	bf
deuddegfed	a
deued	bf
deugeinfed	a
deunawfed	a
di-gred	a
diamgyffred	a
diarbed	a
diniwed	a
disgwylied	be
diymwared	a
doded	bf
dwbled	eb
dyled	eb
dyniawed	eg
dynwared	be
ehed	bf
eled	bf

ed

erglywed	be
felfed	eg
fioled	eb
fflasged	eb
fforffed	eb
ffured	eb
ganed	bf
garged	eb
gasged	ebg
geugred	eb
gofuned	eb
goriwaered	eg
gorludded	eg
gwaered	eg
gwaled	eb
gwared	bf, eg
gwargaled	a
gwarged	eg
gwargred	eg
gwasanaethferched	
	ell
gweitied	be
gweithred	eb
gweled	be
gwimbled	eb
gwneled	bf
gwrferched	ell
gwybed	ell
gwylied	be
hadred	eg
hanerlled	eg
hawsed	a
helmed	eb
hoced	eb
hydred	eg
hygred	a
hyned	a
ieuanged	a

ed		**ed**		**ed**	
ifanged	a	penagored	a	teyrnged	eb
ised	a	pengaled	a	ticed	eg
ledled	adf	piced	eg	trigeinfed	a
llabed	eb	planced	eb	trwmped	eg
llaethferched	ell	planed	eb	trwydded	eb
llawagored	a	poced	eb	tudded	eb
lled	adf, eg	poened	bf	twysged	eb
lledred	eg	priodasferched	ell	tybed	adf
lleied	a	pryfed	ell	tybied	be
lleted	a	pumed	a	tynged	eb
lliwied	be	pwped	eg	tyred	bf
lluched	ell	pymthegfed	a	uched	a
lludded	eg	raced	eg	ugeinfed	a
llyfrbryfed	ell	roced	eb	uned	eb
llysferched	ell	rhagdybied	be	unfed	a
med	bf	rhagweled	be	uniongred	a
melfaréd	eg	rhed	bf	unlled	a
melfed	eg	rheitied	a	waled	eb
merched	ell	rhodded	bf	wynebgaled	a
milfed	a	rhoddged	eb	wythfed	a, eg
miliynfed	a	rhybed	eg	yfed	be
moled	eb	seithfed	a	ymddiried	be, bf, eg
myned	be, bf	siaced	eb	ymgerdded	be
nawfed	a	sied, sièd	eb	ymglywed	be
neisied	eb	siocled	eg	ymwared	be, eg
nesed	a	siwed	eg	ymweled	be
niwed	eg	sled	eb	ystyried	be
nodded	eg	soced	ebg		
oged	eb	soled	a, eg	**edl**	
ôl-ddyled	eb	soned	eb	cenedl	eb
paced	eg	stribed	eg	cydgenedl	eb
paled	eg	syched	eg	chwedl	eb
pamffled	eg	synied	be	ffugchwedl	eb
paned	ebg	syrffed	eg	pencenedl	eg
pared	eg	tabled	eb		
parthed	adf	taped	eb	**edn**	
ped	cys	targed	eg	edn	ebg
				gwedn	ab

edr

edr

anhyfedr	a
baromedr	eg
bysledr	eg
calorimedr	eg
cedr	ell
cledr	eb
clinomedr	eg
cymedr	eg
diamedr	eg
difedr	a
hyfedr	a
lledr	eg
medr	bf, eg
micromedr	eg
paramedr	eg
perimedr	eg

edd

abledd	eg
adanedd	ell
adeiledd	eg
adroddwedd	eb
adwedd	eg
aflafaredd	eg
aflunedd	eg
afradlonedd	eg
agwedd	ebg
anghydbwysedd	eg
anghydffurfedd	eg
anghydnawsedd	eg
anghydwedd	a
anghyfannedd	a
allgaredd	eg
alltudedd	eg
allwedd	eb
amddifadedd	eg
amgylchedd	eg

edd

amherseinedd	eg
amherthnasedd	eg
amheuedd	eg
amhuredd	eg
amledd	eg
amrydedd	eg
amryfusedd	eg
amwysedd	eg
amynedd	eg
anabledd	eg
analluedd	eg
anargaeledd	eg
anfeidredd	eg
anfeidroledd	eg
anferthedd	eg
anhaeledd	eg
anhunedd	eg
anhygyrchedd	eg
anhywedd	a
annedd	ebg
annhangnefedd	eg
annidwylledd	eg
anrhydedd	ebg
anudonedd	eg
anuniongrededd	eg
anwaredd	eg
anwedd	eg
anwiredd	eg
anwyledd	eg
arabedd	eg
arbenigedd	eg
arddunedd	eg
areuledd	eg
argaeledd	eg
arloesedd	eg
arogledd	eg
arucheledd	eg
aruthredd	eg

edd

arwredd	eg
arwynebedd	eg
atgasedd	eg
awgrymedd	eg
awgrymusedd	eg
balchedd	eg
bawdfysedd	ell
bedd	eg
blaengaredd	eg
blodwragedd	ell
bloesgedd	eg
blynedd	ell
bodfysedd	ell
bodlonedd	eg
bolrwymedd	eg
bonedd	a, eg
brenhinedd	ell
brogaredd	eg
brwdfrydedd	eg
buanedd	eg
buchedd	eb
budredd	eg
bwystfiledd	ell
bydwragedd	ell
byrfysedd	ell
byrhoedledd	eg
bysedd	ell
cabledd	eg
caboledd	eg
caethwragedd	ell
cafnedd	eg
calededd	eg
caledwedd	eg
calledd	eg, ell
camedd	eg
camwedd	eg
cariadwragedd	ell
carnedd	eb

cataledd	eg	cyhydedd	ebg	digasedd	eg
cefngrymedd	eg	cylchedd	eg	digonedd	eg
celanedd	eb, ell	cylchwedd	ebg	digyfryngedd	eg
ceufedd	eg	cymantoledd	eg	dinerthedd	eg
cilddannedd	ell	cymesuredd	eg	dinodedd	eg
claeredd	eg	cymonedd	a	diomedd	a
cledd	a, ebg	cymrodedd	eg	disgybledd	eb
clocwedd	a	cymysgedd	eg	distadledd	eg
clodforedd	eg	cynaliadwyedd	eg	disylwedd	a
coegedd	eg	cynddaredd	eb	diwedd	eg
coledd	be	cynddrygedd	eg	diymadferthedd	eg
corffoledd	eg	cynhadledd	eb	drygedd	eg
crachfonedd	eg	cynhwysedd	eg	duedd	eg
crychedd	eg	cyntedd	eg	dullwedd	eb
crymedd	eg	cynwragedd	ell	duwiolfrydedd	eg
crymgledd	eg	cyseinedd	eg	dwyieithedd	eg
cwbledd	eg	cytrasedd	eg	dwysedd	eg
cydbwysedd	eg	cywasgedd	eg	dyblygedd	eg
cydeistedd	be	chwerwedd	eg	dygnedd	eg
cydorwedd	be	chwilfrydedd	eg	dyngasedd	eg
cydwedd	a, ebg	dalwedd	eb	dyrnfedd	eb
cyfannedd	a, eg	dannedd	ell	dywaledd	eg
cyfantoledd	eg	delwedd	eb	eangfrydedd	eg
cyfaredd	eb	dewredd	eg	edafedd	ell
cyfartaledd	eg	dialedd	eg	edmygedd	eg
cyfarwyddwragedd	ell	diamynedd	a	eiddigedd	eg
cyfeirfysedd	ell	dianrhydedd	a, eg	eiddiledd	eg
cyfiawnedd	eg	dicllonedd	eg	eistedd	be, bf
cyflunedd	eg	didreiddedd	eg	elanedd	ell
cyflymedd	eg	didrugaredd	a	epiledd	eg
cyfochredd	eg	diduedd	a	etifedd	eg
cyfrannedd	eg	didwylledd	eg	ewinedd	ell
cyfrinachedd	eg	diddiwedd	a	ewinfedd	eb
cyfrodedd	a	diepiledd	eg	ewythredd	ell
cyfuchlinedd	eg	dietifedd	a	ffaeledd	eg
cyfystyredd	eg	difesuredd	eg	ffalsedd	eg
cyffredinedd	eg	difrodedd	eg	ffluroleuedd	eg
cynghanedd	eb	digaredd	a	ffoledd	eg

edd

ffromedd	eg
ffrwythlonedd	eg
garwedd	eg
geirwedd	eb
geirwiredd	eg
geuedd	eg
glanwedd	a
glasfedd	eg
gloywedd	eg
glwysedd	eg
goddiwedd	bf
gogledd	a, eg
golchwragedd	ell
goledd	eb
golygwedd	eb
gomedd	be, bf
gorchwyledd	eg
gorchyfannedd	ell
gorfoledd	eg
gorffwylledd	eg
gorhoffedd	eg
gormodedd	eg
gorsedd	eb
gorwagedd	eg
gorwedd	be
gosgedd	eb
grymusedd	eg
gwaeledd	eg
gwag-orfoledd	eg
gwagedd	eg
gwaredd	eg
gwasgedd	eg
gwastadedd	eg
gwedd	eb
gwefusedd	ell
gweithgaredd	eg
gwelwedd	eg
gwerthfawredd	eg

edd

gwiredd	eg
gwirionedd	eg
gwledd	eb
gwlybedd	eg
gwragedd	ell
gwroledd	eg
gwrthbwysedd	eg
gwrthglocwedd	a
gwrthnawsedd	eg
gwrthrychedd	eg
gwydnedd	eg
gwyniasedd	eg
gwyredd	eg
gwyrgamedd	eg
haelfrydedd	eg
hafaledd	eg
halogedd	eg
halltedd	eg
hedd	eg
helïedd	eg
heterogenedd	eg
hirfysedd	ell
hirhoedledd	eg
homogenedd	eg
huodledd	eg
hwyredd	eg
hyblygedd	eg
hydarthedd	eg
hydedd	eg
hydeimledd	eg
hydoddedd	eg
hydwylledd	eg
hydwythedd	eg
hyfedredd	eg
hyfesuredd	eg
hyfywedd	eg
hygaredd	eg
hygoeledd	eg

edd

hygrededd	eg
hygyrchedd	eg
hylithredd	eg
hynafedd	eg
hynawsedd	eg
hynodwedd	eb
hynofedd	eg
hywedd	a
iredd	eg
isadeiledd	eg
llafarwedd	eb
llawchwithedd	eg
llawddeheuedd	eg
llechwedd	eb
lled-orwedd	be
lleithedd	eg
llesgedd	eg
lletywragedd	ell
llonnedd	eg
llorwedd	eg
llufadredd	eg
llunwedd	eb
llwyredd	eg
llygredd	eg
llynedd	adf
llysnafedd	eg
llythrennedd	eg
madredd	eg
maledd	eg
maswedd	eg
mawredd	eg
mechdeyrnedd	ell
medd	bf, eg
meddalwedd	eg
mignedd	ell
modfedd	eb
modrybedd	ell
munudedd	eg

edd

mynegfysedd	ell
nadredd	ell
nedd	ell
neiedd	eg
nodwedd	eb
noethedd	eg
oferedd	eg
ofergoeledd	eg
oferwagedd	eg
pedwaredd	ab
pefredd	eg
penchwildredd	eg
penddaredd	eb
penwynnedd	eg
perfedd	eg
perseinedd	eg
perthnasedd	eg
plwynedd	eg
priodoledd	eg
priodwedd	eb
puredd	eg
pwylledd	eg
pwysedd	eg
pydredd	eg
rhianedd	ell
rhifedd	eg
rhinwedd	eb
rhwymedd	eg
rhyddfrydedd	eg
rhyfedd	a
salwedd	eg
sedd	eb
senedd	eb
serthedd	eg
sugnedd	eg
swyngyfaredd	eb
swynwragedd	ell

edd

sylwedd	eg
symledd	eg
tachwedd	eg
tangnefedd	eg
tetanedd	eg
teyrnedd	ell
tirwedd	eb
tonfedd	eb
trachywiredd	eg
trawsedd	eg
trawsffurfedd	eg
trechedd	eg
troedfedd	eb
trosedd	ebg
trugaredd	ebg
trybedd	eb
trydedd	ab
trylwyredd	eg
trymedd	eg
tuedd	ebg
twymedd	eg
tyllfedd	eb
tymheredd	eg
undonedd	eg
unfrydedd	eg
unffurfedd	eg
unigedd	eg
unigoledd	eg
uniongrededd	ebg
unwedd	a
wmbredd	eg
wynebedd	eg
ymarwedd	eg
ymbelydredd	eg
ymgeledd	eg
ymhŵedd	be
ysgithredd	ell

eddf

eddf	
cynneddf	eb
deddf	eb
goleddf	eg
greddf	eb
lleddf	a

ef

adlef	eb
adref	adf
addef	be
anaddef	a
banllef	eb
bonllef	eb
bref	eb
bwrdeistref	eb
cadlef	eb
cantref	eg
cartref	eg
cref	ab
cydlef	a, eb
cyfaddef	be, bf
digartref	a
dioddef	be, eg
dolef	eb
ef	rhag
gartref	adf
gefeilldref	eb
goddef	be, bf
goslef	eb
hendref	eb
hunllef	eb
hydref	eg
llef	eb
maestref	eb
nef	eb
pentref	eg

ef

rhef	a
sef	cys
tangnef	eg
tref	eb

efl

difefl	a
gwefl	eb
mefl	eg

efn

anhrefn	ebg
cefngefn	adf
cefn	eg
cyfundrefn	eb
didrefn	a
dodrefn	ell
drachefn	adf
gweithdrefn	eb
gwrthgefn	eg
hydrefn	a
llefn	ab
meingefn	eg
trachefn	adf
trawstrefn	eb
trefn	eb

efr

gwefr	eb
pefr	a
rhefr	eg

efft

crefft	eb

eg

adareg	eb
adeg	eb

eg

adroddreg	eb
addfwyndeg	a
agronomeg	eb
alcemeg	eb
almaeneg	eb
anatomeg	eb
anhyfreg	a
anianeg	eb
annheg	a
anrheg	eb
arabeg	eb
archaeoleg	eb
areitheg	eb
astroleg	eb
ateg	eb
atodeg	eb
atomeg	eb
bacterioleg	eb
bioleg	eb
bloneg	eg
botaneg	eb
brawddeg	eb
breg	a, eg
bronneg	eb
brythoneg	eb
bugeileg	eb
byseg	eb
bywydeg	eb
caligraffeg	eb
calorimetreg	eb
cantreg	eb
carreg	eb
caseg	eb
catalaneg	eb
ceg	eb
ceindeg	a
celteg	eb
cemeg	eb

eg

cernyweg	eb
coleg	eg
creg	ab
cryptograffeg	eb
cydredeg	be
cyfredeg	be
cyfrifeg	eb
cyfrifiadureg	eb
cylchredeg	be
cymdeithaseg	eb
daeareg	eb
dangoseg	eb
dameg	eb
deddfeg	eb
deg	a
deuddeg	a
diatreg	a
dieteteg	eb
dwyfronneg	eb
dwyieitheg	eb
dyfedeg	eb
ecoleg	eb
economeg	eb
ehedeg	be
eidaleg	eb
eiffteg	eb
eifftoleg	eb
electroneg	eb
eneideg	eb
esgatoleg	eb
estheteg	eb
ffeg	eg
fferylleg	eb
ffiloreg	eb
ffinneg	eb
ffiseg	eb
ffrangeg	eb
gaeleg	eb

eg

garlleg	ell
geneteg	eb
geometreg	eb
geriatreg	eb
glandeg	a
gosteg	eb
graddeg	eb
graffeg	eb
gramadeg	eg
gwaneg	eb
gwartheg	ell
gwatwareg	eb
gweithreg	eb
gwenhwyseg	eb
gwniadreg	eb
gwybodeg	eb
gwyddeleg	eb
gwyndodeg	eb
gymnasteg	eb
hedeg	be
hidrostateg	eb
holwyddoreg	eb
hwngareg	eb
hyfreg	a
ideoleg	eb
ieitheg	eb
llafareg	eb
lliwdeg	a
llwyteg	a
llydaweg	eb
llysieueg	eb
magneteg	eb
manaweg	eb
maneg	eb
mathemateg	eb
meddyleg	eb
methodoleg	eb
mincieg	eg

eg

moeseg	eb
mytholeg	eb
norwyeg	eb
padelleg	eb
patholeg	eb
peg	eg
peirianneg	eb
perseg	eb
powyseg	eb
pwyleg	eb
pymtheg	a
radiograffeg	eb
rwseg	eb
rhedeg	be
rheg	eb
rhesymeg	eb
rhethreg	eb
rhifyddeg	eb
saesneg	a, ebg
sbaeneg	eb
seiciatreg	eb
seicoleg	eb
seineg	eb
semanteg	eb
siapanaeg	eb
swedeg	eb
sŵoleg	eb
tacteg	eb
techneg	eb
technoleg	eb
teg	a
teipograffeg	eb
telyneg	eb
trefneg	eb
trigonomeg	eb
tyrpeg	eg
uwchdechnoleg	eb
ychwaneg	eg

egl

egl

caregl	eg
ffunegl	eb
hegl	eb

egr

cyflegr	eg
cysegr	eg
chwegr	eb
digysegr	eg
egr	a
finegr	eg
taflegr	eg

eng

deng	a
deuddeng	a
dreng	a
gwrêng	eg
lleng	eb
rheng	eb

engl

brongengl	eb
cengl	eb
sengl	a
tengl	eb

ei

agosei	bf
cadw-mi-gei	eg
cei	bf, eg
ei	bf, rhag
ffei	ebych
gwnei	bf
slei	a
tei	ebg

eibl			eifr			eill		
eibl			**eifr**			**eill**		
beibl	eg		geifr	ell		bwyeill	ell	
						geill	bf	
eibr			**eig**			gweill	ell	
ceibr	eg		anghymreig	a		lleill	rhag	
ffeibr	eg		bwyteig	a				
			cymreig	a		**eillt**		
eic			eingl-gymreig	a		eillt	ell	
beic	eg		gwrth-gymreig	a				
heic	eg					**eim**		
streic	eb		**eigl**			teim	eg	
			treigl	eg				
eich						**ein**		
eich	rhag		**eigr**			all-lein	a	
			deigr	eg		arlein	a	
eid			eigr	eb		di-sglein	a	
agoseid	bf		teigr	eg		ein	rhag	
ceid	bf					ffein	a	
eid	bf		**eingl**			lein	eb	
gwneid	bf		eingl	ell		mewnlein	a	
mwynheid	bf					sglein	eg	
			eil					
eidr			chweil	eg		**eind**		
lleidr	eg		deil	bf		bleind	eg	
carn-leidr	eg		eileb			di-feind	a	
dyn-leidr	eg		eteil	bf		ffeind	a	
mân-leidr	eg		ffeil	eb				
meidr	eb		steil	eb		**eint**		
môr-leidr	eg		teil	ell		peint	eg	
neidr	eb							
seidr	eg		**eilch**			**eip**		
			beilch	all		teip	eg	
eifl			cadweilch	ell				
teifl	bf		eilch	ell		**eir**		
ymeifl	bf		gweilch	ell		agoseir	bf	
			mwyeilch	ell		ceir	bf, ell	
eifn			**eils**			clugieir	ell	
ysgeifn	all		teils	ell		coedieir	ell	

eir

corsieir	ell
cotieir	ell
crecieir	ell
cweir	eb
cwtieir	ell
deir	a
dowcieir	ell
dyfrieir	ell
eir	bf
grugieir	ell
gwneir	bf
ieir	ell
mwynheir	bf
mynieir	ell

eirch

afonfeirch	ell
cadfeirch	ell
cawrfeirch	ell
ceirch	ell
cleirch	eg
dyfrfeirch	ell
eirch	bf, ell
eleirch	ell
helfeirch	ell
llymeirch	eg, ell
meirch	ell
peirch	bf
picweirch	ell
pwnfeirch	ell
rhedegfeirch	ell
tyweirch	ell

eirdd

beirdd	ell
cadeirfeirdd	ell
crachfeirdd	ell
cynfeirdd	ell

eirdd

eginfeirdd	ell
gogynfeirdd	ell
heirdd	all
pastynfeirdd	ell
prentisfeirdd	ell
prifeirdd	ell

eirff

seirff	ell

eirll

ieirll	ell
isieirll	ell

eirt

ceirt	ell
olgeirt	ell

eirth

eirth	ell

eisg

gweisg	ell

eist

bleiddeist	ell
geist	ell
llechieist	ell

eistr

gwefeistr	eg
meistr	eg
ysgolfeistr	eg

eit

beit	eg
cilobeit	eg
megabeit	eg
sbeit	eb

eitl

eitl

is-deitl	eg
teitl	eg

eithr

dieithr	a
eithr	ardd, cys
oddieithr	ardd

el

angel	eg
annel	eb
anniogel	a
anochel	a
anwel	a
apêl	ebg
archangel	eg
arddel	be
arel	eg
argel	a, ebg
armel	eg
aruchel	a
awel	eb
bogel	ebg
buddel	ebg
bwndel	eg
bwrnel	ebg
caffel	be
camel	eg
cantel	eg
capel	eg
carddychwel	a
cawdel	eg
cêl + cel	a, eg
cornel	ebg
costrel	eb
cwarel	eg
cwrel	eg

el

cwyrel	eg
chwarel	ebg
damsel	be
del + dêl	a, bf
deufel	eg
diarddel	be
diogel	a
dirgel	a, eg
diwel	be
drel	eg
dresel	eb
dryllfetel	eg
dwsel	eg
dwsmel	eg
dychwel	be, bf, eg
dymchwel	be
echel	eb
êl	bf
fel	ardd, cys
ffarwél	ebg
ffel	a
ffroenuchel	a
gadel	be
gafel	be
gefel	eb
gochel	be
goruchel	a
gorwel	eg
grafel	eg
gwêl	bf
gwnêl	bf
gwrthryfel	eg
hel	be
hostel	eb
is-banel	eg
isel	a
label	ebg
lefel	eb

el

magnel	eb
medel	eb
mêl	eg
metel	eg
model	eg
nofel	eb
oerfel	eg
oriel	eb
panel	eg
parsel	eg
pêl	eb
penisel	a
penuchel	a
picsel	eg
poethfel	eg
porfel	eb
potel	eb
pwmel	eg
rwbel	eg
rhesel	eb
rhyfel	ebg
rhywel	eg
sbel	eb
sêl	eb
sianel	eb
tasel	eg
tawel	a
trywel	eg
tugel	eg
twnnel	eg
tywel	eg
uchel	a
wel	ebych
ymadel	be
ymbarél	eg
ymhél	be
ymochel	be
ymogel	be

el

ymwêl	bf
ysbwriel	eg

elc

celc	eg
di-gelc	a
stelc	eg

eld

anghydweld	be
cyd-weld	be
cyf-weld	be
gweld	be
rhag-weld	be
seld	eb
ymweld	be

elf

celf	eb

elff

celff	eg
delff	eg

elm

helm	eb
telm	eb

elp

help	eg

elt

celt	eg
ffelt	eg

ell

anghysbell	a
allweddell	eb

ell		**ell**		**ell**	
ambell	a	chwiwell	eg	oergell	eb
amlinell	eb	chwyrnell	eg	pabell	eb
argymell	be	chwythell	eb	padell	eb
asgell	eb	daeargell	eb	pell	a
astell	eb	diadell	eb	pibell	eb
bachell	eb	dichell	eb	picell	eb
beddgell	eb	diddichell	a	plygell	eb
blaenasgell	eb	digymell	a	porchell	eg
bwydgell	eb	dirgymell	be	pothell	eb
bwyell	eb	ffasgell	eb	priddell	eb
cadfwyell	eg	fflangell	eb	rhaglengell	eb
cafell	eb	ffroenell	eb	rhathell	eb
caffell	eb	ffynhonnell	eb	rhewgell	eb
cangell	eb	gefell	eg	rhonell	eb
cantell	eb	gradell	eb	rhuddell	eb
castell	eg	gronell	eb	sachell	eb
cawell	eg	gwäell	eb	sgrafell	eb
cell	eb	gweinell	eb	sidell	eb
cilfachell	eb	gwell	a	tafell	eb
claddgell	eb	gwiwell	eb	tagell	eb
clustgell	eb	gwringell	eb	tarddell	eb
cnipell	eb	gwyntell	eb	tegell	eg
cnocell	eb	haenell	eg	terfynell	eb
conell	eb	hell	ab	traethell	eb
crafell	eb	hicell	eb	tröell	eb
cribell	eb	hirbell	a	tunnell	eb
cromell	ell	hunell	eb	wygell	eb
cromgell	eb	isgell	eg	ymhell	adf
cronnell	eb	iyrchell	eb	ysgafell	eb
crothell	eb	llinell	eb	ysgrifell	eb
crymlinell	eb	llogell	eb	ysgubell	eb
cyflinell	eb	llyfrgell	eb	ystafell	eb
cyfrifiannell	eb	macrell	ebg		
cyllell	eb	mantell	eb	**ellt**	
cymell	be, bf	melynell	a	cawsellt	eg
cyrhaeddbell	a	musgrell	a	crawcwellt	eg
cytbell	a	myfyrgell	eb	crinwellt	eg
chwistrell	eb	nepell	adf	crydwellt	eg

107

ellt

dellt	ell
glaswellt	eg
gwellt	eg
gwenithwellt	eg
irwellt	eg
marchwellt	eg
mellt	ell
peithwellt	eg
rhoswellt	eg

em

-em: terfyniad berfol
  – canem a hefyd
  canasem, etc.

adnapem	bf
aethem	bf
aflem	a
anthem	eb
berem	eg
brem	eg
buasem	bf
byddem	bf
cawsem	bf
cipdrem	eb
clem	eb
cregynnem	ebg
daethem	bf
delem	bf
deuem	bf
di-glem	a
dylasem	bf
dylem	bf
eitem	eb
elem	bf
elsem	bf
eurem	eb
fflem	ebg
gem + gêm	ebg

em

gwnaethem	bf
gwnelem	bf
gwnelsem	bf
gwypem	bf
hem	ebg
hylltrem	eb
llem	ab
lletem	eb
oeddem	bf
petasem	cys
problem	eb
rhuddem	eb
seldrem	eb
stem	eb
system	eb
trem	eb
ucheldrem	a

eml

seml	ab
teml	eb

emp

fflemp	a
gwemp	ab
rhemp	eb
stremp	eb

en

absen	ebg
absolfen	eb
acen	eb
adacen	eb
aden	eb
adfresychen	eb
adwen	bf
addien	a
aethnen	eb

en

afallen	eb
afanen	eb
aflawen	a
afrlladen	eb
agen	eb
angen	eg
anghymen	a
ailddarllen	be
amgen	a, cys
amlben	a
amlen	eb
amserlen	eb
anniben	a
anorffen	a
aren	eb
arien	eg
arysgrifen	eb
asen	eb
asgen	eb
atodlen	eb
awen	eb
awyren	eb
bachgen	eg
banhadlen	eb
bargen	eb
barlysen	eb
batingen	ebg
batinen	ebg
bechanigen	eb
bedwen	eb
ben	eb
berdysen	eb
beryren	eb
betysen	eb
bisgeden	eb
bisgïen	eb
blaenhwylbren	eg
blaenlythyren	eb

en		en		en	
blewcen	eb	canhwyllbren	eg	ceseiren	eb
blodfresychen	eb	cansen	eb	cetrisen	eb
blonegen	eb	capten	eg	cethren	eb
bocyswydden	eb	carden	eb	ceubren	eg
bollten	eb	cardodwen	eb	ceuleden	eb
botasen	eb	cardydwen	eb	cilbren	eg
bowlen	eb	caregen	eb	cilwen	eb
breinlen	eb	caren	ebg	claerwen	ab
brenigen	eb	carnben	eg	clatsien	eb
bresychen	eb	carthbren	eb	clebardden	eb
bresychwydden	eb	carthen	eb	clebren	eb
briallen	eb	carwden	eb	clecen	eb
bricsen	eb	casgen	eb	cledren	eb
bricyllen	eb	casnoden	eb	clefren	eb
brithlen	eb	castanwydden	eb	cleien	eb
brocen	eb	cawlen	eb	clên	a
bronten	eb	cawnen	eb	cleren	eb
bronwen	a, eb	cecren	eb	clipen	eb
brwynen	eb	cecysen	eb	clipsen	eb
budrchwilen	eb	cedrwydden	eb	cloben	eb
bwtsiasen	eb	cedysen	eb	clocsen	eb
bwydlen	eb	cefnbeithynen	eb	clöen	eb
bynsen	eb	cefnen	eb	clompen	eb
byslen	eg	cefnlen	eb	cloncen	eb
bywionen	eb	cefnwden	eb	cloren	eb
cablen	eb	cegen	eb	cloronen	eb
cacen	eb	cegiden	eb	clotsen	a
cacynen	eb	ceibren	eg	clusten	eb
caenen	eb	ceilsen	eb	clwyden	eb
caglen	eb	ceirchen	eb	cneuen	eb
cangen	eb	ceiriosen	eb	cocosen	eb
calchen	eb	ceislen	eb	cocsen	eb
caleden	eb	celynnen	eb	coden	eb
calen	eb	cen	eg	coeden	eb
callodren	eb	cenfigen	eb	coegen	eb
camacen	eb	cenhinen	eb	coelbren	eg
cambren	eg	cerddinen	eb	coeten	eb
camen	eb	cernen	eb	colfen	eb

colomen	eb	cwlbren	eg	deilen	eb
collen	eb	cwningen	eb	delbren	eg
collwydden	eb	cwymplen	eb	dellten	eb
conen	eb	cwyren	eb	derwen	eb
corden	eb	cyfoden	eb	derwreinen	eb
corfedwen	eb	cyfriflen	eb	deupen	eg
cornchwiglen	eb	cyffoden	eb	dewislen	eb
corsen	eb	cylchen	eb	diacen	a
corswigen	eb	cylionen	eb	diangen	a
crabysen	eb	cyloren	eb	diamgen	a
crachen	eb	cymen	a	diawen	a
cragen	eb	cynben	a	diben	eg
cramen	eb	cynffonwen	eb	diden	eb
cramwythen	eb	cynhinnen	eb	digenfigen	a
crawen	eb	cynnen	eb	dihalen	a
crechwen	be, eb	cypreswydden	eb	dihiren	eb
crehyren	eb	cyrnen	eb	diodwydden	eb
creighalen	eg	cystrawen	eb	diorffen	a
creiglusen	eb	cysylltben	a	dirwen	eg
creisionen	eb	cywarchen	eb	dirwynen	eb
creithen	eb	cywen	eb	disgen	eb
crempogen	eb	cywennen	eb	dogfen	eb
cresten	eb	chwalpen	eb	dolen	eb
criafolen	eb	chwannen	eb	dolmen	eb
crimpen	eb	chwarren	eb	draenen	eb
crocbren	ebg	chwen	eb	dringwydden	eb
croesbren	ebg	chwilen	eb	drudwen	eb
crofen	eb	chwistlen	eb	drysïen	eb
crofften	eb	chwydalen	eb	dwyen	ell
croglen	eb	chwysigen	eb	dysen	eb
crombeithynen	eb	daearen	eb	efydden	eb
cromen	eb	daearlen	eb	egroesen	eb
cromnen	eb	dafaden	eb	eirinen	eb
croten	eb	dalen	eb	eithinen	eb
crwydren	eb	damsgen	be	elfen	eb
cryglusen	eb	danhadlen	eb	elusen	eb
cuddlen	eb	danhogen	eb	elwlen	eb
curnen	eb	darllen	be	erfinen	eb

en

esgynbren	eg
estyllen	eb
ffaden	eb
ffäen	eb
ffaglen	eb
ffagoden	eb
ffawydden	eb
ffenomen	eb
ffeuen	eb
ffigysbren	eg
ffigysen	eb
ffigyswydden	eb
fflachen	eb
fflamwydden	eb
ffogen	eb
ffolcen	eb
ffolen	eb
ffroesen	eb
ffrwmpen	eb
ffuglen	eb
ffunen	eb
ffurfafen	eb
ffurflen	eb
ffyllwydden	eb
ffynidwydden	eb
garllegen	eb
gefelen	eb
gelen	eb
gellesgen	eb
gellygen	eb
gellygwydden	eb
gên	eb
glawlen	eb
gleuhaden	eb
goben	eg
golwythen	eb
gorawen	a, eb
gorffen	be, bf

en

gorwen	eb
graeanen	eb
gruglusen	eb
gwaedogen	eb
gwagen	eb
gwahanlen	eb
gwalcen	eb
gwarlen	eb
gwden	eb
gweisgen	eb
gweithlen	eb
gwellen	eb
gwellten	eb
gwen + gwên	ab, eb
gwenithen	eb
gwenynen	eb
gweren	eb
gwernen	eb
gwialen	eb
gwifren	eb
gwiniolen	eb
gwiniolwydden	eb
gwinwydden	eb
gwlanen	eb
gwlithen	eb
gwrachen	eb
gwragen	ebg
gwreichionen	eb
gwreigen	eb
gwreinen	eb
gwrysgen	eb
gwsberen	eb
gwsbersen	eb
gwyngollen	eb
gwynwydden	eb
gwysigen	eb
gwythïen	eb
haden	eb

en

haenen	eb
hafren	eb
halen	eg
hamdden	eb
heidden	eb
heiffen	eb
helygen	eb
hen	a
hesben	eb
hesgen	eb
heul-len	eb
heulwen	eb
hidlen	eb
hidrogen	eg
hirben	a
hoeden	eb
hoelbren	eg
hoelen	eb
hogalen	eb
hogen	eb
hollten	eb
huchen	eb
hufen	eg
hwren	eb
hwyaden	eb
hwylbren	eg
hychen	eb
hysbyslen	eb
iäen	eb
islythyren	eb
lapen	eb
lefren	eb
letysen	eb
locsen	eb
losinen	eb
llabeden	eb
llaethygen	eb
llaethysgallen	eb

en		**en**		**en**	
llaethwydden	eb	manwydden	eb	ocsigen	eg
llarwydden	eb	marblen	eb	offeren	eb
llathen	eb	masarnen	eb	ogfaenen	eb
llawen	a	masarnwydden	eb	olewydden	eb
llawryfen	eb	matsien	eb	onnen	eb
llawysgrifen	eb	mawnen	eb	oren	eg
llechen	eb	meddwen	eb	pabwyren	eb
lleden	eb	mefusen	eb	palmwydden	eb
llen + llên	eb	meillionen	eb	panasen	eb
llethen	eb	meipen	eb	parwyden	eb
lleuen	eb	melen	ab	pawen	eb
lloeren	eb	mellten	eb	pefren	eb
llorlen	eb	men	eb	peipen	eb
llosgen	eb	merlen	eb	peithynen	eb
llucheden	eb	merwydden	eb	pelen	eb
llugaeronen	eb	merywen	eb	pelten	eb
llusen	eb	mesen	eb	pellen	eb
llwyfanen	eb	miaren	eb	pen	a, eg
llwyfen	eb	mignen	eb	penben	adf
llyfrithen	eb	misglen	eb	pendraphen	a
llyfrothen	eb	moelcen	eb	penfelen	ab
llygoden	eb	mopren	eg	penwen	ab
llyngyren	eb	morlen	eb	perchen	eg
llymrïen	eb	moronen	eb	peren	ebg
llysywen	eb	murlen	eb	perthen	eb
llythyren	eb	mursen	a, eb	piben	eb
llywionen	eb	mwyalchen	eb	pibgneuen	eb
madarchen	eb	mwyaren	eb	picen	eb
maeden	eb	mynnen	eb	picwnen	eb
mafonen	eb	myrtwydden	eb	pigfelen	eb
mafonwydden	eb	mywionen	eb	pigoden	eb
magïen	eb	nedden	eb	pilen	eb
maharen	eg	nen	eb	pilsen	eb
malen	eb	nenbren	eg	pinwydden	eb
malwen	eb	nitrogen	eg	pioden	eb
malwoden	eb	nithlen	eb	pledren	eb
mân-wythïen	eb	niwlen	eb	pleten	eb
mantolen	eb	nudden	eb	plethen	eb

en		en		en	
plisgen	eb	sboncen	eb	tarwden	eb
pluen	eb	selsigen	eb	taten	eb
plymen	eb	sen	eb	teilsen	eb
pompren	eb	seren	eb	teisen	eb
poncen	eb	sgïen	eb	ten	ab
poplysen	eb	sgimren	eg	teyrnwialen	eb
poplyswydden	eb	sglefren	eb	tin-dros-ben	adf
poten	eb	sgragen	eb	tinben	a
powlen	eb	siambrlen	eg	tinbren	eg
powlten	eb	sibolen	eb	tolchen	eb
pren	eg	sibolsen	eb	tomen	eb
proflen	eb	siglen	eb	tonnen	eb
pupren	eb	sleisen	eb	torogen	eb
pupysen	eb	sofren	eb	torthen	eb
pwlffen	eb	sopen	eb	traphen	adf
pwnsien	eb	stegen	eb	trawsbren	eg
pwten	eb	stoncen	eb	trefnlen	eb
pyrwydden	eb	strapen	eb	trên	eg
pysen	eb	strocen	eb	troellen	eb
pytaten	eb	stwcen	eb	trogen	eb
rwden	eb	swaden	eb	trotsien	eb
rhaglen	eb	swnen	eb	trwlen	eb
rhampen	eb	sycamorwydden	eb	tryndlen	eb
rhedynen	eb	syfïen	eb	tudalen	ebg
rheilen	eb	symlen	eb	turnen	eb
rhesen	eb	symlogen	eb	twmpen	eb
rhocen	eb	synfen	eg	twmplen	eb
rhoden	eb	tablen	eb	twrcen	eb
rholbren	eg	taenlen	eb	twynen	eb
rhuchen	eb	taflen	eb	tynghedfen	eb
rhuglen	eb	tagen	eb	tywarchen	eb
rhumen	eb	tagwydden	eb	tywysen	eb
rhwyden	eb	talcen	eg	uchgapten	eg
rhwyllen	eb	tanbelen	eb	unben	eg
rhygnen	eb	tanen	eb	uwchben	ardd
sachlen	eb	tarddwreinen	eb	warden	eg
sagrafen	eb	tarren	eb	weiren	eb
sbilsen	eb	tarten	eb	wicsen	eb

en

winwnsen	eb
wybren	eb
wystrysen	eb
ychen	ell
yden	eb
ymhen	ardd
ymotbren	eg
ysgallen	eb
ysgawen	eb
ysgrifen	eb
ysgyren	eb
ysnoden	eb
ystaden	eb
ystên	eb
ystlen	eb
yswigen	eb
ywen	eb

enc

clenc	eb
cwenc	eb
henc	eg
rhenc	eb

endr

calendr	eg

ens

ffens	eb

ent

adfent	eg
adnapent	bf
aethent	bf
buasent	bf
byddent	bf
cawsent	bf
daethent	bf

ent

delent	bf
deuent	bf
didalent	a
dylasent	bf
dylent	bf
elent	bf
elsent	bf
gwnaethent	bf
gwnelent	bf
gwnelsent	bf
gwypent	bf
moment	eb
mynwent	eb
petasent	cys
rhent	eg
sment	eg
talent	eb
testament	eg
ysglent	eb

entr

mentr	eb

ep

clep	eb
gwep	eb
prep	eg

er

-er: terfyniad berfol –
    caner, etc.

aber	ebg
acer	eb
adfer	be, bf
adnaper	bf
addfwynder	eg
aflêr	a
ager	eg

er

anghyfiawnder	eg
anghyfleuster	eg
anghysonder	eg
amheuster	eg
amhwyllter	eg
amlder	eg
amner	eg
amnifer	a, eg
amser	eg
anesmwythder	eg
anhawster	eg
anhwylder	eg
anhydynder	eg
anner	eb
annhymer	eb
annifer	a
ansyber	a
anwedduster	eg
areulder	eg
arfer	be, bf, ebg
atmosffêr	eg
balchder	eg
baner	eb
barcer	eg
baster	eg
beger	eg
ber + bêr	ab, ebg
blaenllymder	eg
blêr	a
blinder	eg
border	eg
braster	eg
breuder	eg
breuolder	eg
brithder	eg
brocer	eg
buander	eg
bwngler	eg

er		er		er	
bwtler	eg	cuder	eg	dideler	a
bychander	eg	culder	eg	diddymder	eg
byrder	eg	cwnsler	eg	difater	a
caethder	eg	cwsmer	eg	difer	eg
caffer	bf	cwter	eb	diflaster	eg
callter	eg	cydwybodolder	eg	difrawder	eg
camarfer	be, ebg	cyfaddaster	eg	diffrwythder	eg
camder	eg	cyfamser	eg	dihyder	a
camhyder	eg	cyfander	eg	dillynder	eg
canser	eg	cyfarwydd-der	eg	dirlawnder	eg
cefnder	eg	cyfer	eg	disgleirder	eg
ceinder	eg	cyfiawnder	eg	doler	eb
cêr	eb	cyflawnder	eg	dreser	eb
cerddber	a	cyfleuster	eg	driffter	eg
ciper	eg	cyflymder	eg	dwbler	eb
claerder	eg	cyfnifer	eg	dwyster	eg
cleber	eg	cyfnither	eb	dyfnder	eg
clêr	eb, ell	cyfrwyster	eg	dynolder	eg
cobler	eg	cyfyngder	eg	dywalder	eg
cochder	eg	cyfyrder	eg	echryslonder	eg
coethder	eg	cymedrolder	eg	eglurder	eg
coler	ebg	cymer	bf, eg	ehangder	eg
cownter	eg	cymhwyster	eg	ehofnder	eg
cowper	eg	cynefinder	eg	eler	bf
craffter	eg	cynifer	a	er	ardd
craster	eg	cytser	eg	erchyllter	eg
crefyddolder	eg	chwarter	eg	esmwythder	eg
creider	eg	chwerwder	eg	ficer	eg
creulonder	eg	chwiler	eg	ffalster	eg
crinder	eg	chwimder	eg	ffanffer	eb
croywber	a	dadmer	be, eg	ffarier	eg
croywder	eg	dallter	eg	ffelder	eg
crwner	eg	deler	bf	ffender	eb
cryfder	eg	deuer	bf	ffêr	eb
crymder	eg	dewrder	eg	ffolder	eg
crynder	eg	dibryder	a	ffraethder	eg
crynoder	eg	dicter	eg	ffromder	eg
cucumer	eg	dichlynder	eg	ffyddlonder	eg

er		er		er	
garwder	eg	her	eb	mireinder	eg
ger + gêr	ardd, ell	hirder	eg	morter	eg
gerwinder	eg	hoender	eg	mwynder	eg
glewder	eg	hoffter	eg	mynychder	eg
gloywder	eg	hoywder	eg	newydd-der	eg
gofer	eg	hwter	eb	nifer	ebg
gogyfer	a, ardd	hwyrder	eg	noethder	eg
goramser	eg	hyder	eg	ofer	a
gorhoffter	eg	hyfder	eg	offer	ell
gorlawnder	eg	iawnder	eg	pader	eg
gorthrymder	eg	irder	eg	partner	eg
goruchelder	eg	iselder	eg	pellter	eg
gorwychder	eg	lwfer	eg	penysgafnder	eg
gosber	eg	llaester	eg	pêr	a, ell
groser	eg	llaw-fer	eb	petruster	eg
grymuster	eg	llawdryfer	eb	pilaster	eg
gwacter	eg	llawer	a, adf, eg	piler	eg
gwaelder	eg	llawnder	eg	piner	eb
gwaster	eg	lleithder	eg	piser	eg
gwedder	eg	lletffer	a	piwter	eg
gwedduster	eg	lleufer	eg	plaender	eg
gwelwder	eg	llonder	eg	pleser	eg
gwener	eg	llyfnder	eg	pocer	eg
gwenwynder	eg	llyfrder	eg	poethder	eg
gwêr + gŵer	eg	llymder	eg	poster	eg
gwiber	eb	manylder	eg	prafften	eg
gwiwer	eb	mallter	eg	prinder	eg
gwlypter	eg	marwder	eg	priodolder	eg
gwneler	bf	mater	eg	procer	eg
gwychder	eg	mawrder	eg	prudd-der	eg
gwylder	eg	meinder	eg	pryder	eg
gwynder	eg	meithder	eg	pŵer	eg
gwyper	bf	melynder	eg	raser	eb
haelder	eg	melyster	eg	rwber	eg
hanner	eg	menter	eb	sbaner	eg
hawster	eg	mêr	eg	seler	eb
heffer	eb	mercher	eg	sêr	ell
helaethder	eg	merfder	eg	sgwier	eg

er

siwmper	eb
soser	eb
swilder	eg
swmer	eg
swper	ebg
syber	a
sychder	eg
tabler	eb
tancer	eg
teneuder	eg
têr	a
tewder	eg
tincer	eg
tirionder	eg
trahauster	eg
trawster	eg
trowser	eg
tryfer	eb
tryloywder	eg
trymder	eg
twymder	eg
tymer	eb
tynder	eg
tyner	a
thuser	eb
uchder	eg
uchelder	eg
unionder	eg
ymarfer	be, eb
ysblander	eg
ysgafnder	eg
ysgeler	a
ysgelerder	eg
ystwythder	eg

erc

clerc	eg
herc	eb

erch

erch	
annerch	be, eg
caethferch	eb
cariadferch	eb
cuddserch	eg
diserch	a
erch	a
gordderch	eg
gwasanaethferch	eb
gwrferch	eb
llaethferch	eb
llannerch	eb
llysferch	eb
merch	eb
priodasferch	eb
serch	cys, eg
traserch	eg
ymannerch	be, eg

erdd

angerdd	eg
blodeugerdd	eb
bugeilgerdd	eb
cerdd	a, bf, eb
cyngerdd	ebg
dychangerdd	eb
galargerdd	eb
gwatwargerdd	eb
gwerdd	ab
hengerdd	eb
hwiangerdd	eb
pencerdd	eg
rhieingerdd	eb

erf

adferf	eb
berf	eb
fferf	ab

erf

merf	a
nerf	eg

erl

perl	eg

erm

fferm	eb
term	eg

ern

bochgern	eb
cern	eb
cethern	eb
gwern	eb, ell
lantern	eb
llusern	eb
mignwern	eb
modern	a
ôl-fodern	a
uffern	eb

ers

difaners	a
digwafers	a
eilwers	adf
ers	ardd
gwers	eb
moeswers	eb

ert

cert	eb
cwfert	eg
pert	a
sgert	eb

erth

aberth	ebg
anferth	a

erth

anterth	eg
ceiniogwerth	eb
certh	a, eg
coelcerth	eb
corberth	eb
cydnerth	a
cydwerth	a
cyfanwerth	a, eg
cyfnerth	a, eg
cyfwerth	a
cymerth	bf
didrafferth	a
dimeiwerth	eb
dinerth	a
diwerth	a
diymadferth	a
hunanaberth	ebg
gwerth	bf, eg
manwerth	eg
marchnerth	eg
mawrwerth	eg
nerth	eg
perth	eb
pridwerth	eg
prydferth	a
serth	a
trafferth	eg
wynebwerth	eg
ymadferth	eg

es

abades	eb
actores	eb
achles	eg
achres	eb
afles	eg
anghynnes	a
angyles	eb

es

alarches	eb
albanes	eb
almaenes	eb
americanes	eb
anwes	eg
ardalyddes	eb
arglwyddes	eb
arthes	eb
arwres	eb
athrawes	eb
awdures	eb
bachgennes	eb
banwes	eb
bastardes	eb
blaenrhes	eb
boneddiges	eb
branes	eb
brenhines	eb
brodores	eb
brysneges	eb
brywes	eg
buches	eb
buddles	eg
bugeiles	eb
busnes	ebg
cadeiryddes	eb
cadnawes	eb
caethes	eb
cantores	eb
cares	eb
carnymorddiwes	be, eg
cawres	eb
cefndres	eb
ceges	eb
cenawes	eb
cenhades	eb
cerbydres	eb

es

cerddores	eb
cernywes	ell
ces	bf
coges	eb
cogyddes	eb
colres	eb
coraches	eb
corres	eb
creadures	eb
crefyddes	eb
crotes	eb
cybyddes	eb
cydles	eg
cyfeilles	eb
cyfles	a
cyfnes	eg
cyfres	eb
cyfyrderes	eb
cyffes	eb
cyngres	eb
cylchres	eb
cymdoges	eb
cymhares	eb
cymreiges	eb
cynffones	eb
cynnes	a
chwiloges	eb
dafates	eb
dalles	eb
dewines	eb
di-les	a
diacones	eb
diachles	a
dibroffes	a
dirodres	a
di-wres	a
draenoges	eb
duges	eb

118

duwies	eb	iyrches	eb	proses	eb
dynes	eb	lodes	eb	prydles	eb
eboles	eb	lladrones	eb	prydyddes	eb
efengyles	eb	llafnes	eb	rheibes	eb
eidales	eb	llances	eb	rhes	eb
eifftes	eb	llawes	eb	rhibidirês	eb
ellylles	eb	llechres	eb	rhinces	eb
eples	eg	lles	eg	rhoces	eb
ernes	eb	llewes	eb	rhodres	eg
eryres	eb	lloches	eb	rhoddes	bf
estrones	eb	llwynoges	eb	saesnes	eb
etifeddes	eb	llydawes	eb	santes	eb
ffoadures	eb	llynges	eb	sbaenes	eb
ffrances	eb	maeres	eb	teilwres	eb
ffres	a	marches	eb	teipyddes	eb
ffwrnes	eb	matres	eb	telynores	eb
gefeilles	eb	meistres	eb	tes	eg
gelynes	eb	mes	ell	tindres	eb
goddiwes	be	mudes	eb	tordres	eb
golchyddes	eb	mules	eb	torres	bf
gorddiwes	be	mynaches	eb	tres	eb
gormes	eb	mynwes	eb	tywysoges	eb
gorwyres	eb	neges	eb	unbennes	eb
groeges	eb	nes	a, adf, ardd	wyres	eb
gwalches	eb	nesnes	adf	ymerodres	eb
gwales	eb	nodwyddes	eb	ymorddiwes	be
gweinyddes	eb	partneres	eb	ysgarmes	eb
gwniyddes	eb	pendefiges	eb	ysgolfeistres	eb
gwres	eg	pes	cys	ysgrifenyddes	eb
gwyddeles	eb	peunes	eb		
hances	eb	pladres	eb	**esb**	
hanes	eg	plismones	eb	hesb	ab
herlodes	eb	postfeistres	eb		
heuldes	eg	potes	eg	**esg**	
hoges	eb	pres	eg	desg	eb
hudoles	eb	priores	eb	hesg	ell
iarlles	eb	proffes	eb	llesg	a
iddewes	eb	proffwydes	eb	moresg	ell

est

est

anonest	a
bloddest	be, eb
brest	eb
cest	bf, eb
concwest	eb
crest	ell
cwest	eg
dirwest	eg
ffenest	eb
ffest	a
fforest	eb
garddwest	eb
gloddest	eg
gonest	a
gorchest	eb
gornest	eb
lluest	eg
protest	eb
pryddest	eb
torgest	eb
ymgomwest	eb

estl

destl	a, eb
diddestl	a
pedestl	eg
tymestl	eb

estr

awrlestr	eg
bedydd-lestr	eg
callestr	eb
cawslestr	eg
cofrestr	eb
diodlestr	eg
ffenestr	eb
llestr	eg

estr

ôl-restr	eb
penffestr	eg
priddlestr	eg
rhestr	eb
stoc-restr	eb
tawddlestr	eg

et

bet	eb
cadét	eg
clet	eb
crosiet	eg
deiet	eg
het	eb
iet	eb
pirwét	eg
plet	eb
set	eb
sigarét	eb
solet	a

ets

sgets	eb

eth

aelgeth	eb
ardreth	eb
aseth	eb
beth	adf, rhag
casbeth	eg
coegbeth	eg
coronbleth	eb
cymhleth	a
cywreinbeth	eg
deubeth	eg
diardreth	a
didoreth	a
difeth	a

eth

ffieiddbeth	eg
geneth	eb
gwaelbeth	eg
heth	eb
hyfeth	a
llyfeleth	eb
llyweth	eb
manbeth	eg
meth	eg
murdreth	eb
penbleth	ebg
peth	eg
pleth	eb
popeth	eg
pregeth	eb
rhywbeth	eg
seth	ab
teth	eb
toreth	eb
treth	eb
unpeth	eg

ethr

cethr	eb
llethr	eb

eu

ail-greu	be
creu	be
cyd-weu	be
cyfleu	be
dileu	be
dyheu	be
eu	rhag
gweu	be
neu	cys
ynteu	adf, cys

120

eud

eud

ail-ddweud	be
ail-wneud	be
croes-ddweud	be
dadwneud	be
dweud	be
gor-ddweud	be
gwneud	be
gwrth-ddweud	be
ymwneud	be

eus

anghyfleus	a
amheus	a
cyfleus	a
chwareus	a
diamheus	a

ew

blew	ell
clustew	a
croendew	a
dudew	a
durew	eg
eiddew	eg
ewinrhew	eg
glasrew	eg
glew	a
gwandrew	a
iddew	eg
llew	eg
llwydrew	eg
olew	eg
pathew	eg
pendew	a
pydew	eg
rhew	eg
sew	eg

ew

siew	eb
tew	a
tindew	a
trwyddew	eg

ewc

cewc	eg

ewch

agosewch	bf
cewch	bf
ciniewch	bf
dewch	bf
ewch	bf
gadewch	bf
gwnewch	bf
gwrandewch	bf
mwynhewch	bf
rhewch	bf
tewch	bf
trewch	bf

ewl

hewl	eb

ewn

ewn	a
mewn	ardd

ewr

crewr	eg
dewr	a, eg

eydd

addysgfeydd	ell
angorfeydd	ell
allanfeydd	ell
amddiffynfeydd	ell

eydd

amgueddfeydd	ell
amserfeydd	ell
archfeydd	ell
arddangosfeydd	ell
arosfeydd	ell
atalfeydd	ell
atgnofeydd	ell
atomfeydd	ell
atynfeydd	ell
athrofeydd	ell
bathfeydd	ell
bedyddfeydd	ell
beisfeydd	ell
cachfeydd	ell
cadwrfeydd	ell
calchfeydd	ell
camfeydd	ell
campfeydd	ell
cerddorfeydd	ell
claddfeydd	ell
cloddfeydd	ell
cnofeydd	ell
colofnfeydd	ell
cosfeydd	ell
crasfeydd	ell
creirfeydd	ell
crogfeydd	ell
cronfeydd	ell
crynfeydd	ell
cuddfeydd	ell
culfeydd	ell
curfeydd	ell
cybolfeydd	ell
cychwynfeydd	ell
cyfnewidfeydd	ell
cyfrinfeydd	ell
cyllidfeydd	ell
cymdeithasfeydd	ell

eydd

cymysgfeydd	ell
cyniweirfeydd	ell
cyrchfeydd	ell
cysegrfeydd	ell
cysgodfeydd	ell
chwalfeydd	ell
chwyddfeydd	ell
daeargrynfeydd	ell
dalfeydd	ell
darlithfeydd	ell
darlosgfeydd	ell
darllenfeydd	ell
deorfeydd	ell
dienyddfeydd	ell
diogelfeydd	ell
dirgelfeydd	ell
disgynfeydd	ell
distyllfeydd	ell
dychrynfeydd	ell
efrydfeydd	ell
ehedfeydd	ell
eisteddfeydd	ell
encilfeydd	ell
fferyllfeydd	ell
glofeydd	ell
golchfeydd	ell
golygfeydd	ell
gorseddfeydd	ell
graddfeydd	ell
gwagfeydd	ell
gwalfeydd	ell
gwasgfeydd	ell
gweithfeydd	ell
gwenynfeydd	ell
gwladfeydd	ell
gwrthdrofeydd	ell
hedfeydd	ell
helfeydd	ell

eydd

hufenfeydd	ell
lladdfeydd	ell
llamfeydd	ell
llechfeydd	ell
llethrfeydd	ell
llewygfeydd	ell
llithrigfeydd	ell
llosgfeydd	ell
lluwchfeydd	ell
maethfeydd	ell
magfeydd	ell
magwrfeydd	ell
meddygfeydd	ell
meudwyfeydd	ell
milodfeydd	ell
morfeydd	ell
myfyrfeydd	ell
mygfeydd	ell
mynedfeydd	ell
newidfeydd	ell
noddfeydd	ell
ogofeydd	ell
pangfeydd	ell
penydfeydd	ell
planfeydd	ell
planigfeydd	ell
poenfeydd	ell
porfeydd	ell
porthfeydd	ell
preswylfeydd	ell
purfeydd	ell
pysgodfeydd	ell
rhedegfeydd	ell
rhegfeydd	ell
rhodfeydd	ell
rhosfeydd	ell
sgrechfeydd	ell
storfeydd	ell

eydd

swyddfeydd	ell
tagfeydd	ell
tollfeydd	ell
torfeydd	ell
tramwyfeydd	ell
treiglfeydd	ell
trigfeydd	ell
trochfeydd	ell
trofeydd	ell
trysorfeydd	ell
tynfeydd	ell
tywalltfeydd	ell
wystrysfeydd	ell
ymdrochfeydd	ell
ymladdfeydd	ell
ymolchfeydd	ell
ymrysonfeydd	ell
ysfeydd	ell

eyg

lleyg	a

eyrn

heyrn	ell
mechdeyrn	eg
teyrn	eg

i

-i: terfyniad berfol –
   ceni, etc.

academi	eb
aceri	ell
achosi	be
achresi	ell
adarfogi	be
adeni	be, eg
adborthi	be
adfynegi	be
adleoli	be

i

adwaeni	bf
addoli	be
afradloni	be
angori	be
ailarfogi	be
ailbenodi	be
ailboblogi	be
ailbriodi	be
aileni	be
ailenwi	be
ailfuddsoddi	be
ailfynegi	be
ailfywiogi	be
ailgodi	be
ailgyfansoddi	be
ailgyflogi	be
ailgyfodi	be
ailgyhoeddi	be
ailgymodi	be
ailgysodi	be
ailhyfforddi	be
ailnegodi	be
ailymaelodi	be
allgofnodi	be
allweddi	ell
amdani	ardd
amlenni	ell
amlosgi	be
amodi	be
amserlenni	ell
analluogi	be
anegni	eg
aneiri	ell
anfarwoli	be
anfodloni	be
anfri	eg
annynoli	be
anodi	be

i

anrheithi	ell
ansefydlogi	be
arbrofi	be
archolli	be
arddelwi	be
arfogi	be
arglwyddi	ell
argoeli	be
argyhoeddi	be
arholi	be
arloesi	be
arni	ardd
arogli	be
arteithglwydi	ell
asbri	eg
astrusi	eg
astyllodi	be
asurfeini	ell
atalnodi	be
atgyfodi	be
ati	ardd
atodi	be
atodlenni	ell
athrodi	be
awdurdodi	be
awrlestri	ell
babi	eg
balconi	eg
baldorddi	be
baledi	ell
baneri	ell
barddoni	be
bargodi	be
basgedi	ell
batri	eg
bathodi	be
bawdfedi	be
bedwlwyni	ell

i

bedyddfeini	ell
bedyddlestri	ell
beddfeini	ell
beddi	ell
beichiogi	be, eg
beili	eg
benni	ell
berwi	be
bidogi	be
bisgedi	ell
blaenbrofi	be
blaendorri	be
blaenddodi	be
blaenori	be
blaenrhesi	ell
blaenweddi	eb
blancedi	ell
bleiddgi	eg
blodeugerddi	ell
bloesgni	eg
blwyddi	ell
bodloni	be
bodoli	be
boddi	be
bolgi	eg
bolltenni	ell
borderi	ell
bowlenni	ell
brafri	eg
bralgi	eg
branesi	ell
brathgi	eg
breci	eg
brecini	eg
breichledi	ell
breinlenni	ell
breni	eb
bri	eg

brigbori	be
brigdorri	be
brithgi	eg
brithlenni	ell
brithni	eg
briwsioni	be
brochi	be
brolgi	eg
brwysgi	eg
brwysgni	eg
brychi	eg
brychni	eg
bryntni	eg
brysglwyni	ell
buchesi	ell
budreddi	eg
buddioli	be
buddsoddi	be
bugeilgerddi	ell
bugeilgi	eg
bwbi	eg
bwcedi	ell
bwci	eg
bwcledi	ell
bwi	eg
bwledi	ell
bwli	eg
bwmbeili	eg
bwndeli	ell
bwrdeistrefi	ell
bwrneli	ell
bwtri	eg
bwydlenni	ell
bwyelli	ell
byddi	bf
byslenni	ell
bytheiatgi	eg
bytholi	be

bywi	ell
bywiogi	be
cablenni	ell
cabolfeini	ell
caboli	be
cacenni	ell
cacimwci	eg
cachgi	eg
cadi	ebg
cadlesi	ell
cadwyni	ell
caffi	eg
calchfeini	ell
caledi	eg
calenni	ell
calonogi	be
calori	eg
cambrenni	ell
camddehongli	be
camenwi	be
cami	eg
camleoli	be
camlesi	ell
camni	eg
camochri	be
camwri	eg
canoli	be
cansenni	ell
cantrefi	ell
canwyllbrenni	ell
canwyllerni	ell
capeli	ell
carllwythi	ell
carneddi	ell
caroli	be
carpedi	ell
cartrefi	ell
carthbrenni	ell

carthenni	ell
carwdenni	ell
casgenni	ell
catgi	eg
catrodi	be
cawci	eg
cawsellti	ell
cawslestri	ell
cecri	eg
cefndresi	ell
cefnlenni	ell
cefnogi	be
cefnwdenni	ell
ceibrenni	ell
ceiniogwerthi	ell
ceislenni	ell
celfi	ell
celffi	ell
celwyddgi	eg
celli	eb
cenadwri	eb
cenedlaetholi	be
cenlli	eg
cerbydresi	ell
cerddbrenni	ell
cerddbresi	ell
cerddi	ell
certi	ell
cerwyni	ell
cethri	ell
cewri	ell
ci	eg
ciami	a
cistfeini	ell
clamwri	eg
clapgi	eg
cleilenwi	be
cliciedi	ell

clochi	be	corffori	be	crychni	eg
clodfori	be	corgi	eg	crygi	eg
cloffi	be, eg	corneli	ell	crygni	eg
cloffni	eg	coroni	be, eg	cuddlenni	ell
clogfeini	ell	cosbi	be	culni	eg
clogwyni	ell	cosi	be, eg	cwareli	ell
clustnodi	be	costawci	eg	cwlbrenni	ell
clustochi	be	costreli	ell	cwmni	eg
clustogi	be	cownteri	ell	cwmpeini	eg
clwydenni	ell	crabi	eg	cwpledi	ell
clwydi	ell	crawni	be	cwrteisi	eg
cnawdoli	be	creigerddi	ell	cwteri	ell
cochi	be, eg	creisioni	be	cwtogi	be
cochli	be	creuloni	be	cwtwslonni	be
cochni	eg	cri	a, eb	cwymplenni	be
codenni	ell	crimogi	be	cwysedi	ell
codi	be	crocbrenni	ell	cwysi	ell
coegi	be	crochweiddi	be	cyboli	be
coegni	eg	croeni	be	cydaddoli	be
coelbrenni	ell	croesbrenni	ell	cydfodoli	be
coelcerthi	ell	croesholi	be	cydgroesi	be
coetgi	eg	croesi	be	cydgyfranogi	be
coethi	be	croesni	eg	cydoesi	be
cofnodi	be	croestorri	be	cydraddoli	be
cofrestri	ell	crogerddi	ell	cydroddi	be
cofweini	be	crogi	be	cydymgynghori	be
coffi	eg	croglenni	ell	cyfamodi	be
conglfeini	ell	cronglwydi	ell	cyfansoddi	be
coleri	ell	cromenfeini	ell	cyfantoli	be
colfenni	ell	cromenni	ell	cyfeiliorni	be
colresi	ell	cromlechi	ell	cyfeirgi	eg
colli	be	cronni	be	cyfeiri	ell
collwyni	ell	crotesi	ell	cyfeirnodi	be
copi	eg	croywi	be	cyfenwi	be
corberthi	ell	cruglwythi	ell	cyflawni	be
cordenni	ell	crwbi	eg	cyflenwi	be
corddi	be	crwthi	a	cyflogi	be
corffoli	be	crychdonni	be	cyfnosi	be

i		i		i	
cyfochri	be	chwerwi	be	deri	ell
cyfodi	be	chwi	rhag	derlwyni	ell
cyfodoli	be	chwisgi	eg	deui	bf
cyfoedi	be	chwistrelli	ell	dewislenni	be
cyfoesi	be	chwiwgi	eg	diaelodi	be
cyfoethogi	be	chwychwi	rhag	diarfogi	be
cyfogi	be	chwyddi	eg	diboblogi	be
cyfori	be	chwynogli	be	diclloni	be, eg
cyfranogi	be	chwythelli	ell	didoli	be
cyfreithloni	be	dadansoddi	be	didonni	be
cyfresi	ell	dad-droelli	be	didorchi	be
cyfresoli	be	dad-ddynoli	be	didosturi	a
cyfrgolli	be	dadeni	eg	diddori	be
cyfriflenni	ell	dadleoli	be	diddosi	be
cyffni	eg	dadroddi	be	diegni	a
cyffredinoli	be	dadwaddoli	be	dieuogi	be
cyngherddi	ell	dadweithredoli	be	difenwi	be
cynghori	be	dadymdroelli	be	difloesgni	a
cyngresi	ell	daeargi	eg	difodi	be
cyhoeddi	be	daearlenni	ell	difrifoli	be
cylchresi	ell	daioni	eg	difrodi	be
cymedroli	be	dalenni	ell	diffoddi	be
cymhelri	eg	dallgopi	eg	digalonni	be
cymodi	be	dandi	eg	digoni	be
cymoni	be	dani	ardd	digri	a
cymynroddi	be	darlosgi	be	digroeni	be
cynddeiriogi	be	darnodi	be	dihoeni	be
cyni	eg	datganoli	be	dilorni	be
cynrychioli	be	datgorffori	be	dinodi	be
cynrhoni	be	datgyhoeddi	be	dinoethi	be
cysgodi	be	defni	be, ell	diodi	be
cysgogi	be	degoli	be	diodlestri	ell
cysodi	be	dehongli	be	diogi	be, eg
cysoni	be	delw-addoli	be	dirboeni	be
cysylltnodi	be	delwi	be	direidi	eg
chwaldodi	be	dellni	eg	di-ri	a
chwareli	ell	delltenni	ell	dirifedi	a
chwarteri	ell	deori	be	dirlenwi	be

i

dirwymedi	a
dirwynenni	ell
disodli	be
distewi	be
distrewi	be
diynni	a
dodi	be
dofi	be
dogfenni	ell
dogni	be
dolenni	ell
doleri	ell
doli	eb
dolmenni	ell
dorglwydi	ell
draenllwyni	ell
dreseli	ell
drewgi	eg
drewi	be
drosti	ardd
drwyddi	ardd
drygioni	eg
drysi	ell
drysni	eg
dwbledi	ell
dwli	eg
dwrgi	eg
dwyfoli	be
dychangerddi	ell
dyddodi	be
dyfrgi	eg
dyfynodi	be
dyli	eg
dylni	eg
dynodi	be
dynoli	be
dyri	eb
dyrnfeddi	ell

i

dysenni	ell
dywalgi	eg
dyweddi	ebg
ebargofi	be
ebolesi	ell
eboni	eg
economi	ebg
edwi	be
effeithioli	be
e-gyhoeddi	be
eglwysi	ell
egni	eg
eiddi	rhag
eilunaddoli	be
eironi	eg
eleni	adf
eli	eg
enwi	be
enwogi	be
erchi	be
erddi	ardd
esgusodi	be
ewinfeddi	ell
festri	eb
fi	rhag
ffagodi	be
ffansi	eb
ffantasi	eb
ffasgelli	ell
ffatri	eb
ffenestri	ell
fferi	eb
ffi eb	
ffoli	be
fforchi	be
ffowndri	eb
ffresni	eg
ffroeni	be

i

ffromi	be
ffrwythloni	be
ffuglenoli	be
ffunenni	ell
ffurfioli	be
ffurflenni	ell
ffwlbri	eg
ffwrnesi	ell
ffynhonni	be
gafaelgi	eg
galargerddi	ell
galwyni	ell
galluogi	be
ganddi	ardd
gefelenni	ell
gellgi	eg
geni	be
gerddi	ell
geri	eb
gewri	ell
gini	eb
glafoeri	be
glasenwi	be
glawlenni	ell
glesni	eg
gloywi	be
goferwi	be
golchi	be
goleuni	eg
golosgi	be
göoeri	be
gorboethi	be
gorfodi	be
gori	be
gorlenwi	be
goroesi	be
graddnodi	be
graddoli	be

gresyni	eg
gronfeini	ell
grwndi	eg
gwaddodi	be
gwaddoli	be
gwaelodi	be
gwaetgi	eg
gwagenni	ell
gwahanlenni	ell
gwaledi	ell
gwallgofi	be
gwangalonni	be
gwanwyni	ell
gwarlenni	ell
gwarogi	be
gwarsythni	eg
gwastrodi	be
gwatwargerddi	ell
gwchi	eg
gwdenni	ell
gwddi	eg
gweddi	eb
gweddwi	be
gwefeistri	be
gwegi	eg
gweiddi	be
gweilgi	eb
gweili	a, eg
gweini	be
gweisgioni	be
gweithlenni	ell
gweli	eg
gwelwi	be
gwenci	eb
gwerni	ell
gwersi	ell
gwerthfawrogi	be
gwialenni	ell

gwialenodi	be
gwirfoddoli	be
gwirioni	be
gwisgi	a
gwladoli	be
gwlanenni	ell
gwlithenni	ell
gwragenni	ell
gwreichioni	be
gwresogi	be
gwrhydri	eg
gwrogi	be
gwroli	be
gwrthbrofi	be
gwrthbwythi	eg
gwrthuni	eg
gwyddori	be
gwyrddfeini	ell
gwyrddlesni	eg
gwyrddni	eg
gwyrni	eg
gwythi	ell
haelioni	eg
halogi	be
haneri	ell
hebddi	ardd
heini	a
helgi	eg
heli	eg
helltni	eg
hendrefi	ell
herlodesi	ell
heul-lenni	ell
hi	rhag
hidlenni	ell
hinoni	be
hinsoddi	be
hobi	eg

hodi	be
hoffi	be
hogesi	ell
hogfeini	ell
hogi	be
holi	be
hollti	be
honni	be
hosteli	ell
hoywi	be
hwiangerddi	ell
hwteri	ell
hwylbrenni	ell
hyddgi	eg
hyfforddi	be
hyhi	rhag
hynodi	be
hysbyslenni	ell
i	ardd
ichwi	ardd
iddi	ardd
ifori	eg
imi	ardd
inni	ardd
irlesni	eg
iti	ardd
jiwbili	eb
labeli	ell
landeri	ell
lanterni	ell
lili	eb
lodesi	ell
lori	eb
loteri	eg
llabi	eg
lladroni	be
llaethogi	be
llafnesi	ell

llancesi	ell	llyfrgi	eg	miniogi	be
llanerchi	ell	llysenwi	be	miri	eg
llathenni	ell	llys-rieni	ell	misi	a
llawnodi	be	mabinogi	eg	mochi	be
llechgi	eg	madroni	be	modfeddi	ell
llechi	ell	maestrefi	ell	moeli	be
llechresi	ell	maintioli	eg	moelni	eg
llechweddi	ell	maldodi	be	moesoli	be
lledferwi	be	mamogi	be	moeswersi	ell
llenni	ell	mân-wythi	ell	moethi	be
llenwi	be	mantolenni	ell	mogi	be
lleoli	be	mantoli	be	mohoni	ardd
llestri	ell	marchfieri	ell	moli	be
llethri	ell	matresi	ell	monni	be
lli	eg	mawrhydi	eg	monopli	eg
llinborthi	be	mechni	eg	moprenni	ell
llochi	be	medi	be	morgeisi	ell
llodi	be	meddwi	be	morlenni	ell
lloerenni	ell	meincnodi	be	mudesi	ell
lloesi	be	meini	ell	mudferwi	be
llofnodi	be	meiri	ell	mudlosgi	be
llogelli	ell	meirioli	be	murdrethi	ell
llogi	be	meistresi	ell	murlenni	ell
llonni	be	meistri	ell	musgrellni	eg
llorlenni	ell	meistroli	be	mwnci	eg
llosgenni	ell	melodi	eg	mwydioni	be
llosgfeini	ell	melyni	eg	mwyndoddi	be
llosgi	be	melli	eg	myfi	eg, rhag
llungopi	ell	menni	ell	myllni	eg
lluosi	be	merthyri	ell	mynci	eg
lluosogi	be	mewnddodi	be	mynegi	be
llutrodi	be	mewngofnodi	be	nawddogi	be
llwydi	eg	mewnlofnodi	be	nefoli	be
llwydni	eg	mewnoli	be	negodi	be
llwydrewi	be	mi	rhag	neilltuoli	be
llwyerni	ell	mieri	ell	neisiedi	ell
llwyni	ell	mignenni	ell	neithiori	be
llwythi	ell	milgi	eg	ni	rhag

i

nithlenni	ell
nodi	be
noddi	be
noethi	be
noethni	eg
nosi	be
nyni	rhag
ochri	be
odi	be
odli	be
oddi	ardd
oedi	be
oeri	be
oerni	eg
oesi	be
ofni	be
ogedi	ell
ohoni	ardd
ôl-ddodi	be
oni	cys
pabi	eb
pacedi	ell
padelli	ell
pamffledi	ell
paneli	ell
pantri	eg
parseli	ell
parti	eg
pedoli	be
peillioni	be
peiri	ell
pelenni	ell
peli	ell
pellenni	ell
penblwyddi	ell
penboethni	eg
penci	eg
pendroni	be

i

penfeddwi	be
penllwydni	eg
penodi	be
penseiri	ell
pentrefi	ell
penwynni	eg
perarogli	be
perchenogi	be
peri	be
persli	eg
personoli	be
perthi	ell
pesgi	be
pi	eb
pibelli	ell
pibenni	ell
picseli	ell
picwerchi	ell
pileri	ell
piseri	ell
piti	eg
plancedi	ell
pledrenni	ell
plethi	ell
plwyfi	ell
plwyfoli	be
pobi	be
pobli	be
poblogi	be
pocedi	ell
poceri	ell
poeni	be
poeri	be, eg
poethi	be
polioni	be
polisi	eg
pori	be
porthi	be

i

posteri	ell
poteli	ell
potenni	ell
pothelli	ell
powlenni	ell
presenoli	be
priddfeini	ell
priddlechi	ell
priddlestri	ell
priodi	be
priodoli	be
proceri	ell
profi	be
proflenni	ell
proffwydi	ell
prydlesi	ell
pwti	eg
pwysi	eg, ell
pylni	eg
racedi	ell
rali	eb
rocedi	ell
rygbi	eg
rhad-roddi	be
rhagbenodi	be
rhagddi	ardd
rhagddodi	be
rhagfynegi	be
rhaglenni	ell
rhagnodi	be
rhagori	be
rhagymadroddi	be
rhegi	be
rheini	rhag
rhenti	ell
rheoli	be
rheseli	ell
rhesi	ell

i

rhestri	ell
rhewi	be
rhieingerddi	ell
rhieni	ell
rhifedi	eg
rhigoli	be
rhochi	be
rhodenni	ell
rhodli	be
rhoddi	be
rholbrenni	ell
rhuglenni	ell
rhwydenni	ell
rhwydi	ell
rhwyllenni	ell
rhydweli	eg
rhyfelgi	eg
rhyfelgri	eg
rhyngddi	ardd
rhyngwladoli	be
sachlenni	ell
safoni	be
salwi	be
sbaneri	ell
sbri	eg
seboni	be
seci	be
sefydlogi	be
sengi	be
seiri	ell
seleri	ell
seremoni	eb
seti	ell
sgerti	ell
sgrafelli	ell
si	eg
siacedi	ell
sianeli	ell

i

sidelli	ell
siglenni	ell
siocledi	ell
siomi	be
sipsi	ebg
sobri	be
socedi	ell
sodli	be
soddi	be
sofrenni	ell
somi	be
sorri	be
sosbenni	ell
soseri	ell
stalwyni	ell
stori	eb
stribedi	ell
stumogi	be
surni	eg
swci	a
swyddi	ell
syfi	ell
sylfeini	ell
sylweddoli	be
sylwi	be
syrthni	eg
tacsi	eg
tadogi	be
taenlenni	ell
taerni	eg
tafelli	ell
taflenni	ell
taflodi	be
taflrwydi	ell
tafodi	be
tafoli	be
taffi	eg
talcenni	ell

i

tanbelenni	ell
tanfuddsoddi	be
tangynrychioli	be
tani	ardd
tanlli	a
tanllwythi	ell
tansoddi	be
tarddelli	ell
tarenni	ell
tawddlestri	ell
tegelli	ell
teisenni	ell
teisi	ell
teithi	ell
telori	be
tewi	be
ti	rhag
ticedi	ell
tinbrenni	ell
tirioni	be
tirlenwi	be
tlodi	be, eg
tlysni	eg
toddi	be
toili	eg
tolchenni	ell
toli	be
tolli	be
tomi	be
tonenni	ell
tonfeddi	ell
tonni	be
topi	be
torchi	be
tordresi	ell
tori	eg
torllwythi	ell
torri	be

torthenni	ell
torthi	be
tosturi	eg
tra-awdurdodi	be
traddodi	be
tragwyddoli	be
trallodi	be
trasiedi	eg
trawsddodi	be
trawsleoli	be
trefi	ell
trefnlenni	ell
trengi	be
treillrwydi	ell
treisiedi	ell
tresi	ell
trethi	ell
tri	a
trochi	be
trochioni	be
troedfeddi	ell
troelli	be
troethi	be
trosi	be
trosroddi	be
trosti	ardd
trowseri	ell
trueni	eg
trwyddi	ardd
trwythi	ell
trybini	eg
tryboli	be
tryferi	ell
trysgli	eg
trysori	be
tryweli	ell
tunelli	ell
twmplenni	ell

twrci	eg
twyni	ell
tydi	rhag
tynfeini	ell
tynrwydi	ell
theori	eb
therapi	eg
unioni	be
unoli	be
wedi	ardd
wrthi	ardd
ymadroddi	be
ymaelodi	be
ymanodi	be
ymbesgi	be
ymboeni	be
ymborthi	be
ymbrofi	be
ymdoddi	be
ymdonni	be
ymdopi	be
ymdrochi	be
ymdroelli	be
ymddiddori	be
ymesgusodi	be
ymfodloni	be
ymgnawdoli	be
ymgolli	be
ymgorffori	be
ymgroesi	be
ymgyfoethogi	be
ymgynghori	be
ymhalogi	be
ymholi	be
ymhonni	be
ymlonni	be
ymolchi	be
ymroddi	be

ymwroli	be
ynddi	ardd
ynni	eg
ysbrydoli	be
ysgogi	be
ysgolfeistri	ell
ysgothi	be
ysgyrioni	be
ysnodenni	ell
ysnodi	eg
ystodi	be
ystofi	be

ib

bagbib	eb
brib	eg
cib	eg
crib	ebg
chwîb	eg
chwythbib	eb
drib	eg
enllib	eg
gwib	a, eb
pib	eb

ibl

amhosibl	a
chwibl	a
dibl	eg
posibl	a
surchwibl	a

ibr

calibr	eg
ffibr	eg

ic

cic	eb
clic	eg

ic			id			id		
cric	eg		calondid	eg		hylendid	eg
hic	eg		cegid	ell		ieuenctid	eg
pric	eg		cwndid	eg		llid	eg
rhic	eg		cwrlid	eg		mererid	eg
slic	a		cyfnewid	be, eg		newid	be, eg
tic	eg		cyllid	eg		oblegid adf, ardd, cys
tric	eg		cynhenid	a		odid	adf
			daethid	be		oeddid	bf
icr			dengid	be		onid	cys
ansicr	a		delid	bf		penrhyddid	eg
sicr	a		deuid	bf		penwendid	eg
			di-hid	a		plegid	eg
ics			did	eg		prid	a, eg
brics	ell		digalondid	eg		pyramid	eg
crics	ell		digid	eg		rhyddid	eg
			digyfnewid	a		tid	eb
ich			dilechdid	eg		trawsnewid	be
gwich	eb		diocsid	eg		ymlid	be
snich	eg		elid	bf		ystid	eb
			elsid	bf			
id			endid	eg		**idl**	
-id: terfyniad berfol –			erlid	be		cidl	ebg
cenid a hefyd			esgid	eb		chwidl	a
canasid, etc.			ganesid	bf		ffidl	eb
abid	ebg		genid	bf		hidl	eb
adnapid	bf		glendid	eg			
addewid	eb		gofid	eg		**idr**	
aethid	bf		gwangalondid	eg		chwidr	a
aflendid	eg		gweddnewid	be		penchwidr	a
angenoctid	eg		gwendid	eg			
amnewid	be		gwnaethid	bf		**idd**	
asid	eg		gwnelid	bf		cludbridd	eg
bid	bf, eb		gwnelsid	bf		deilbridd	eg
bondid	eb		gwrid	eg		dolbridd	eg
brid	eg		gwyddfid	eg		drifftbridd	eg
buasid	bf		gwyddid	bf		ehedbridd	eg
bwylltid	eg		gwypid	bf		fforestbridd	eg
byddid	bf		hid	eg		ffridd	eb
cadernid	eg						

idd

isbridd	eg
llifbridd	eg
peithbridd	eg
pridd	eg

if

adlif	eg
anghydrif	a
amcangyfrif	be, eg
aneirif	a
archif	eg
arysgrif	eb
camgyfrif	be
canrif	eb
cenllif	eg
cerfysgrif	eb
coegddigrif	a
cydlif	eg
cyfanrif	eg
cyfartalrif	eg
cyfrif	be, eg
cynhwysrif	eg
di-rif	a
diferlif	eg
difrif	a
digrif	a
digyfrif	a
dylif	eg
eilrif	eg
ffrydlif	eg
golif	eg
gorlif	eg
gwaedlif	eg
gwif	eg
hadlif	eg
haprif	eg
hawlysgrif	eb
hesglif	eb

if

hylif	eg
isafrif	eg
islif	eg
llawlif	eb
llawysgrif	eb
lleiafrif	eg
llif	ebg
lluosrif	eg
mwyafrif	eg
naïf	a
odrif	eg
ôl-ysgrif	eb
prif	a
rhanrif	eg
rhedlif	eg
rhif	eg
teipysgrif	eb
trawslif	eb
tystysgrif	eb
uchafrif	eg
unigrif	eg
ysgrif	eb

ifr

gwifr	eb

iff

penstiff	a
piff	eg
stiff	a

ifft

grifft	eg
lifft	eg

ig

academig	a
adeiledig	a
adfannig	eg

ig

adfeiliedig	a
adferedig	a
adfywiedig	a
adnabyddedig	a
adwythig	a
addasedig	a
addawedig	a
addefedig	a
addurnedig	a
afonig	eb
afrealistig	a
anghaboledig	a
anghaeedig	a
anghanfodedig	a
anghanfyddedig	a
angharedig	a
anghasgledig	a
anghategorig	a
anghenedledig	a
angheuledig	a
anghladdedig	a
anghlustnodedig	a
anghofiedig	a
anghofnodedig	a
anghofrestredig	a
anghreedig	a
anghrisialedig	a
anghrybwylledig	a
anghydnabyddedig	a
anghydosodedig	a
anghyflawnedig	a
anghyflogedig	a
anghyfrifedig	a
anghyfunedig	a
anghyfyngedig	a
anghymathedig	a
anghymwysedig	a
anghynaledig	a

ig

anghynulledig	a
anghyraeddedig	a
anghysegredig	a
anghysylltiedig	a
anghywiriedig	a
ailgylchedig	a
alcoholig	a
allforedig	a
alltudiedig	a
amddiffynedig	a
amgaeedig	a
amhenodedig	a
amhriodoledig	a
amhrofedig	a
amhrynedig	a
amhuredig	a
amodig	a
amsugnedig	a
anacademig	a
anaddasedig	a
anaddefedig	a
anaddurnedig	a
anamsugnedig	a
anapwyntiedig	a
anarbennig	a
anarchwiliedig	a
anardystiedig	a
anarddeledig	a
anarfaethedig	a
anarferedig	a
anatebedig	a
anawdurdodedig	a
anchwyddedig	a
anedmygedig	a
anenilledig	a
anesgynedig	a
anesthetig	eg
anfabwysiedig	a

ig

anfapiedig	a
anfathedig	a
anfedyddiedig	a
anfesuredig	a
anfonedig	a
anfonheddig	a
anfrechedig	a
anfrodoredig	a
anfuddsoddedig	a
anfwytedig	a
anffaeledig	a
anffafriedig	a
anffurfiedig	a
anffynedig	a
anhaelfrydig	a
anharddedig	a
anhelaethedig	a
anhidledig	a
anhrefnedig	a
anhreigledig	a
anhreuliedig	a
anhrosglwyddedig	a
anhrwyddedig	a
anhuredig	a
anhydrig	a
anhyfforddedig	a
anhysbyddedig	a
anidiomatig	a
animeiddiedig	a
anlliwedig	a
anllogedig	a
anllygredig	a
annadansoddedig	a
annanfonedig	a
annarfodedig	a
annatblygedig	a
annatguddiedig	a
annatrysedig	a

ig

annathledig	a
anneheuig	a
annehongledig	a
anneilltuedig	a
annelwig	a
anneoredig	a
annerbyniedig	a
annhaledig	a
annhalfyredig	a
annhoddedig	a
annhoredig	a
annhybiedig	a
annhymeredig	a
annhymig	a
annhystiedig	a
annialedig	a
anniddig	a
anniddymedig	a
annieithredig	a
anniffiniedig	a
anniffoddedig	a
annirprwyedig	a
annirwasgedig	a
annisgwyledig	a
annisgybledig	a
anniwygiedig	a
anniwylliedig	a
annofedig	a
annogmatig	a
annomestig	a
annosbarthedig	a
annramatig	a
annuwiolfrydig	a
annychmygedig	a
annychrynedig	a
annychweledig	a
annyddiedig	a
annyfaledig	a

annyfarnedig	a	anysgrifenedig	a	blodig	a
annyfeisiedig	a	anystumiedig	a	blorig	a
annyfynedig	a	anyswiriedig	a	blysig	a
annymunedig	a	apwyntiedig	a	boddiedig	a
annyranedig	a	arbennig	a	bonesig	eb
annysgedig	a	archolledig	a	bonheddig	a
annysgogedig	a	archwiliedig	a	braenedig	a
annyweddïedig	a	ardystiedig	a	bratheidg	a
anohiriedig	a	arddeledig	a	brawedig	a
anoleuedig	a	arddangosedig	a	brechedig	a
anolygedig	a	aredig	be	breinig	a
anorchfygedig	a	arfaethedig	a	breintiedig	a
anoresgynedig	a	arferedig	a	brennig	ell
anorffenedig	a	argraffedig	a	brig	eg
anosgeiddig	a	arithmetig	eg	briwedig	a
anrhagdybiedig	a	arlwyngig	eg	briwgig	eg
anrhagweledig	a	arteithiedig	a	brodoredig	a
anrhanedig	a	arteithig	a	brwdfrydig	a
anrhoddedig	a	artistig	a	brynnig	a
anrhyddfreiniedig	a	asgetig	a	buddsoddedig	a
ansathredig	a	atebedig	a	bwyellig	eb
ansensoredig	a	atgyfodedig	a	bwytedig	a
ansiartredig	a	atgynyrchedig	a	bychanig	a
ansychedig	a	atodedig	a	caboledig	a
ansyrthiedig	a	atomig	a	cadwedig	a
anwaddoledig	a	athletig	a	caeadfrig	a
anwahanedig	a	awdurdodedig	a	caeedig	a
anwarantedig	a	awelig	eb	calennig	eg
anweledig	a	awtomatig	a	calibredig	a
anwisgedig	a	awyddfrydig	a	callestredig	a
anwireddedig	a	bannig	eg	callestrig	a
anwiriedig	a	barwnig	eg	camffurfiedig	a
anwrteithiedig	a	bathedig	a	camsillafedig	a
anwywedig	a	bedyddiedig	a	camysgrifenedig	a
anymrwymedig	a	bendigedig	a	camystumiedig	a
anynysedig	a	berwedig	a	canfodedig	a
anysbeiliedig	a	blinedig	a	canig	eb
anysbrydoledig	a	blociedig	a	canmoledig	a

ig

canoledig	a
canolig	a
caredig	a
cartrefig	a
casgledig	a
categorig	a
cathderig	a
catherig	a
catholig	a
cenedledig	a
cenhedlig	a
cerfiedig	a
cerrig	ell
cesig	ell
cig	eg
cigfreinig	a
cinetig	a
ciwbig	a
claddedig	a
clinig	eg
cloëdig	a
clöig	eb
clustnodedig	a
clwyfedig	a
clymedig	a
clywedig	a
cneifiedig	a
coedwig	eb
coethedig	a
cofnodedig	a
cofrestredig	a
coluriedig	a
colledig	a
comig	a
comisiynedig	a
corfforedig	a
coronig	eb
cosbedig	a

ig

crachfonheddig	a
creëdig	a
cribddeiliedig	a
crisialedig	a
croesfertig	a
croeshoeliedig	a
crogedig	a
cronedig	a
cronig	a
crwydredig	a
crynedig	a
crynodedig	a
cuddiedig	a
curiedig	a
cwpledig	a
cwrlig	eg
cwympedig	a
cwyredig	a
cydnabyddedig	a
cyfamodedig	a
cyfarparedig	a
cyflawnedig	a
cyflogedig	a
cyflwynedig	a
cyfnodedig	a
cyfrgolledig	a
cyfrifedig	a
cyfunedig	a
cyfyngedig	a
cyffroëdig	a
cynghreiddig	a
cyhoeddedig	a
cyhuddedig	a
cylchig	eb
cymathedig	a
cymwysedig	a
cynaledig	a
cynherrig	a

ig

cynlluniedig	a
cynrychioledig	a
cynnig	be, eg
cyntaf-anedig	a
cyntefig	a
cynulledig	a
cynwysedig	a
cynyrchedig	a
cypledig	a
cyplysedig	a
cyraeddedig	a
cyrnig	a
cysegredig	a
cystuddiedig	a, eg
cysylltiedig	a
cytunedig	a
cythreulig	a
cywasgedig	a
cyweiriedig	a
cywiriedig	a
chwaledig	a
chwenychedig	a
chwilfriwedig	a
chwilfrydig	a
chwithig	a
chwysig	a
dadansoddedig	a
dadfeiliedig	a
dadflocedig	a
dadleoledig	a
dadrithiedig	a
dadwaddoledig	a
dadwisgedig	a
dadwreiddiedig	a
damnedig	a
darfodedig	a
darostyngedig	a
darparedig	a

ig

datblygedig	a
datganoledig	a
datgymaledig	a
datgysylltiedig	a
datrysedig	a
dathledig	a
deheuig	a
deilliedig	a
deinamig	a
delfrydedig	a
demograffig	a
deoledig	a
deoredig	a
derbyniedig	a
detholedig	a
dewisedig	a
diawledig	a
diboblogedig	a
diddiflanedig	a
diddig	a
diddymedig	a
didroëdig	a
dieflig	a
dienwaededig	a
diflanedig	a
difreintiedig	a
diffiniedig	a
diffoddedig	a
dig	a, eg
digreëdig	a
digrynedig	a
digynnig	adf
dileedig	a
dinasfreintiedig	a
dinesig	a
diofrydig	a
dioledig	a
diraddedig	a

ig

dirgrynedig	a
dirmygedig	a
dirprwyedig	a
dirwasgedig	a
dirymedig	a
dirywiedig	a
disgwyliedig	a
disgybledig	a
disgynedig	a
distylledig	a
diwaddoledig	a
diwreiddiedig	a
diwrthnysig	a
diwygiedig	a
diwylliedig	a
dofedig	a
dogmatig	a
domestig	a
dosbarthedig	a
dosranedig	a
dramatig	a
drewedig	a
drylliedig	a
duwiolfrydig	a
dwybig	a
dwysedig	a
dyblygedig	a
dychrynedig	a
dychweledig	a
dychymig	eg
dyddiedig	a
dyfaledig	a
dyfarnedig	a
dyfeisiedig	a
dyfynedig	a
dymunedig	a
dynodedig	a
dyranedig	a

ig

dyrchafedig	a
dysgedig	a
dywededig	a
dyweddïedig	a
eangfrydig	a
echreiddig	a
edmygedig	a
eglwysig	a
egsentrig	a
egsotig	a
eiconig	a
eironig	a
electronig	a
elwig	a
eneiniedig	a
enilledig	a
enwaededig	a
enwebedig	a
enwedig	a
epiliedig	a
eplesedig	a
erlidiedig	a
erotig	a
esgeulusedig	a
esgynedig	a
esoterig	a
estynedig	a
ethnig	a
etholedig	a
ewig	eb
fertig	eg
ffabrig	eg
ffaeledig	a
ffafriedig	a
ffalig	a
ffig	eg
ffilharmonig	a
ffisig	eg

ig

ffoëdig	a
ffonetig	a
fforensig	a
ffosiliedig	a
ffrengig	a
ffrig	eg
ffrwydredig	a
ffugiedig	a
ffurfiedig	a
ffyrnig	a
gadawedig	a
gafrewig	eb
galfanedig	a
galwedig	a
ganedig	a
generig	a
genetig	a
genethig	eb
geometrig	a
glynedig	a
gnomig	a
gohiriedig	a
golchedig	a
goleuedig	a
golygedig	a
gorchfygedig	a
gorchuddiedig	a
goresgynedig	a
gorffenedig	a
gorthrymedig	a
gorunig	a
gosgeiddig	a
gosodedig	a
gostyngedig	a
graddedig	a
graddnodedig	a
graffig	a
gwaddoledig	a

ig

gwahanedig	a
gwaharddedig	a
gwahoddedig	a
gwarantedig	a
gwarchaeedig	a
gwarchodedig	a
gwareiddiedig	a
gwasgaredig	a
gwasgedig	a
gweledig	a
gwenwynig	a
gwersig	eb
gwig	eb
gwiriedig	a
gwisgedig	a
gwledig	a
gwrolfrydig	a
gwrteithiedig	a
gwrthfiotig	a
gwrth-iddewig	a
gwrthnysig	a
gwrthodedig	a
gwrth-semitig	a
gwrthseptig	eg
gwthiedig	a
gwyddelig	a
gwynfydedig	a
gwyrdroëdig	a
gwyredig	a
gwywedig	a
haelfrydig	a
halogedig	a
hanedig	a
heiffenedig	a
hidledig	a
holltedig	a
honedig	a
huredig	a

ig

hwyrfrydig	a
hyddig	a
hyfforddedig	a
hypnotig	a
idiomatig	a
iddewig	a
ig	eg
irgig	eg
islofnodedig	a
isomedrig	a
israddedig	a
italig	a
lapiedig	a
lastig	eg
lefeiniedig	a
limrig	eg
logarithmig	a
lladdedig	a
llaethig	a
llathredig	a
llengig	eb
lleoledig	a
llithrig	a
lliwiedig	a
llodig	a
lloerig	a, eg
llogedig	a
llosgedig	a
lluddedig	a
lluniedig	a
llurguniedig	a
llurig	eb
llwybig	ebg
llygredig	a
llymrig	a
mabwysiedig	a
magnetig	a
maluriedig	a

ig

mapiedig	a
marciedig	a
marw-anedig	a
marwgig	eg
mathredig	a
mawrfrydig	a
melltigedig	a
menig	ell
mesuredig	a
metrig	a
methedig	a
mig	eb
mileinig	a
miwsig	eg
morwynig	eb
mynyddig	a
nadolig	eg
naddedig	a
neilltuedig	a
nodedig	a
nofelig	eb
nyddedig	a
oenig	ebg
ôl-ddyddiedig	a
operatig	a
organig	a
orig	eb
osgoedig	a
paentiedig	a
palledig	a
parchedig	a
paredig	a
parlysedig	a
pasgedig	a
pellennig	a
pendefig	eg
penodedig	a
personoledig	a

ig

pig	eb
planedig	a
plastig	eg
plethedig	a
plygedig	a
printiedig	a
priodoledig	a
profedig	a
proffesedig	a
prydeinig	a
prynedig	a
puredig	a
pwysig	a
pydredig	a
realistig	a
rhagdybiedig	a
rhagddiffiniedig	a
rhaglennig	a
rhaglwythedig	a
rhagosodedig	a
rhagweledig	a
rhanedig	a
rheoledig	a
rhestredig	a
rhoddedig	a
rhufeinig	a
rhusiedig	a
rhwymedig	a
rhwystredig	a
rhyddfreiniedig	a
rhyddfrydig	a
rhythmig	a
sadistig	a
safonedig	a
sancteiddiedig	a
sathredig	a
seiliedig	a
seisnig	a

ig

selsig	eb
sensoredig	a
siartredig	a
sigledig	a
sinig	eg
siomedig	a
soddedig	a
stryffîg	eg
stwffiedig	a
suddedig	a
swynedig	a
sychedig	a
syrthiedig	a
tafodig	a
talcennig	a
taledig	a
talfyredig	a
tarddedig	a
tarfedig	a
teipiedig	a
temig	eg
terfynedig	a
tewfrig	a
toddedig	a
toëdig	a
toredig	a
torllengig	eg
trancedig	a
trasig	a
trig	bf, eg
trefnedig	a
treigledig	a
treuliedig	a
troëdig	a
trosglwyddedig	a
trwsiedig	a
trwyddedig	a
trybeilig	a

ig

tybiedig	a
tymeredig	a
tystiedig	a
tywysedig	a
theatrig	a
theoretig	a
unedig	a
unig	a
urddedig	a
ychydig	a, adf, eg
ymadawedig	a
ymolchedig	a
ymranedig	a
ymroddedig	a
ymwahanedig	a
ynysedig	a
ynysig	eb
ysbaddedig	a
ysbeiliedig	a
ysbrydoledig	a
ysgogedig	a
ysgrifenedig	a
ysgymunedig	a
ysig	a
ystig	a
ystumiedig	a
ystyfnig	a
yswiriedig	a

igl

di-sigl	a
sigl	eg
tinsigl	eg

ign

mign	eb

ing

bating	ebg

ing

bing	eg
cwling	eg
edling	eg
ffardding	ebg
ffloring	eb
ffyrling	ebg
ffyrlling	ebg
gorsing	eb
gwynning	eg
hatling	eb
huling	eg
ing	eg

il

anghenfil	eg
anghynnil	a
baril	ebg
beril	eg
bil	eg
bril	eg
budrchwil	eb
bwystfil	eg
cawrfil	eg
cil	eg
cripil	eg
crombil	eb
cwîl	eg
cynnil	a
chwil	a, eb
diencil	a
diepil	a
dil	eg
dril	eg
eiddil	a
encil	eg
epil	eg
ffidil	eb
ffosil	eg

il

ffril	eg
gwegil	ebg
hil	eb
incil	eg
is-gil	eg
mil	ebg
morfil	eg
pendil	eg
pensil	eg
picil	eg
pil	eg
pwyntil	eg
sgîl + sgil	adf, eg
sifil	a
sil	ell
stensil	eg
sticil	eb
swil	a
tonsil	eg
trychfil	eg
ymbil	be, eg
ymchwil	eb

ilff

silff	eb

ilm

ffilm	eb

ilt

cwilt	eg

ill

decsill	a
deusill	a
ebill	eg
ebrill	eg
ennill	be, eg

ill

gimbill	eg
grill	eg
gweddill	eg
ill	rhag
lluosill	a
mill	ell
pennill	eg
pill	eg
sticill	eb
unsill	a

im

chwim	a
diddim	a, eg
dim	eg
ddim	adf
goddim	eg
im	ardd
tîm	eg

imp

crimp	a, eg
imp	eg

in

achlin	eb
anghyflin	a
anghyffredin	a
anghynefin	a
anhydrin	a
arfin	eg
arianllin	eg
barddrin	eb
batin	ebg
blaenfyddin	eb
blin	a
bontin	eb
breithin	eb

in

brenhinllin	eb
brenin	eg
byddin	eb
cam-drin	be
canewin	eb
canhwyllbin	eg
cegin	eb
cennin	ell
cerddin	ell
cethin	a
cethrin	a
cilfin	eg
comin	eg
cribin	ebg
crin	a
cromlin	eb
cwlin	eg
cyfewin	a
cyflin	a, eb
cyfrin	a
cyffin	ebg
cyffredin	a
cynefin	a, eg
cynnin	eg
cyntefin	eg
cysefin	a
chwerthin	be, eg
deulin	eg
dewin	eg
dibrin	a
diflin	a
digrin	a
dilin	a
dilychwin	a
drycin	eb
dwsin	eg
egin	ell
eirin	ell

in

eisin	eg
eithin	ell
elin	eb
erfin	ell
ewin	eg
ffin	eb
fflemin	eg
gerwin	a
glin	eg
gorllewin	eg
gorsin	eb
grawnwin	ell
gwarbin	eg
gwerin	eb
gwin	eg
gwydrin	a
gwynnin	eg
gylfin	eg
hefin	a
heldrin	eb
hesbin	eb
hin	eb
hydrin	a
in	ardd
leinin	eg
limpin	eg
losin	eg
llawddewin	eg
llibin	a
llin	eg
llychwin	a
megin	eb
mehefin	eg
meitin	eg
meithrin	be
melin	eb
min	eg
minfin	a

in

morlin	eg
pafin	eg
paraffîn	eg
peithin	eb
pen-lin	eb
penelin	ebg
pererin	eg
pin + pìn	ebg, ell
preimin	eg
priddin	a
prin	a, adf
pwdin	eg
rafin	eg
rigin	eg
robin	eg
rhesin	eg
rhibin	eg
rhin	eb
rhuddin	eg
sesbin	eg
setin	eg
sgrîn	eb
stondin	eg
tapin	eb
tin	eb
trawslin	eg
trin	be, eb
ymdrin	be
ysgrifbin	eg

inc

crinc	eg
chwinc	eg
eurbinc	eb
inc	eg
ji-binc	eb
linc	eb
pinc	a, ebg

inc

rhinc	eb
sinc	ebg
tinc	eg

ind

ffrind	eg

indr

silindr	eg

ins

fferins	ell
trimins	ell

ip

cip	eg
clip	eg
crip	ebg
cwrlip	eg
chwip	a, adf, eb
hip	eg
rhip	eg
sgip	eb
tip	eg
tiwlip	eg
trip	eg

ir

-ir: terfyniad berfol –
    cenir, etc.

adwaenir	bf
anghywir	a
anialdir	eg
anwir	a
arfordir	eg
blaendir	eg
brastir	eg
brodir	eb

ir

bryndir	eg
byddir	bf
canoldir	eg
caswir	a, eg
cefndir	eg
cefnir	a
clastir	eg
cleidir	eg
clir	a
coetir	eg
corstir	eg
crastir	eg
crindir	eg
culdir	eg
cyfandir	eg
cyffindir	eg
cytir	eg
cywir	a
deheudir	eg
deuir	bf
dienwir	a
diffeithdir	eg
dir	a
doldir	eg
dyffryndir	eg
fampir	eg
feidir	eb
garir	a
geirwir	a
genir	bf
glaswelltir	eg
grwndir	eg
gwastatir	eg
gweirdir	eg
gweundir	eg
gwir	a, eg
gylfinir	eg
heldir	eg

ir

hir	a
ir	a
iseldir	eg
maestir	eg
mariandir	eg
mawndir	eg
meinir	eb
milltir	eb
môr-filltir	eb
mynydd-dir	eg
peithdir	eg
pentir	eg
porfeldir	eg
rhandir	eg
rhostir	eg
saffir	eg
sgwir	eb
sinsir	eg
sir	eb
sychdir	eg
tir	eg
tondir	eg
twyndir	eg
tyndir	eg
ucheldir	eg

irf

gwirf	eg
tirf	a

is

cadis	eg
canolbris	eg
cis	eg
crocbris	eg
dewis	be, eg
dibris	a
dis	eg

is

ffris	eg
goris	ardd
gris	eb
gwsberis	ell
is	a, ardd, rhag
marblis	ell
marwfis	eg
megis	ardd, cys
mis	eg
mwclis	ell
palis	eg
piwis	a
powltis	eg
prentis	eg
pris	eg
tenis	eg
twndis	eg

isg

amwisg	eb
arfwisg	eb
arwisg	eb
brisg	eg
carcharwisg	eb
disg	eb
ffurfwisg	eb
gwenwisg	eb
gwisg	eb
penwisg	eb
plisg	ell
sachwisg	eb

isgl

rhisgl	eg

ist

amdrist	a
athrist	a

ist

cist	eb
cyfrdrist	a
dist	eg
ffrist	eg
pendist	eg
pendrist	a
priddgist	eg
sist	eg
trist	a

istl

chwistl	eb

istr

dinistr	eg
sinistr	a

it

-it: terfyniad berfol –
   canit a hefyd
   canasit, etc.

adnapit	bf
aethit	bf
buasit	bf
byddit	bf
cawsit	bf
chwit + chwît	a, eb
daethit	bf
delit	bf
deuit	bf
dylasit	bf
dylit	bf
elit	bf
elsit	bf
ffit	a
ffrit	a
gwnaethit	bf
gwnelit	bf

it		ith		iw	
gwnelsit	bf	plith	eg	lliw	eg
gwypit	bf	rhaglith	eb	llygliw	a
it	ardd	rhagrith	eg	minlliw	eg
oeddit	bf	rhith	eg	miw	eg
petasit	cys	tinchwith	a	peilliw	a
		traphlith	adf	piw	eg
ith		tryblith	eg	pygliw	a
adflith	eg	tryfrith	a	rhiw	eb
athrylith	eb	ymhlith	ardd	sgiw	eb
bendith	eb			sgriw	eb
blaenllith	eb	**ithr**		siw	eg
blith	a, eg	hylithr	a	stiw	eg
brith	a	llithr	eg	symudliw	a
cnith	eg	ysgithr	eg	triw	a
croglith	ebg			unlliw	a
cyflith	a	**iw**		ymliw	be, eg
cynflith	eg	affliw	eg		
cyrrith	a	amryliw	a	**iwb**	
chwith	a	anwiw	a	ciwb	eg
dadrith	eg	arlliw	eg	tiwb	eg
darlith	eb	briw	a, eg		
digyrrith	a	cigliw	a	**iwl**	
diragrith	a	ciw	eg	modiwl	eg
gwahanlith	eb	clodwiw	a	niwl	eg
gwenith	ell	criw	eg		
gwlith	eg	cyfliw	a	**iwn**	
gwreignith	eb	chwilfriw	a	tiwn	eb
llawchwith	a	chwiw	eb		
lledrith	eg	deuliw	a	**iwr**	
llefrith	eg	di-liw	a	piwr	a
lletchwith	a	dyfrlliw	a		
llith	ebg	ebediw	eg	**iws**	
manfrith	a	edliw	be	ffiws	eg
meddylrith	eg	eiliw	a, eg	piws	a
melwlith	eg	gorwiw	a		
melltith	eb	gwiw	a	**iwt**	
milrhith	eg	heddiw	adf	absoliwt	a
nith	eb	hyfriw	a	anterliwt	ebg
				ffliwt	eb

iwt

liwt	eb
siwt	eb

o

-o: terlyniad berfol—
    cano, etc.

abseilio	be
actio	be
adeinio	be
adfeilio	be
adforio	be
adfywio	be
adio	be
adleisio	be
adlifo	be
adnapo	bf
adneirio	be
adneuo	be
aduno	be
adweithio	be
adwyo	be
adysgrifo	be
addo	be
addurno	be
aelio	be
aerio	be
aflunio	be
afrosgo	a
affeithio	be
afforddio	be
anghofio	be
anghydsynio	be
anghymeradwyo	be
anghymwyso	be
anghysuro	be
anghytuno	be
ailaddurno	be
ailasio	be

o

ailbaentio	be
ailbrisio	be
ailbwytho	be
aildeipio	be
aildroedio	be
aildiwnio	be
ailddefnyddio	be
ailddeffro	be
ailddiffinio	be
ailddiwygio	be
ailddrafftio	be
ailddyfeisio	be
ailddylunio	be
ailddyweddïo	be
aileirio	be
ailegluro	be
ailesbonio	be
ail-lapio	be
ail-lawnsio	be
ail-lunio	be
ailfedyddio	be
ailfreinio	be
ailfywio	be
ailgloddio	be
ailgoncro	be
ailgydio	be
ailgyflwyno	be
ailgynllunio	be
ailgyweirio	be
ailgywiro	be
ail-lwybro	be
ail-lwytho	be
ailraddio	be
ailrifo	be
ailrwymo	be
ailrybuddio	be
ailstorio	be
ailstrwythuro	be

o

ailwampio	be
ailweindio	be
ailweirio	be
ailweithio	be
ailwirio	be
ailwisgo	be
ailwnïo	be
ailwobrwyo	be
ailwreiddio	be
ailymgeisio	be
ailymrwymo	be
ailymuno	be
ailyswirio	be
allforio	be
alltudio	be
amdano	ardd
amdo	eg
amdro	a, eg
amenio	be
amhuro	be
amhwyllo	be
amlapio	be
amliwio	be
amneidio	be
amorteiddio	be
amrantuno	be
amryfuso	be
amrywio	be
amsugno	be
amwisgo	be
andwyo	be
anelio	be
anesmwytho	be
anfoddio	be
anffurfio	be
anhuddo	be
anhwyluso	be
anifeileiddio	be

animeiddio	be
anobeithio	be
anrheithio	be
anturio	be
anurddo	be
anwylo	be
anwytho	be
anystwytho	be
apelio	be
apwyntio	be
aralleirio	be
arallgyfeirio	be
arbenigo	be
archifo	be
archwilio	be
ardystio	be
arddullio	be
areithio	be
arestio	be
arlunio	be
arlwyo	be
arlliwio	be
arno	ardd
arnofio	be
arogleuo	be
arswydo	be
arteithio	be
arthio	be
arwisgo	be
arwyddlunio	be
arwyddo	be
arwystlo	be
asgwrneiddio	be
asideiddio	be
asio	be
astudio	be
atgno	eg
atgofio	be

atgwympo	be
atgyweirio	be
ato	ardd
atomeiddio	be
atseinio	be
athro	eg
awdio	a
awffio	be
awtomeiddio	be
awyro	be
babaneiddio	be
babïo	be
bacio	be
baco	eg
bachdro	eg
bacho	be
baddo	be
baetio	be
bagio	be
balchïo	be
bambaruo	be
bancawio	be
bancio	be
barbareiddio	be
barbio	be
bargeinio	be
bario	be
barneisio	be
barro	be
barugo	be
batingo	be
batio	be
becso	be
bedyddio	be
begio	be
beicio	be
beichio	be
beiddio	be

beio	be
beiro	ebg
beisio	be
bendigo	be
bendithio	be
benthycio	be
betingo	be
betio	be
bidio	be
bihafio	be
bilio	be
bisweilio	be
biwbo	eg
blaengynllunio	be
blaenio	be
blagardio	be
blaguro	be
blasuso	be
blingo	be
blino	be
blocio	be
blodeuo	be
blodio	be
bloeddio	be
blotio	be
blysio	be
bo	bf, eg
bocsio	be
bochio	be
bodio	be
bodo	eb
boddio	be
bolaheulo	be
bolchwyddo	be
bolgno	eg
bolheulo	be
bolio	be
bolltio	be

bomio	be	brydio	be	calpio	be
bonclustio	be	brysio	be	callio	be
bondo	eg	buartho	be	camdeipio	be
bostio	be	budro	be	camdreiglo	be
bowlio	be	bugeilio	be	camdreulio	be
bownsio	be	bustlo	be	cam-dro	eg
bracso	be	bwcio	be	camdybio	be
bradlofruddio	be	bwlio	be	camddarlunio	be
bragaldio	be	bwydo	be	camddefnyddio	be
bragio	be	byclo	be	camfihafio	be
brandio	be	bydio	be	camffurfio	be
brasbwytho	be	byddino	be	camgoelio	be
braslunio	be	byddo	bf	camgyhuddo	be
brecio	be	bylchio	be	camliwio	be
breicheidio	be	byrddio	be	campio	be
breichio	be	byrnio	be	camsynio	be
breinio	be	byrstio	be	camwario	be
breintio	be	bysio	be	cancro	be
breisgio	be	bytheirio	be	caneitio	be
breuddwydio	be	bywlunio	be	canfasio	be
breuo	be	cabarddulio	be	canhwyllo	be
bricio	be	cabarlatsio	be	canibaleiddio	be
bridio	be	cadeirio	be	canolbwyntio	be
brifo	be	cadno	eg	canoneiddio	be
brigo	be	cadwyno	be	cantro	a
britho	be	caddugo	be	canwo	be
brithweithio	be	caethgludo	be	canwyro	be
briwlio	be	caethiwo	be	capio	be
briwio	be	cafnio	be	capsiwleiddio	be
bro	eb	caffio	be	carboneiddio	be
brodio	be	cafflo	be	carbwreiddio	be
brolio	be	caffo	bf	carco	be
brudio	be	cagio	be	cargo	eg
brwsio	be	caglo	be	cario	be
brwydo	be	calcio	be	carpio	be
brwydro	be	calcho	be	cartio	be
brwylio	be	calibro	be	castio	be
brwysgio	be	caloreiddio	be	catalogio	be

cawio	be	clensio	be	coegio	be
cawlio	be	clepio	be	coelio	be
cawsio	be	clercio	be	cofio	be
ceibio	be	clewtio	be	cofleidio	be
ceincio	be	clicio	be	cofftio	be
ceisio	be	clipio	be	coginio	be
celcio	be	clirio	be	cogio	be
celffeinio	be	clo	bf, eg	colbio	be
celwyddo	be	clocio	be	colero	be
cellweirio	be	clocsio	be	colio	be
cerfio	be	cloddio	be	coluro	be
cerflunio	be	cloffrwymo	be	compiwtereiddio	be
cernodio	be	cloigo	be	concro	be
ceseilio	be	cloncio	be	condemnio	be
ceseirio	be	clorio	be	conio	be
ceulo	be	closio	be	cono	eg
cibo	be	clownio	be	consurio	be
cicio	be	cludo	be	contractio	be
cigweinio	be	cluro	be	copideipio	be
cigyddio	be	clustfeinio	be	copïo	be
cildremio	be	clwcio	be	corcio	be
cilgwthio	be	clwydo	be	cornio	be
cilio	be	clwyfo	be	costio	be
cimychio	be	clybio	be	crabio	be
cinio	ebg	clytio	be	cracio	be
cipio	be	cneifio	be	crafangio	be
ciplunio	be	cneuo	be	crallo	eg
ciwbio	be	cnithio	be	crapio	be
ciwio	be	cno	eg	crawcio	be
clafeiddio	be	cnocio	be	crawnio	be
clampio	be	cnuchio	be	credo	ebg
clandro	be	cnulio	be	creiddio	be
clapio	be	cnydio	be	creinio	be
clatsio	be	coco	eg	creithio	be
cledro	be	cocsio	be	cremstio	be
cleio	be	codlo	be	crensio	be
cleisio	be	coedio	be	crewtio	be
clemio	be	coedwigo	be	cribddeilio	be

149

cribinio	be	cwrsio	be	cyfrifiaduro	be
cribo	be	cwsno	be	cyfrifo	be
crimpio	be	cwtio	be	cyfrwymo	be
crino	be	cwtsio	be	cyfrwyo	be
crio	be	cwyddo	be	cyfuno	be
cripio	be	cwympo	be	cyffeithio	be
croenio	be	cwyno	be	cyffglo	eg
croesbostio	be	cwyro	be	cyffinio	be
croesfridio	be	cwyso	be	cyffio	be
croesgyfeirio	be	cychio	be	cyffredino	be
croeshoelio	be	cydasio	be	cyffro	eg
croeso	eg	cydbwyso	be	cyffrydio	be
croniclo	be	cyd-deimlo	be	cynghreirio	be
cropio	be	cyd-deithio	be	cyhuddo	be
crosio	be	cydffurfio	be	cylchdro	eg
cruglwytho	be	cydgeisio	be	cylchfordwyo	be
crugo	be	cydgnawdio	be	cylchio	be
crwno	be	cydgordio	be	cyllido	be
crwydro	be	cydgreirio	be	cymeradwyo	be
crychio	be	cydgyfeirio	be	cymhwyso	be
crychneidio	be	cydio	be	cymreigeiddio	be
crydio	be	cydseinio	be	cymreigio	be
crygleisio	be	cydsynio	be	cymro	eg
cryndo	eg	cyduno	be	cymudo	be
cryno	a	cydweithio	be	cymuno	be
crythorio	be	cydymdeimlo	be	cynefino	be
cuchio	be	cydymffurfio	be	cynhinio	be
cuddio	be	cydystyrio	be	cynilo	be
curo	be	cyfarwyddo	be	cynio	be
cwafrio	be	cyfeilio	be	cyniweirio	be
cwafftio	be	cyfeirio	be	cynllunio	be
cwango	eg	cyfieuo	be	cynllwynio	be
cwato	be	cyfliwio	be	cynorthwyo	be
cwcwyo	be	cyflo	a	cyrnio	be
cwestio	be	cyflunio	be	cyseinio	be
cwffio	be	cyflwyno	be	cysidro	be
cwiltio	be	cyforio	be	cystuddio	be
cwlio	be	cyfreithio	be	cystwyo	be

cysuro	be
cytio	be
cytuno	be
cythruddo	be
cyweirio	be
cywilyddio	be
cywiro	be
cywreinio	be
chwalpio	be
chwiblo	be
chwidlo	be
chwifio	be
chwilfriwio	be
chwilio	be
chwimio	be
chwincio	be
chwipio	be
chwyddo	be
chwyldro	eg
chwyrlïo	be
dabio	be
dablo	be
dadanhuddo	be
dadbacio	be
dadbwytho	be
dad-ddocio	be
dad-ddyfrio	be
dadfario	be
dadfeilio	be
dadflino	be
dadflocio	be
dadfolltio	be
dadfwcio	be
dadlwytho	be
dadocsideiddio	be
dadorchuddio	be
dadreoleiddio	be
dadrithio	be

dadrolio	be
dadrwymo	be
dadsgriwio	be
daduno	be
dadweindio	be
dadweinio	be
dadwino	be
dadwisgo	be
dadwreiddio	be
dallgeibio	be
dallgopïo	be
damnio	be
damweinio	be
damwyno	be
dano	ardd
danto	be
darbwyllo	be
dargludo	be
dargopïo	be
dargyfeirio	be
darlithio	be
darlunio	be
darnguddio	be
darnio	be
datffrwyno	be
datglo	a
datgodio	be
datguddio	be
datseilio	be
datseinio	be
dawnsio	be
defnyddio	be
deffro	be
deifio	be
deilio	be
deillio	be
deinamo	eg
deintio	be

delio	be
delo	bf
delltio	be
democrateiddio	be
dewino	be
diawlio	be
dibriddo	be
dibrisio	be
dichelltro	eg
didaro	a
didroedio	be
diddwytho	be
dieithrio	be
dieneidio	be
dienyddio	be
difalio	a
difeio	be
diflino	a
difreinio	be
difrïo	be
difuddio	be
difurio	be
difwyno	be
difynio	be
diffeithio	be
diffinio	be
diffrwytho	be
diffurfdro	a
diffygio	be
digio	be
digornio	be
digriflunio	be
digroeso	a
digryno	a
diguro	a
digwyno	a
digyffro	a
diharffo	be

o

diheintio	be	donio	be	dyro	bf
diheuro	be	dotio	be	dysgubo	be
dihidio	a	dowcio	be	dyweddïo	be
dihidlo	be	drabio	be	ebillio	be
dihitio	a	drachtio	be	ebostio	be
dihuno	be	draenio	be	eco	eg
di-ildio	be	drafftio	be	edliwio	be
dinistrio	be	dragio	be	edwino	be
diolo	a	dramateiddio	be	efo + efô	ardd, rhag
dipio	be	dreigio	be	efrydio	be
diraddio	be	driblo	be	effeithio	be
dirisglo	be	drifftio	be	effro	a
dirprwyo	be	dringo	be	egino	be
dirwyo	be	drilio	be	egluro	be
dirywio	be	drosto	ardd	egnïo	be
disbeinio	be	drwgdybio	be	enghreifftio	be
disgleinio	be	drwyddo	ardd	ehudo	be
disgleirio	be	dryllio	be	eiconeiddio	be
disgrifio	be	duo	be	eiddo	eg, rhag
disio	be	durio	be	eidduno	be
distrywio	be	dwbio	be	eildro	eg
diswyddo	be	dwblglicio	be	eilio	be
ditio	be	dwrdio	be	eillio	be
diweddglo	eg	dwylo	ell	eitemeiddio	be
diweinio	be	dwyno	be	eithrio	be
diwreiddio	be	dwysbigo	be	elo	bf
diwrthdro	a	dwysfyfyrio	be	embargo	eg
diwygio	be	dwyso	be	encilio	be
diwyllio	be	dyddio	be	eneinio	be
diwyno	be	dyfeisio	be	enhuddo	be
diwyro	a	dyfrio	be	enllibio	be
do	adf	dyhuddo	be	enrhifo	be
dobio	be	dylifo	be	ensynio	be
docio	be	dylunio	be	epilio	be
dolio	be	dymuno	be	erddo	ardd
dolurio	be	dyneiddio	be	ergydio	be
domino	eg	dyrifo	he	esbonio	be
dondio	be	dyrnodio	be	esgeuluso	be

esgymuno	be	fflatio	be	garro	be
esmwytho	be	ffliwtio	be	gefeilio	be
estroneiddio	be	fflonsio	be	gefeillio	be
eto	adf, cys	fflworeiddio	be	geingio	be
euro	be	fflyrtio	be	geirdro	eg
ewino	be	ffo	eg	geirio	be
ewyllysio	be	ffondorio	be	genweirio	be
fandaleiddio	be	ffonio	be	gerwino	be
farneisio	be	ffonodio	be	gesio	be
fo	rhag	fforchio	be	gildio	be
fotio	be	fforio	be	glafoerio	be
fideo	eg	fformatio	be	glanio	be
ffabrigo	be	fformiwleiddio	be	glanweithio	be
ffacsio	be	ffosileiddio	be	glastwreiddio	be
ffafrio	be	ffoto	eg	glawio	be
ffagio	be	ffraeo	be	gleidio	be
ffaldio	be	fframio	be	glinio	be
ffaldyruo	be	ffrio	be	glo	eg
ffalsio	be	ffrwcsio	be	gludio	be
ffansïo	be	ffrwydro	be	go	adf
ffarmio	be	ffrwyno	be	gobeithio	be
ffarwelio	be	ffrwytho	be	gobiso	eg
ffatio	be	ffrydio	be	godro	be, eg
ffederaleiddio	be	ffugbasio	be	goduthio	be
ffedereiddio	be	ffugio	be	goddeithio	be
ffeilio	be	ffugliwio	be	gofidio	be
ffeindio	be	ffullio	be	gofwyo	be
ffeirio	be	ffurfio	be	gogleisio	be
ffensio	be	ffustio	be	gogwyddo	be
ffermio	be	ffwndro	be	gohirio	be
ffidlo	be	ffyrnigo	be	goleuo	be
ffieiddio	be	gado	be	gorbrisio	be
ffinio	be	galfaneiddio	be	gorbwysleisio	be
ffitio	be	galifantio	be	gorbwyso	be
ffiwsio	be	gamblo	be	gorchuddio	be
fflachio	be	gambo	ebg	gorchwylio	be
fflagio	be	ganddo	ardd	goreuro	be
fflamio	be	garddio	be	gorflino	be

gorffwyllo	be	gwegio	be	gwthio	be
gorffwyso	be	gweinio	be	gwydro	be
gorlifo	be	gweitio	be	gwyleiddio	be
gorliwio	be	gweithio	be	gwylio	be
gorlwytho	be	gwelleifio	be	gwylltio	be
gorstocio	be	gwenieithio	be	gwynio	be
goruchwylio	be	gwenwyno	be	gwyntio	be
gorwario	be	gwepio	be	gwyntyllio	be
gorweithio	be	gwerthuso	be	gwypo	bf
gorymdeithio	be	gwialenodio	be	gwyrddio	be
graddio	be	gwibio	be	gwyrdro	eg
graenio	be	gwichio	be	gwyro	be
gro	ell	gwieilio	be	gwysio	be
grugo	be	gwifrio	be	gwystlo	be
grwpio	be	gwingo	be	gwystno	be
grymuso	be	gwirio	be	gwywo	be
grynio	be	gwisgo	be	hacio	be
gwagio	be	gwlitho	be	haffio	be
gwalcio	be	gwnelo	bf	haldio	be
gwalio	be	gwnïo	be	halio	be
gwalteisio	be	gwobrwyo	be	hambygio	be
gwancio	be	gwrando	be	hapio	be
gwanio	be	gwreiddio	be	harneisio	be
gwanobeithio	be	gwrido	be	hawlio	be
gwanwyno	be	gwrteithio	be	hebddo	ardd
gwaradwyddo	be	gwrthbwyntio	be	heclo	be
gwareiddio	be	gwrthbwyso	be	hefo	ardd
gwario	be	gwrthchwyldro	eg	heibio	adf
gwarro	be	gwrthdaro	be	heicio	be
gwarthruddo	be	gwrthdro	eg	heidio	be
gwawchio	be	gwrthdystio	be	heigio	be
gwawdio	be	gwrthgilio	be	heintio	be
gwawdlunio	be	gwrthgloddio	be	hemio	be
gwawrio	be	gwrthneidio	be	heneiddio	be
gweddillio	be	gwrthuno	be	heno	adf
gweddïo	be	gwrthweithio	be	herfeiddio	be
gwedduso	be	gwrychio	be	herio	be
gwefreiddio	be	gwrymio	be	herwgipio	be

hesbio	be	hysbio	be	llabyddio	be
heulo	be	hysio	be	llacio	be
hicio	be	iddo	ardd	llachio	be
hidio	be	iengeiddio	be	llaethlo	eg
hidlo	be	ieuo	be	llafareiddio	be
hidroleiddio	be	igio	be	llafurio	be
hifio	be	ildio	be	llancio	be
hiffio	be	imiwnyddio	be	llarieiddio	be
hifflo	be	impio	be	llarpio	be
hilio	be	indemnio	be	llawcio	be
hindreulio	be	insiwleiddio	be	llawdio	be
hindro	be	integreiddio	be	llawio	be
hoelio	be	ireiddio	be	lledrithio	be
hoetio	be	iro	be	lledwyro	be
hofio	be	isathro	eg	lleibio	be
holmio	be	isgilio	be	lleinasio	be
holpio	be	israddio	be	lleisio	be
honcio	be	jac-y-do	eg	lleitho	be
honno	rhag	jamio	be	llelo	eg
hudo	be	jochio	be	llempio	be
huddo	be	jig-so	eg	llesio	be
hulio	be	labio	be	llesmeirio	be
hunanliwtio	be	labro	be	llesteirio	be
huno	be	lambastio	be	lletro	eg
hurio	be	lamineiddio	be	llidio	be
hurtio	be	lanlwytho	be	llifeirio	be
hwpio	be	lansio	be	llifio	be
hwrio	be	lapio	be	llifo	be
hwtio	be	lawnsio	be	llifoleuo	be
hwylfyrddio	be	lawrlwytho	be	llithio	be
hwylio	be	lefeinio	be	llithro	be
hwyluso	be	leinio	be	lliwio	be
hydreiddio	be	lembo	eg	llo	eg
hylifo	be	lempio	be	llocio	be
hypnoteiddio	be	lesio	be	llofruddio	be
hyrddio	be	lobïo	be	llongddryllio	be
hyrio	be	logo	eg	llongwrio	be
hyrwyddo	be	lordio	be	llorio	be

llowcio	be	matriciwleiddio	be	mowldio	be
lluchio	be	mecaneiddio	be	mudo	be
lluddio	be	mechnïo	be	mulo	be
llungopïo	be	megino	be	munudio	be
llunio	be	meiddio	be	murio	be
llurgunio	be	meimio	be	mwrnio	be
llusgo	be	meindio	be	mwstro	be
lluwchio	be	melltithio	be	mwydo	be
llwgrwobrwyo	be	mendio	be	mwydro	be
llwybreiddio	be	mentro	be	mwyglo	be
llwybro	be	merwino	be	mwyngloddio	be
llwydo	be	mesmereiddio	be	mwyneiddio	be
llwyddo	be	mesuro	be	mwytho	be
llwyo	be	metrigeiddio	be	myfyrio	be
llwytho	be	meudwyo	be	myllio	be
llychwino	be	mewnforio	be	mynegeio	be
llyffetheirio	be	mewnfudo	be	myrnio	be
llymeidio	be	mewnlifo	be	naddo	adf
llyo	be	migno	be	nawseiddio	be
llywio	be	mileinio	be	nawsio	be
mabolgampio	be	milwrio	be	neidio	be
machludo	be	minimeiddio	be	neilltuo	be
maelio	be	minio	be	nerco	eg
maeneiddio	be	mireinio	be	niclo	be
maentumio	be	mitsio	be	nithio	be
magneteiddio	be	moderneiddio	be	niweidio	be
magwyro	be	modiwlareiddio	be	niwlo	be
malio	be	modrwyo	be	niwtraleiddio	be
malurio	be	moduro	be	nofio	be
manlo	eg	mohono	ardd	nogio	be
manro	ell	mopio	be	noswylio	be
manteisio	be	mordeithio	be	nwyeiddio	be
mapio	be	mordwyo	be	nyrsio	be
marcio	be	morgeisio	be	o	ardd
marchio	be	morlywio	be	ochneidio	be
marsiandïo	be	morio	be	oelio	be
marweiddio	be	morlo	eg	ohono	ardd
masglo	be	morthwylio	be	ôl-ddyddio	be

ordeinio	be	pigo	be	powdro	be
osgo	eg	pilio	be	powlio	be
osio	be	pinbwyntio	be	prancio	be
pacio	be	pincio	be	preifateiddio	be
padlo	be	pinio	be	prenio	be
paentio	be	pinsio	be	prentisio	be
paffio	be	pirwetio	be	preswylio	be
paldaruo	be	piso	be, eg	pridio	be
pantio	be	pistyllio	be	priddo	be
papuro	be	pitïo	be	prifathro	eg
parasiwtio	be	pladuro	be	prif-ffrydio	be
parcio	be	plaenio	be	prifio	be
pardduo	be	plagio	be	printio	be
parleisio	be	plastro	be	prisio	be
parodïo	be	pledio	be	procio	be
pasio	be	pleidio	be	progio	be
pefrio	be	pleidleisio	be	proffwydo	be
pegio	be	plesio	be	protestio	be
peidio	be	pletio	be	pryfocio	be
peillio	be	plicio	be	prysuro	be
pendilio	be	plisgo	be	pupro	be
pendro	eb	plotio	be	pureiddio	be
penelino	be	plufio	be	puro	be
penio	be	pluo	be	puteinio	be
penlinio	be	plwyfo	be	pwffio	be
penydio	be	plycio	be	pwlpio	be
pereiddio	be	plygio	be	pwmpio	be
pererino	be	plymio	be	pwnio	be
perffeithio	be	poblogeiddio	be	pwtio	be
perfformio	be	poenydio	be	pwyllo	be
perswadio	be	poetsio	be	pwyntio	be
petruso	be	polareiddio	be	pwyo	be
peuo	be	ponsio	be	pwysleisio	be
piano	ebg	pontifficeiddio	be	pwyso	be
pibo	be	pontio	be	pwytho	be
pibyddio	be	postio	be	pyncio	be
picio	be	potio	be	pynio	be
piclo	be	potsio	be	radicaleiddio	be

o

radio	eg
rafio	be
ralïo	be
rapio	be
rasio	be
recordio	be
recriwtio	be
rolio	be
rhaffo	be
rhagarwyddo	be
rhagchwilio	be
rhagdybio	be
rhagddiffinio	be
rhagddo	ardd
rhagddyddio	be
rhagfyfyrio	be
rhag-gynllunio	be
rhaglunio	be
rhaglwytho	be
rhagrithio	be
rhagrybuddio	be
rhampio	be
rhapo	be
rhawio	be
rheibio	be
rhencio	be
rheoleiddio	be
rheweiddio	be
rhewlifo	be
rhibinio	be
rhicio	be
rhidyllio	be
rhifo	be
rhipio	be
rhisglo	be
rhithio	be
rho	bf
rhodio	be

o

rhofio	be
rholio	be
rhoncio	be
rhosfeuo	be
rhostio	be
rhuchio	be
rhuddo	be
rhuglo	be
rhuo	be
rhusio	be
rhuthro	be
rhwbio	be
rhwto	be
rhwydo	be
rhwydweithio	be
rhwyfo	be
rhwygo	be
rhwymo	be
rhwysgo	be
rhwystro	be
rhybedio	be
rhybuddio	be
rhydio	be
rhyddfreinio	be
rhyngddo	ardd
rhyngweithio	be
saco	be
sadio	be
saernïo	be
safnglo	eg
safnio	be
safnrwymo	be
salwino	be
sancteiddio	be
sarsio	be
sbario	be
sbeitio	be
sbïo	be

o

sbwylio	be
seibio	be
seiclo	be
seilio	be
seimio	be
seinio	be
seisnigeiddio	be
seisnigo	be
seithugio	be
selio	be
sensro	be
serio	be
sero	eg
setlo	be
sgamio	be
sganio	be
sgemio	be
sgïo	be
sgipio	be
sglaffio	be
sglefrfyrddio	be
sglefrholio	be
sglefrio	be
sgleinio	be
sgorio	be
sgramio	be
sgrinio	be
sgriptio	be
sgriwio	be
sgrolio	be
sgrwbio	be
sgwario	be
sgwrio	be
sgwrsio	be
siafio	be
siapio	be
siawnsio	be
siglo	be

o		o		o	
silio	be	swalpio	be	tasio	be
sïo	be	swatio	be	taslo	be
sioncio	be	swcro	be	tato	ell
sipio	be	swilio	be	teilo	be
siwglo	be	switsio	be	teilwrio	be
siwtio	be	swmpo	be	teimlo	be
slafio	be	swnio	be	teipio	be
sleifio	be	swyno	be	teisio	be
smalio	be	symio	be	teithio	be
smocio	be	symleiddio	be	temtio	be
smwddio	be	synfyfyrio	be	tendio	be
smyglo	be	synhwyro	be	tendro	be
sobreiddio	be	synio	be	teneuo	be
sodlo	be	sypio	be	ticio	be
sodro	be	sypynio	be	tidmwyo	be
staenio	be	syrffio	be	tido	be
staffio	be	syrthio	be	tindro	eb
stampio	be	taclo	be	tirlunio	be
sterileiddio	be	tacluso	be	tirio	be
stidio	be	taflunio	be	tiwnio	be
stigmateiddio	be	tagio	be	to	eg
stiwardio	be	tameidio	be	tocio	be
stilio	be	tampio	be	tolcio	be
stiwdio	eb	tanasio	be	tolio	be
stocio	be	tanbeidio	be	torheulo	be
stompio	be	tancio	be	tostio	be
stopio	be	tangloddio	be	tosturio	be
storio	be	tanio	be	tracio	be
straenio	be	tano	ardd	trafaelio	be
strancio	be	tanseilio	be	trafriwio	be
streicio	be	tansuddo	be	trallwyso	be
strwythuro	be	tantio	be	tramgwyddo	be
stwmpio	be	tantro	be	trampio	be
stwnsio	be	tanysgrifio	be	tramwyo	be
suddo	be	tapio	be	trapio	be
sugno	be	tapro	be	trawsfudo	be
suo	be	tario	be	trawsffurfio	be
suro	be	taro	be, eg	trawsgludo	be

o

trawsgyfeirio	be	twlcio	be	ymdaro	be
trawsgyweirio	be	twmlo	be	ymdeimlo	be
trawslifio	be	twrio	be	ymdeithio	be
trawswyro	be	twtio	be	ymdreiglo	be
treiddio	be	twyllo	be	ymdrwsio	be
treiglo	be	twymo	be	ymdwymo	be
treillio	be	tybaco	eg	ymddieithrio	be
treio	be	tybio	be	ymddigrifo	be
treisio	be	tycio	be	ymddiheuro	be
tremio	be	tylino	be	ymddiswyddo	be
tresio	be	tyndro	eg	ymegnïo	be
treulio	be	tyno	eg	ymfalchïo	be
trigo	be	tyrfo	be	ymfudo	be
trimio	be	tystio	be	ymfyddino	be
trio	be	tystysgrifo	be	ymffrostio	be
tripio	be	udo	be	ymffyrnigo	be
tro	a, bf, eg	uno	be	ymgeisio	be
troedio	be	unto	a	ymgilio	be
trolio	be	urddo	be	ymglwyfo	be
trosglwyddo	be	uwchraddio	be	ymgomio	be
trosleisio	be	waldio	be	ymgreinio	be
trosto	ardd	walio	be	ymgripio	be
trosysgrifo	be	walpio	be	ymguddio	be
trullio	be	waltsio	be	ymgurio	be
truthio	be	weindio	be	ymgydio	be
trwblo	be	weirio	be	ymgyfarwyddo	be
trwco	be	wfftio	be	ymgyfuno	be
trwsio	be	whado	be	ymgynghreirio	be
trwyddo	ardd	witsio	be	ymgynefino	be
trwyno	be	wrtho	ardd	ymgysuro	be
trwytho	be	wylo	be	ymgythruddo	be
tryhidlo	be	ymado	be	ymgyweirio	be
trylifo	be	ymbleidio	be	ymheulo	be
trympio	be	ymbincio	be	ymlacio	be
trystio	be	ymbrelo	eg	ymlafnio	be
turio	be	ymbwyllo	be	ymlafurio	be
turnio	be	ymchwilio	be	ymliwio	he
tuthio	be	ymchwyddo	be	ymlusgo	be

160

o

ymlwybro	be
ymneilltuo	be
ymofidio	be
ymprydio	be
ymrafaelio	be
ymrithio	be
ymrwyfo	be
ymrwymo	be
ymsuddo	be
ymswyno	be
ymsynio	be
ymuno	be
ymwisgo	be
ymwrando	be
ymwthio	be
ymwyleiddio	be
ymwylltio	be
ynddo	ardd
yno	adf
ysbarduno	be
ysbeilio	be
ysbïo	be
ysboncio	be
ysgeintio	be
ysglyfio	be
ysgraffinio	be
ysgrydio	be
ysgubo	be
ysguborio	be
ysgwyddo	be
ysgymuno	be
ysgytio	be
ysigo	be
ystido	be
ystumio	be
ystwytho	be
ystyfnigo	be
yswirio	be

ob

ob

archesgob	eg
cob	ebg
dob	eg
esgob	eg
glôb	eb
gwardrob	ebg
hanerob	eb
hob	eg
horob	eb
lob	eg
pob	a
rhiwbob	eg

obl

pobl	eb
nobl	a
sinobl	a

obr

gwobr	eb
sobr	a

oc

bloc	eg
broc	a, eg
cloc	eg
cnoc	eb
doc	eg
lloc	eg
ploc	eg
proc	eg
sioc	eg
stoc	eb
strôc	eb
toc	a, adf, eg

ocr

ocr	eg

ocs

ocs

bocs	eg
clocs	ell
cocs	ell

och

-och: terfyniad berfol
 – canoch a hefyd
 canasoch, etc.

adnabuoch	bf
adnapoch	bf
adwaenoch	bf
aethoch	bf
amdanoch	ardd
arnoch	ardd
atoch	ardd
boch	bf, eb
bochgoch	a
broch	a, eg
brongoch	eb
buoch	bf
byddoch	bf
caffoch	bf
canfuoch	bf
cawsoch	bf
cloch	eb
coch	a
coesgoch	a, eg
cringoch	a
croch	a
cydnabuoch	bf
cyfarfuoch	bf
daearfoch	ell
daethoch	bf
danoch	ardd
darfuoch	bf
darganfuoch	bf
deloch	bf

och

drosoch	ardd
drwoch	ardd
dyhuddgloch	eb
eiddoch	rhag
eloch	bf
eroch	ardd
fflamgoch	a
ffloch	eb
ffroch	a
glasgoch	a
gorfuoch	bf
gwaetgoch	a
gwnaethoch	bf
gwneloch	bf
gwritgoch	a
gwybuoch	bf
gwyddoch	bf
gwyngoch	a
gwypoch	bf
heboch	ardd
joch	eg
llawgoch	a
melyngoch	a
moch	ell
mohonoch	ardd
ohonoch	ardd
rhagoch	ardd
rhoch	eg
rhuddgoch	a
rhyngoch	ardd
tanoch	ardd
torgoch	eg
troch	ab
trosoch	ardd
trwoch	ardd
ynoch	ardd

ochi

ochl

cochl	eb

ochr

cyfochr	a
ochr	eb
pumochr	eg

od

abwydod	ell
achlod	eb
adnabod	be
adnod	eb
adynod	ell
addod	eg
aelod	eg
angenfilod	ell
anghlod	eg
anghydfod	eg
amharod	a
amhwylltod	eg
amod	ebg
anafdod	eg
anheddfod	eb
anhwylustod	eg
anhynod	a
annatod	a
annheilyngdod	eg
annibendod	eg
anorfod	a
anufudd-dod	eg
anwybod	eg
anymwybod	eg
arfod	eb
arwyddnod	eg
asennod	ell
asglod	ell
asynnod	ell

od

atalnod	eg
athrod	eg
awdurdod	eg
babandod	eg
babanod	ell
bachgendod	eg
baeddod	ell
bannod	eb
banwesod	ell
barclod	eg
barcutanod	ell
bargod	eg
basgychod	ell
bedlamod	ell
beddrod	eg
benywod	ell
blaenddod	eg
bleiddianod	ell
blychod	ell
bod	be, ebg
bodaod	ell
boncathod	ell
brastod	eg
brechod	ell
brigystod	eb
brithyllod	ell
brochod	ell
bronrhuddogod	ell
bronrhuddynnod	ell
brychanod	ell
bualod	ell
buchod	ell
budrchwilod	ell
burgynnod	ell
bwbachod	ell
bwcïod	ell
bwganod	ell
bwlaod	ell

od

bwlïod	ell
bwncathod	ell
bwyellod	eb
bwystfildod	eg
bwystfilod	ell
bychod	ell
byddardod	eg
byrfychod	ell
bythod	ell
bythynnod	ell
caeriyrchod	ell
cafod	eb
caglennod	ell
camelod	ell
camosod	be
canfod	be
cardod	eb
carennod	ell
carlymod	ell
casnod	ell
cathod	ell
cawcïod	ell
cawod	eb
cawrfilod	ell
cecrennod	ell
cecrynnod	ell
ceiliogod	ell
ceinachod	ell
cernod	eb
ceudod	eg
cidymod	ell
cidysod	ell
clebarddod	ell
clebrennod	ell
clebrynnod	ell
cleddyfod	eg
clercod	ell
climachod	ell

od

clod	eg
clustod	eb
clwpaod	ell
cod	bf, eb
coegennod	ell
coegynnod	ell
cofnod	eg
colomennod	ell
colwynod	ell
collnod	eg
conynnod	ell
copynnod	ell
corachod	ell
corffilod	ell
cornicyllod	ell
corrod	ell
corynnod	ell
crancod	ell
crehyrod	ell
crincod	ell
cropaod	ell
crotennod	ell
crwbanod	ell
crwcaod	ell
crwmanod	ell
crychnod	eg
cryndod	eg
cudyllod	ell
curyllod	ell
cwcwalltod	ell
cwcŵod	ell
cwlingod	ell
cwningod	ell
cwrcathod	ell
cwrcynnod	ell
cwympod	eg
cybydd-dod	eg
cychod	ell

od

cydfod	eg
cydhanfod	eg
cydnabod	be, eg
cydwybod	eb
cyfamod	eg
cyfanfod	eg
cyfarfod	be, eg
cyfeirnod	eg
cyfernod	eg
cyfnod	eg
cyfosod	be, eg
cyfflogod	ell
cyffodennod	ell
cymanod	ell
cymhendod	eg
cymhlethdod	eg
cymod	eg
cymreictod	eg
cyplysnod	eg
cyrchnod	eg
cysgod	eg
cysylltnod	eg
cyweirnod	eg
cywennod	ell
cywreindod	eg
chwaldod	eg
chwerwdod	eg
chwilerod	ell
chwilod	ell
chwithdod	eg
chwysigod	ell
dalfod	eg
dannod	be
darbod	be
darfod	be
darganfod	be
datod	be
defod	eb

od

deincod	eg
deintrod	eb
diamod	a
diannod	a
diarwybod	a
dibechod	a
dibendrawdod	eg
dibriod	a
dibristod	eg
didolnod	eg
diddarfod	a
dieflynnod	ell
diflastod	eg
difrod	eg
digysgod	a
dihirod	ell
dinod	a
diod	eb
dirfod	eg
dirnabod	be
disberod	a, eg
disyndod	a
diweddnod	eg
diwrnod	eg
diwybod	a
diymod	a
diymwybod	a
dod	be
dofednod	ell
draenogod	ell
drewdod	eg
drywod	ell
duwdod	eg
dyfod	be
dyfynnod	eg
dygymod	be
dyndod	eg
dyrnod	eg

od

ebychnod	eg
edlychod	ell
ednod	ell
eilunod	ell
eisteddfod	eb
electrod	eg
eliffantod	ell
elwlod	ell
ellynnod	ell
epaod	ell
erthylod	ell
eryrod	ell
esgeulustod	eg
estyllod	ell
ewachod	ell
ewigod	ell
ewythrod	ell
fampirod	ell
ffagod	eb
fferdod	eg
ffesantod	ell
ffieidd-dod	eg
ffloringod	ell
ffologod	ell
ffonnod	eb
ffrancod	ell
ffregod	eb
ffritynnod	ell
ffyrlingod	ell
ffyrllingod	ell
gafrewigod	ell
gafrod	ell
garanod	ell
gelachod	ell
gelenod	ell
gelod	ell
genethod	ell
gïachod	ell

od

glaslencyndod	ell
gloynnod	ell
gofod	eg
gofynnod	eg
gollyngdod	eg
gorddod	eb
gorfod	be, eg
gormod	a, adf, eg
gorwahannod	eg
gorynnod	ell
gosod	a, be
gresyndod	eg
gwactod	eg
gwaddod	eg, ell
gwaelod	eg
gwagnod	eg
gwahannod	eg
gwallnod	eg
gwarchod	be
gwarthnod	eg
gwasgod	eb
gwasod	a, eg
gweddrod	ell
gweddwdod	eg
gwencïod	ell
gwerindod	eg
gwialennod	eb, ell
gwiberod	ell
gwidŵod	ell
gwirod	eg
gwiwdod	eg
gwiwellod	ell
gwiwerod	ell
gwrachennod	ell
gwrachod	ell
gwrthod	be
gwrthosod	be
gwrthymosod	be

od

gwrywdod	eg
gwrywod	ell
gwyachod	ell
gwybod	be, eg
gwyddfod	eg
gwyfod	ell
gwyfynod	ell
gwylanod	ell
gwylogod	ell
gwyryfdod	eg
gylfinod	ell
hafod	eb
hanfod	be, eg
hapnod	eg
hatlingod	ell
heffrod	ell
heislanod	ell
hergod	eg
hesbinod	ell
hesbinychod	ell
hirnod	eg
hoedennod	ell
holnod	eg
hucanod	ell
hulpod	ell
hurtynnod	ell
hŵanod	ell
hwylustod	eg
hychod	ell
hyddod	ell
hyglod	a
hylltod	eg
hynod	a
hyrddod	ell
iod	eg
iolod	ell
isod	adf
isymwybod	eg

od

iyrchesod	ell
iyrchod	ell
ji-bincod	ell
lefrod	ell
llabïod	ell
llaesod	eb
llebanod	ell
lledod	ell
llefrithod	ell
lleianod	ell
llencyndod	eg
llercynnod	ell
lletchwithdod	eg
llewod	ell
llinosod	ell
lliprynnod	ell
llofnod	eg
llonnod	eg
llostlydanod	ell
llutrod	eg
llwynogod	ell
llydnod	ell
llyfrithennod	ell
llyfrnod	eg
llyfrothennod	ell
llyffantod	ell
llygod	ell
llyswennod	ell
llythyrnod	eg
mabandod	eb
mabanod	ell
madfallod	ell
maceiod	ell
madrondod	eg
magïod	ell
maldod	eg
malwod	ell
malltod	eg

od

manod	eg
meddalnod	eg
meddwdod	eg
meilartod	ell
menywod	ell
merlod	ell
merlynnod	ell
merthyrdod	eg
merwindod	eg
meudwyod	ell
milod	ell
miod	ell
misglod	ell
morfilod	ell
morgrancod	ell
môr-hychod	ell
morwyndod	eg
mudandod	eg
mudanod	ell
mulod	ell
murddunod	ell
mursendod	eg
mursennod	ell
mwncïod	ell
mwyalchod	ell
mwydod	ell
myctod	eg
myfyrdod	eg
mynachod	ell
mynnod	ell
nionod	ell
nod	ebg
nychdod	eg
nythod	ell
od + ôd	a, cys, eg
palfod	eb
palod	ell
parod	a

od

pasteiod	ell
pechod	eg
pefrennod	ell
peillgod	eb
penchwibandod	eg
pendrondod	eg
pendduynnod	ell
pennod	eb
penstandod	eg
pensyfrdandod	eg
pensyndod	eb
penysgafndod	eg
pererindod	eb
petrisod	ell
peunod	ell
pibgod	eb
pilcod	ell
pincod	ell
pïod	ell
pistyllod	ell
piwod	ell
plentyndod	eg
plorod	ell
plorynnod	ell
poendod	eg
preswylfod	eg
priod	a, ebg
prydeindod	eg
pwdrod	ell
pwlffod	ell
pysgod	ell
rhagddarbod	be, eg
rhagod	be, eg
rhampennod	ell
rhechod	ell
rhigod	eg
rhod	eb
rhosod	ell

od

rhyfeddnod	eg
rhyfeddod	eg
rhyndod	eg
saethnod	eg
segurdod	eg
seithuctod	eg
selsigod	ell
sgrafellod	ell
sguthanod	ell
simachod	ell
slafdod	eg
smaldod	eg
sorod	ell
stoncennod	ell
stwcennod	ell
stwcynnod	ell
swganod	ell
swildod	eg
syfrdandod	eg
symlogennod	ell
symlynnod	ell
syndod	eg
synfyfyrdod	eg
tadmaethod	ell
taflod	eb
tafod	eg
tawnod	eg
teigrod	ell
teilyngdod	eg
teisennod	ell
tinllachod	ell
torogod	ell
trafod	be
trallod	eg
trindod	eb
trogod	ell
trybestod	eg
trychfilod	ell

od

twcaod	ell
twpsod	ell
twpsynnod	ell
twrcïod	ell
twrneiod	ell
tyddynnod	ell
tylluanod	ell
tyrchod	ell
tywod	ell
uchod	adf
ufudd-dod	eg
undod	eg
wermod	eb
wnionod	ell
ymddatod	be
ymgydfod	be
ymgydnabod	be
ymollyngdod	eg
ymosod	be
ymwrthod	be
ymylnod	eg
ysgogynnod	ell
ysgolheictod	eg
ysgyfarnogod	ell
ysgymundod	eg
ysictod	eg
ystlumod	ell
ystod	eb
ystyllod	ell

odl

codl	eb
di-odl	a
odl	eb
prifodl	eb
rhodl	eb
unodl	a

odr

odr

callodr	ell
llaesodr	eb
sodr	eg

odd

-odd: terfyniad berfol
 – canodd, etc.

adlodd	eg
adnodd	eg
adrodd	be
ailadrodd	be
amryfodd	a
anfodd	eg
anodd	a
arnodd	ebg
bodd	eg
byrfodd	eg
cafodd	bf
camfodd	eg
cnodd	bf
cofrodd	eb
crynhodd	bf
cydadrodd	be
cydrodd	eb
cyffrôdd	bf
cymynrodd	eb
dadmodd	eg
dannodd	eb
danodd	adf
datglôdd	bf
deffrôdd	bf
diffodd	be
drosodd	adf
drwodd	adf
ffodd	bf
gormodd	a, adf
gwahodd	a, be, eg

odd

gweirglodd	eb
gwirfodd	eg
hyfodd	a
llawrodd	eb
modd	eg
nodd	eg
paratôdd	bf
rhagymadrodd	eg
rhodd	bf, eb
rhywfodd	adf
tanodd	adf
trodd	bf
trosodd	adf
trwodd	adf
ymadrodd	eg

oddf

oddf	eg

oe

doe	eg
ddoe	adf
echdoe	adf, eg
hoe	eb
noe	eb
sioe	eb

oech

cloech	bf
cnoech	bf
crynhoech	bf
cyffroech	bf
datgloech	bf
deffroech	bf
doech	bf
ffoech	bf
paratoech	bf
rhoech	bf
troech	bf

oed

oed

argoed	ell
boed	bf
byrgoed	ell
cantroed	a, eg
cloed	bf
cnoed	bf
coed	ell
crynhoed	bf
cydoed	a, eg
cyfandroed	a, eg
cyfoed	a, eg
cyffroed	bf
datgloed	bf
deffroed	bf
derwgoed	ell
di-oed	a
doed	bf
drysgoed	eg
erioed	adf
ffleimgoed	eb
ffoed	bf
glasgoed	ell
glasoed	eg
henoed	eg
ieuangoed	eg
ieuengoed	eg
maboed	eg
oed	eg
paratoed	bf
prysgoed	ell
rhoed	bf
troed	bf, ebg
unoed	a

oedl

hoedl	eb

oedd		brawdlysoedd	ell	coedd	a
aberoedd	ell	breinllysoedd	ell	coetiroedd	ell
achlinoedd	ell	brenhinoedd	ell	corffluoedd	ell
achoedd	ell	breoedd	ell	corstiroedd	ell
adlifoedd	ell	brodiroedd	ell	corwyntoedd	ell
aeloedd	ell	bruoedd	ell	crastiroedd	ell
agorfaoedd	ell	bryndiroedd	ell	creigleoedd	ell
angheuoedd	ell	bwtrïoedd	ell	creirfaoedd	ell
amgylchoedd	ell	bwydgelloedd	ell	crindiroedd	ell
amniferoedd	ell	bydoedd	ell	croeswyntoedd	ell
amseroedd	ell	byddinoedd	ell	cromgelloedd	ell
amwisgoedd	ell	cadarnleoedd	ell	cryngylchoedd	ell
analluoedd	ell	cadlysoedd	ell	crynfydoedd	ell
anialdiroedd	ell	cadoedd	ell	cuddleoedd	ell
annhymeroedd	ell	caeadleoedd	ell	culdiroedd	ell
anweoedd	ell	campfaoedd	ell	culfaoedd	ell
archfarchnadoedd	ell	cannoedd	ell	culforoedd	ell
ardaloedd	ell	canoldiroedd	ell	cwmnïoedd	ell
arfordiroedd	ell	canrifoedd	ell	cwmpasoedd	ell
arfwisgoedd	ell	cantoedd	ell	cyfamseroedd	ell
arwisgoedd	ell	canuoedd	ell	cyfandiroedd	ell
athrofaoedd	ell	carcharwisgoedd	ell	cyfaneddleoedd	ell
athrylithoedd	ell	cartrefleoedd	ell	cyfanforoedd	ell
baslynnoedd	ell	cedoedd	ell	cyfleoedd	ell
bastardieithoedd	ell	cefnderoedd	ell	cyfnerthoedd	ell
beddgelloedd	ell	cefndiroedd	ell	cyfnewidfaoedd	ell
beisfaoedd	ell	cefnforoedd	ell	cyfniferoedd	ell
beisforoedd	ell	cellïoedd	ell	cyfnitheroedd	ell
beisleoedd	ell	celloedd	ell	cyfrinfaoedd	ell
bingoedd	ell	cenhedloedd	ell	cyffindiroedd	ell
blaendiroedd	ell	ceuleoedd	ell	cyhoedd	a, eg
blaenfyddinoedd	ell	cigfaoedd	ell	cylchfaoedd	ell
blaenllithoedd	ell	cigoedd	ell	cylchoedd	ell
blinderoedd	ell	claddgelloedd	ell	cyllidfaoedd	ell
bloedd	eb	clastiroedd	ell	cymanfaoedd	ell
blynyddoedd	ell	cleidiroedd	ell	cymdeithasfaoedd	ell
bratieithoedd	ell	cnodweoedd	ell	cymoedd	ell
brawdleoedd	ell	coedwigoedd	ell	cynoesoedd	ell

oedd

cynulleidfaoedd	ell
cyrchleoedd	ell
cyrchoedd	ell
cysegrleoedd	ell
cysegroedd	ell
cytiroedd	ell
chwaoedd	ell
chwydfaoedd	ell
daeargelloedd	ell
daearoedd	ell
dalgylchoedd	ell
dannoedd	eb
darlithoedd	ell
deheudiroedd	ell
deheuwyntoedd	ell
deintyddfaoedd	ell
deufeloedd	ell
deuoedd	eg
diadelloedd	ell
diargyhoedd	a
diffeithdiroedd	ell
dinasoedd	ell
dinistroedd	ell
diodlynnoedd	ell
dirgelfaoedd	ell
doldiroedd	ell
drycinoedd	ell
duroedd	ell
dwyreinwyntoedd	ell
dyfnderoedd	ell
dyfroedd	ell
dyffryndiroedd	ell
dyffrynnoedd	ell
efrydfaoedd	ell
ehedfaoedd	ell
eisteddleoedd	ell
eithafoedd	ell
entrychoedd	ell

oedd

feidiroedd	ell
festrïoedd	ell
ffatrïoedd	ell
ffioedd	ell
fflydoedd	ell
ffriddoedd	ell
ffrydlifoedd	ell
ffurfwisgoedd	ell
ffyngoedd	ell
galluoedd	ell
geirfaoedd	ell
geneuforoedd	ell
glaswelltiroedd	ell
glynnoedd	ell
gobeithluoedd	ell
goludoedd	ell
gorffwysfaoedd	ell
gorffwysleoedd	ell
gorsafoedd	ell
gorseddfaoedd	ell
gorweddfaoedd	ell
gorweddleoedd	ell
gorynysoedd	ell
gosgorddluoedd	ell
greoedd	ell
grifftoedd	ell
grymoedd	ell
gwagleoedd	ell
gwarantoedd	ell
gwarchodluoedd	ell
gwastadoedd	ell
gwastatiroedd	ell
gweddoedd	ell
gweirdiroedd	ell
gweithleoedd	ell
gweithluoedd	ell
gweithredoedd	ell
gwenwisgoedd	ell

oedd

gweoedd	ell
gwerinoedd	ell
gwernlleoedd	ell
gwersyllfaoedd	ell
gwersylloedd	ell
gwerthoedd	ell
gwerthydoedd	ell
gweundiroedd	ell
gwigfaoedd	ell
gwigoedd	ell
gwinllannoedd	ell
gwinoedd	ell
gwisgoedd	ell
gwladychfaoedd	ell
gwleddoedd	ell
gwlithoedd	ell
gwreignithoedd	ell
gwrhydoedd	ell
gwrthryfeloedd	ell
gwrthwyntoedd	ell
gwrychoedd	ell
gwryfoedd	ell
gwyntoedd	ell
gyrfaoedd	ell
gyrroedd	ell
gyrwyntoedd	ell
hanoedd	bf
heddluoedd	ell
heldiroedd	ell
heldrinoedd	ell
hirgylchoedd	ell
hydoedd	ell
hyntoedd	ell
hyrddwyntoedd	ell
ieithoedd	ell
ieuoedd	ell
ingoedd	ell
iseldiroedd	ell

oedd

llafurluoedd	ell
llaweroedd	all, ell
llawryfoedd	ell
llengoedd	ell
lleiafrifoedd	ell
lleoedd	ell
llifddyfroedd	ell
llithoedd	ell
lluestfaoedd	ell
lluoedd	ell
lluwchwyntoedd	ell
llyfrgelloedd	ell
llynnoedd	ell
llysoedd	ell
maestiroedd	ell
maethfaoedd	ell
maethleoedd	ell
magwrfaoedd	ell
mamddinasoedd	ell
mamieithoedd	ell
mantelloedd	ell
marchluoedd	ell
marchnadoedd	ell
marchogluoedd	ell
marwfisoedd	ell
mawndiroedd	ell
meddyglynnoedd	ell
meinforoedd	ell
meinweoedd	ell
meistradoedd	ell
meithrinfaoedd	ell
merddyfroedd	ell
merllynnoedd	ell
meteloedd	ell
mignoedd	ell
miloedd	ell
milltiroedd	ell
minteioedd	ell

oedd

misoedd	ell
môr-filltiroedd	ell
môr-lynnoedd	ell
moroedd	ell
myfyrgelloedd	ell
mynydd-diroedd	ell
mynyddoedd	ell
nadroedd	ell
nefoedd	eb
nennoedd	ell
nerthoedd	ell
newidfaoedd	ell
niferoedd	ell
nithoedd	ell
niwloedd	ell
nythfaoedd	ell
nythleoedd	ell
oedd	bf
oergelloedd	ell
oesoedd	ell
palasoedd	ell
pantleoedd	ell
pedryfannoedd	ell
peithdiroedd	ell
pellafoedd	ell
pellteroedd	ell
pencadlysoedd	ell
penelinoedd	ell
penrhynnoedd	ell
pentiroedd	ell
penwisgoedd	ell
penydfaoedd	ell
peuoedd	ell
pioedd	bf
pistylloedd	ell
pobloedd	ell
poenfaoedd	ell
poethwyntoedd	ell

oedd

porfaoedd	ell
porfeldiroedd	ell
porfeloedd	ell
porthladdoedd	ell
prifddinasoedd	ell
prisoedd	ell
punnoedd	ell
pweroedd	ell
pysgodlynnoedd	ell
rhaglengelloedd	ell
rhaglithoedd	ell
rhandiroedd	ell
rhengoedd	ell
rhewgelloedd	ell
rhewyntoedd	ell
rhodleoedd	ell
rhostiroedd	ell
rhusoedd	ell
rhyfelgrïoedd	ell
rhyfelgyrchoedd	ell
rhyfeloedd	ell
sachwisgoedd	ell
safleoedd	ell
sefyllfaoedd	ell
setinoedd	ell
silffoedd	ell
siroedd	ell
strydoedd	ell
sychdiroedd	ell
tafodieithoedd	ell
taloedd	ell
tanchwaoedd	ell
tarddleoedd	ell
tarthoedd	ell
tasgluoedd	ell
terfysgoedd	ell
teuluoedd	ell
teyrnasoedd	ell

oedd

timoedd	ell
tiroedd	ell
torddyfroedd	ell
treisgyrchoedd	ell
tribiwnlysoedd	ell
trigleoedd	ell
trinoedd	ell
trioedd	ell
troedleoedd	ell
troellwyntoedd	ell
trowyntoedd	ell
tryblithoedd	ell
trysorlysoedd	ell
twyndiroedd	ell
tymhestloedd	ell
tyrfaoedd	ell
ucheldiroedd	ell
wygelloedd	ell
wynebwerthoedd	ell
ydlannoedd	ell
ydoedd	bf
ymgyrchoedd	ell
ymysgaroedd	ell
ynysforoedd	ell
ynysoedd	ell
ysbrydoedd	ell
ysgarmesoedd	ell
ystafelloedd	ell

oeg

coeg	a
genau-goeg	eb
groeg	a, ebg
soeg	eg

oel

anhygoel	a
argoel	eb

oel

coel	eb
hoel	eb
hygoel	a
moel	a, eb
oel	eg
ofergoel	eb
penfoel	a

oem

cloem	bf
cnoem	bf
crynhoem	bf
cyffroem	bf
datgloem	bf
deffroem	bf
doem	bf
ffoem	bf
paratoem	bf
rhoem	bf
troem	bf

oen

blaengroen	eg
cingroen	eb
croen	eg
cyfoen	a
diboen	a
dirboen	eb
ffroen	eb
hoen	eg
llaethoen	eg
marwgroen	eg
oen	eg
poen	ebg
rhuglgroen	eg

oent

cloent	bf
cnoent	bf

oent

crynhoent	bf
cyffroent	bf
datgloent	bf
deffroent	bf
doent	bf
ffoent	bf
paratoent	bf
rhoent	bf
troent	bf

oer

blaenlloer	eb
canlloer	eb
carnboer	eg
cefnlloer	ebg
cloer	bf, eg
cnoer	bf
cornboer	eg
crachboer	eg
crynhoer	bf
cyffroer	bf
datgloer	bf
deffroer	bf
doer	bf
ffoer	bf
glafoer	eg
glasoer	a
göoer	a
gwenlloer	eb
iasoer	a
lloer	eb
llugoer	a
newyddloer	eb
oer	a
paratoer	bf
poer	eg
rhoer	bf
troer	bf

oes

oes

anfoes	eb
berroes	eb
blodeugoes	eg
broes	eg
cloes	bf
cnoes	bf
coes	ebg
coesgroes	a
croes	a, eb
croesymgroes	a
crynhoes	bf
cyfoes	a, eg
cyffroes	bf
cynnoes	eb
cytgroes	a
datgloes	bf
deffroes	bf
difoes	a
duloes	eb
egroes	ell
einioes	eb
eisoes	adf
ffoes	bf
ffroes	ell
gloes	eb
gylfingroes	eg
loes	eb
llygatgroes	a
llyncoes	eg
moes	bf, eb
oes	bf, eb
paratoes	bf
rhoes	bf
surdoes	eg
toes	eg
troes	bf
ungoes	a

oesg

oesg

bloesg	a
difloesg	a

oest

proest	eg

oeth

annoeth	a
cignoeth	a
coesnoeth	a
coeth	a
crasboeth	a
cyfoeth	eg
chwilboeth	a
doeth	a
drannoeth	adf
eiriasboeth	a
llymnoeth	a
moeth	eg
noeth	a
penboeth	a
pennoeth	a
poeth	a
tinboeth	a
trannoeth	adf
troednoeth	a
troeth	eg

of

angof	eg
anhygof	a
annof	a
atgof	eg
claddogof	eb
clof	bf
cnof	bf
cof	eg

of

crynhof	bf
datglôf	bf
diangof	a
dof	a, bf
drosof	ardd
drwof	ardd
eiddof	rhag
erof	ardd
eurof	eg
gof	eg
gwallgof	a
hanercof	a
hebof	ardd
hof	eb
hyddof	a
mohonof	ardd
of	a
ogof	eb
ohonof	ardd
paratôf	bf
rhagof	ardd
rhof	bf
rhyngof	ardd
trof	bf
trosof	ardd
trwof	ardd
ynof	ardd
ystof	ebg

ofl

cofl	eb
sofl	ell

ofn

cofgolofn	eb
colofn	eb
di-ofn	a
dofn	ab

ofn		og		og	
eofn	a	anhrugarog	a	blodeuog	a
ofn	eg	anhunog	a	blonegog	a
		anllythrennog	a	blysiog	a
ofr		annhiriog	a	bochog	a
llofr	ab	annog	be	boglynnog	a
		ansefydlog	a	boliog	a
off		anserchog	a	bolltiog	a
cloff	a	anweddog	a	bothog	a
disgloff	a	anwydog	a	bradog	a
hoff	a	ardderchog	a	bralog	a
		arfog	a	brasterog	a
offr		ariannog	a	bratiog	a
coffr	eg	arogleuog	a	brathog	a
		arthog	a	breiniog	a
offt		asbrïog	a	brigerog	a
briglofft	eb	asennog	a	brigog	a
crofft	eb	asgellog	a	brodiog	a
croglofft	eb	awelog	a	bronnog	a
llofft	eb	awenog	a	bronrhuddog	eg
nenlofft	eb	awgrymog	a	brwynog	a
		bachog	a	brydiog	a
og		bagadog	a	bryniog	a
acennog	a	baglog	a	bryntog	a
adeiniog	a	balciog	a	brysiog	a
adlog	eg	balog	eb	brywiog	a
afrywiog	a	banerog	a	burmanog	a
agennog	a	banhadlog	a	burmog	a
anghrebachog	a	bannog	a	bwaog	a
amhiniog	eg	barfog	a	byd-enwog	a
amhwyllog	a	barugog	a	byddinog	a
amleiriog	a	batog	eb	bylchog	a
amlieithog	a	beichiog	a	byrhoedlog	a
amlochrog	a	beiog	a	byrlymog	a
amlweddog	a	bidog	ebg	byseddog	a
analluog	a	blagurog	a	bywiog	a
anelog	a	blewog	a	cadeiriog	a
anenwog	a	blinderog	a	cadfridog	eg
anfoddog	a	blithog	ˊa	cadwynog	a
anfonog	eg				

og

caenennog	a
caerog	a
cafniog	a
caglog	a
canghellog	a
canghennog	a
cangog	a
calchog	a
calonnog	a
camog	ebg
camweddog	a
cancrog	a
canolog	a
caregog	a
carfaglog	a
carneddog	a
carnog	a
carodog	a, eg
carpedog	a
carpiog	a
casog	eb
castellog	a
castiog	a
catalog	eg
cawodog	a
cedenog	a
cefnog	a
cegog	a
cenglog	a
ceiliog	eg
ceinciog	a
ceinfaglog	a
ceiniog	eb
celwyddog	a
celynnog	a, eb
cellog	a
cennog	a
cerigog	a

og

cestog	a
cetog	eb
ceudyllog	a
cibog	a
cigog	a
cipiog	a
clapiog	a
clebrog	a
cledrog	a
cleddyfog	a
clegyrog	a
cleiog	a
cleisiog	a
clochog	a
clog	ebg
clogyrnog	a
clonciog	a
clustiog	a
clustog	ebg
clwciog	a
clwyfog	a
clymog	a
clystyrog	a
clytiog	a
cnapiog	a
cnewyllog	a
cnodiog	a
cnotiog	a
cnyciog	a
cnydiog	a
cobog	a
codennog	a
codog	a, eg
coediog	a
cog + còg	ebg
conglog	a
coliog	a
colofnog	a

og

colynnog	a
copog	a
cordeddog	a
corffog	a
cornelog	a
corniog	a
coronog	a
corsennog	a
corsog	a
cortynnog	a
costog	a, eg
craciog	a
crachog	a
crafog	a
cramennog	a
crasog	a
crawennog	a
crebachog	a
cregynnog	a
creigiog	a
creiniog	a
creithiog	a
crempog	eb
crepianog	eg
crestog	a
cribog	a
crimog	eb
crimpiog	a
croenog	a
croesffurfiog	a
croesog	a
crog	a, eb
cromennog	a
cromfachog	a
crothog	a
crychiog	a
crymanog	a
crynwreiddiog	a

og

crystiog	a
cuchiog	a
cudynnog	a
cuddswyddog	eg
cunnog	eb
cwiltiog	a
cwmannog	a
cwmpasog	a
cwyddog	a
cycyllog	a
cydgyfrannog	a, eg
cydiog	a
cydrannog	a
cydrywiog	a
cydweddog	a, eg
cyfartalog	a
cyflinog	eg
cyflog	ebg
cyflythrennog	a
cyfnewidiog	a
cyfochrog	a
cyfoethog	a, eg
cyfog	eg
cyforiog	a
cyfrannog	a, eg
cyffylog	eg
cygnog	a
cyhyrog	a
cylchog	a
cymalog	a
cymydog	eg
cymylog	a
cynddeiriog	a
cynhiniog	a
cyrliog	a
cysgodog	a
cysgog	eg
chwannog	a

og

chwecheiniog	eg
chwerthinog	a
chwilog	eg
chwyrlïog	a
dafadennog	a
danheddog	a
daudafodiog	a
daufiniog	a
dauwynebog	a
defeidiog	eb
deiliog	a
deintiog	a
delltennog	a
dialog	eg
diarfog	a
didennog	a
dieuog	a
dihalog	a
diog	a
distumog	a
diysgog	a
dolennog	a
doniog	a
draenog	eg
drafftiog	a
dreflog	a
dreiniog	a
driflog	a
drycinog	a
drylliog	a
duriog	a
dwyieithog	a
dyfriog	a
dyffrynnog	a
eboliog	a
echelog	a
edafeddog	a
ednog	ell

og

ehedog	a
eiraog	a
eithinog	a
eneidiog	a
eneiniog	a
enwog	a
eog	eg
epiliog	a
eryrog	a
esgyrnog	a
euog	a
ewinog	a
ewynnog	a
ffaglog	a
ffedog	eb
ffenestrog	a
fflachiog	a
ffodiog	a
ffog	eb
ffolennog	a
ffolog	eb
fforchog	a
ffrog	eb
ffyddiog	a
gaflog	a
galluog	a
geiriog	a
gemog	a
gewynnog	a
glafoeriog	a
glasbeilliog	a
glasog	eb
glaswelltog	a
glawog	a
gleiniog	a
gludiog	a
gochelog	a
godidog	a

og

gogwyddog	a
goleddog	a
goludog	a
gorddiog	a
goreurog	a
gorffwyllog	a
gorseddog	a
gorweddog	a
gorweiddiog	a
graeanog	a
grafelog	a
gronynnog	a
grugog	a
gwaddolog	a
gwaglog	a
gwalciog	a
gwallog	a
gwalltog	a
gwarrog	a, eb
gwasgarog	a
gweddog	a
gweflog	a
gweinidog	eg
gweiriog	a
gwelltog	a
gweog	a
gwerennog	a
gwerog	a
gweryrog	a
gwibiog	a
gwichiog	a
gwingog	a
gwlanennog	a
gwlanog	a
gwlithog	a
gwlybyrog	a
gwregysog	a
gwreiddiog	a

og

gwreigiog	a
gwresog	a
gwridog	a
gwrymiog	a
gwrystog	a
gwydrog	a
gwyngalchog	a
gwylog	eb
gwynnog	a
gwyntog	a
gwyrog	a
gwythiennog	a
gwythog	a
gyddfog	a
gylfinog	ebg
hadog	a
hafalochrog	a
hafalonglog	a
hafog	eg
halog	a
hamog	eb
hanerog	a
hebog	eg
hedegog	a
heglog	a
heidiog	a
heigiog	a
heligog	eg
heriog	a
heulog	a
hiciog	a
hiliog	a
hirhoedlog	a
hirwyntog	a
hoedlog	a
hollalluog	a
hollgyfoethog	a
hualog	a

og

hufennog	a
iawnffyddiog	a
iawnonglog	a
lelog	eg
lifreiog	a
lifrog	a
llacsog	a
llaethog	a
llafarog	a, eb
llafnog	a
llarpiog	a
llawiog	a
llawryfog	a
lledieithog	a
lledrithiog	a
lleidiog	a
lleiniog	a
llethrog	a
lleuog	a
llidiog	a
llifeiriog	a
llinellog	a
llinorog	a
llinynnog	a
lliwiog	a
llodrog	a
lloerog	a
llog	eg
llosgyrnog	a
llumanog	a
lluosillafog	a
lluosog	a
llurigog	a
llwydrewog	a
llwynog	eg
llwythog	a
llygadog	a
llygeidiog	a

og

llysieuog	a
llysnafeddog	a
llythrennog	a
madreddog	a
madruddog	a
mamog	eb
mamystog	a
manflewog	a
marchog	eg
matog	eb
mawnog	a, eb
mawreddog	a
mawrweiriog	a
medalog	a
meillionog	a
melog	a
merog	a
migyrnog	a
miniog	a
modrwyog	a
muriog	a
mwydionog	a
mygydog	a
mynachlog	eb
myncog	eg
mynyddog	a
mynyglog	a
myswynog	eb
mysyglog	a
newynog	a
niferog	a
nifylog	a
niwlog	a
nodog	a
ochrog	a
oddfog	a
oerfelog	a
og	eb

og

onglog	a
orielog	a
oriog	a
pantiog	a
panylog	a
patrymog	a
penglog	eb
peniog	a
pennog	eg
penswyddog	eg
perchennog	eg
perlog	a
perllannog	a
petalog	a
pigog	a
pilerog	a
plethog	a
pluog	a
plwyfog	eg
poblog	a
pontiog	a
porfedog	a
pryfedog	a
puprog	a
pwyllog	a
pyllog	a
pysgodog	a
pytiog	a
rhacsog	a
rhawnog	a
rhedegog	a
rhedynog	a
rhesog	a
rhestrog	a
rhewog	a
rhiciog	a
rhigolog	a
rhiniog	eb

og

rhonciog	a
rhosynnog	a
rhuddog	eg
rhumog	a
rhwyllog	a
rhybedog	a
rhychog	a
rhydyllog	a
rhygyngog	a
rhywiog	a
sefydlog	a
selog	a
serchog	a
serennog	a
serog	a
sgleiniog	a
siglennog	a
silindrog	a
slebog	eb
socasog	a
stumog	eb
swyddog	eg
sybachog	a
synagog	eg
sypynnog	a
taeog	a, eg
tafellog	a
tafodog	a, eg
tagellog	a
talcennog	a
taleithiog	a
talentog	a
talog	a, eg
talpiog	a
tameidiog	a
tanffrwythog	a
taranog	a
tarthog	a

og		
tawchog	a	
tawedog	a	
tawelog	a	
tesog	a	
tiriog	a	
tolciog	a	
tolchennog	a	
tonnog	a	
toreithiog	a	
torrog	a	
trionglog	a	
trochionog	a	
troedweog	a	
troellog	a	
troeog	a	
trugarog	a	
truthiog	a	
trymlwythog	a	
trystiog	a	
tylwythog	a	
tyllog	a	
tymhestlog	a	
tywodog	a	
tywynnog	a	
tywysog	eg	
undonog	a	
unieithog	a	
unllygeidiog	a	
unochrog	a	
unsillafog	a	
usog	a	
ydog	a	
ymannog	be	
ynysog	a	
ysgithrog	a	
ysgog	be	
ysgyfarnog	eb	
ysnodennog	a	

ogl		
ogl		
arogl	eg	
chwibanogl	eb	
chwyrnogl	eb	
mwsogl	eg	
perarogl	eg	
ogn		
dogn	eg	
ogr		
gogr	eg	
ong		
agerlong	eb	
awyrlong	eb	
blong	ab	
cadlong	eb	
caethlong	eb	
herwlong	eb	
llong	eb	
pleserlong	eb	
rhwyflong	eb	
treillong	eb	
ongl		
congl	eb	
cyfongl	a, eb	
chweongl	eg	
iawnongl	eb	
ongl	eb	
pedrongl	a, eg	
pumongl	eg	
triongl	eg	
oi		
am-droi	be	
atgnoi	be	

oi		
atroi	be	
cam-droi	be	
cil-droi	be	
cil-gnoi	be	
cloi + clôi	be, bf	
cnoi + cnôi	be, bf	
cogr-droi	be	
crasgnoi	be	
crynhoi	be, bf	
cydgrynhoi	be	
cyfloi	be	
cyfrdroi	be	
cyffroi + cyffrôi	be, bf	
cylchdroi	be	
chwyldroi	be	
datgloi + datglôi	be, bf	
deffroi + deffrôi	be, bf	
diymdroi	a	
doi + dôi	bf	
ffoi + ffôi	be, bf	
geirdroi	be	
gwrth-droi	be	
gwyrdroi	be	
llaethloi	ell	
lloi	ell	
morloi	ell	
nydd-droi	be	
osgoi	be	
paratoi + paratôi		
	be, bf	
rhoi + rhôi	be, bf	
tindroi	be	
toi	be	
troi + trôi	be, bf	
tyndroi	be	
ymbaratoi	be	
ymdroi	be	
ymroi	be	

oid

oid

cadnoid	ell
cloid	bf
cnoid	bf
coloid	eg
crynhoid	bf
cyffroid	bf
datgloid	bf
deffroid	bf
doid	bf
ffoid	bf
paratoid	bf
rhoid	bf
troid	bf
ymdroid	bf
ymroid	bf

oig

cloig	eb

oir

cloir	bf
cnoir	bf
crynhoir	bf
cyffroir	bf
datgloir	bf
deffroir	bf
doir	bf
ffoir	bf
paratoir	bf
rhoir	bf
troir	bf
ymbaratoir	bf
ymdroir	bf
ymroir	bf

ois

clois	bf
cnois	bf

ois

crynhois	bf
cyffrois	bf
datglois	bf
deffrois	bf
ffois	bf
paratois	bf
rhois	bf
trois	bf
ymbaratois	bf
ymdrois	bf
ymrois	bf

oist

cloist	bf
cnoist	bf
crynhoist	bf
cyffroist	bf
datgloist	bf
deffroist	bf
ffoist	bf
paratoist	bf
rhoist	bf
troist	bf
ymbaratoist	bf
ymdroist	bf
ymroist	bf

oit

cloit	bf
cnoit	bf
crynhoit	bf
cyffroit	bf
datgloit	bf
deffroit	bf
doit	bf
ffoit	bf
paratoit	bf
rhoit	bf
troit	bf

oit

ymbaratoit	bf
ymdroit	bf
ymroit	bf

ol

abadol	a
aberthol	a
abladol	a
absennol	a
actol	a
achlesol	a
achlysurol	a
achosol	a
achubol	a
achyddol	a
adaryddol	a
adegol	a
adeiladol	a
adeiniol	a
adethol	be
adfeiliol	a
adferfol	a
adferiadol	a
adferol	a
adfywhaol	a
adfywiol	a
adleisiol	a
adloniadol	a
adrannol	a
adweinyddol	a
adweithiol	a
addawol	a
addfwynol	a
addurniadol	a
addysgiadol	a
addysgol	a
afrasol	a
afreidiol	a

ol

afreol	eb
afresymol	a
affeithiol	a
affwysol	a
agoriadol	a
angenrheidiol	a
angerddol	a
anghaniataol	a
anghartrefol	a
angherddorol	a
angheuol	a
anghlerigol	a
anghonfensiynol	a
anghorfforol	a
anghrediniol	a
anghristionogol	a
anghristnogol	a
anghronolegol	a
anghydberthol	a
anghydffurfiol	a
anghydsyniol	a
anghydweddol	a
anghydweithredol	a
anghydwybodol	a
anghyfaneddol	a
anghyfansoddiadol	a
anghyfnewidiol	a
anghyfreithiol	a
anghyfundrefnol	a
anghyfunol	a
anghymdeithasol	a
anghymdogol	a
anghymedrol	a
anghymharol	a
anghymodol	a
anghynrychioliadol	a
anghystadleuol	a
anghysylltiol	a

ol

anghytunol	a
angladdol	a
ailethol	be
allanol	a
allweddol	a
amaethyddol	a
amcangyfrifol	a
amddiffynnol	a
amgylchiadol	a
amgylchynol	a
amhartïol	a
amhenodol	a
amhersonol	a
amherthnasol	a
amherthynol	a
amhleidiol	a
amhriodol	a
amhrofiadol	a
amhurol	a
amlgyfryngol	a
amodol	a
amrywiol	a
amserol	a
anachubol	a
anadeiladol	a
anaddawol	a
anamserol	a
ananodiadol	a
anarferol	a
anargyhoeddiadol	a
anatebol	a
anatyniadol	a
anawdurdodol	a
andwyol	a
anedifeiriol	a
aneffeithiol	a
anenwadol	a
anesgorol	a

ol

anesgusodol	a
anfaddeuol	a
anfanteisiol	a
anfarwol	a
anfaterol	a
anfeidrol	a
anfeirniadol	a
anferthol	a
anfilwrol	a
anfoddhaol	a
anfoddol	a
anfoesol	a
anfrawdol	a
anfuddiol	a
anfwriadol	a
anfywiol	a
anffafriol	a
anffansïol	a
anffasiynol	a
anffurfiol	a
anffyddiol	a
anguriol	a
anhaeddiannol	a
anhaeddol	a
anhanesyddol	a
anheddol	a
anheneiddiol	a
anhepgorol	a
anhraddodiadol	a
anhraethol	a
anhrawiadol	a
anhuddol	a
anhunol	a
anianol	a
annadleuol	a
annaearol	a
annaturiol	a
annefodol	a

anneniadol	a
annerbyniol	a
annethol	a
annewidiol	a
annewisol	a
annhebygol	a, adf
annherfynol	a
annhestunol	a
annhueddol	a
annhyciannol	a
annhyciol	a
annibynnol	a
anniddorol	a
annifeiriol	a
anniffygiol	a
annigonol	a
anninasol	a
annioddefol	a
anniweidiol	a
annodweddiadol	a
annoniol	a
annuwiol	a
annymunol	a
annynol	a
anobeithiol	a
anoddefol	a
anogaethol	a
anorchfygol	a
anoresgynnol	a
anrhywiol	a
ansiriol	a
anuchelgeisiol	a
anuniongyrchol	a
anwerthfawrogol	a
anwrthwynebol	a
anymarferol	a
anymddiheurol	a
anymesgusodol	a

anymladdol	a
anymosodol	a
anymwthiol	a
anymwybodol	a
anystyriol	a
apostol	eg
arallfydol	a
arbenigol	a
arbrofol	a
ardalyddol	a
arddodiadol	a
arddulliol	a
arddunol	a
arferol	a
arfordirol	a
argyhoeddiadol	a
arholiadol	a
ariannol	a
arloesol	a
arluniol	a
arogleuol	a
arteithiol	a
aruthrol	a
arweiniol	a
arwrol	a
arwyddluniol	a
arwynebol	a
arhosol	a
asbrïol	a
asol	eb
ataliol	a
atblygol	a
atebol	a
ategol	a
atethol	a
atgryfhaol	a
atgyfnerthol	a
atodol	a

atseiniol	a
atyniadol	a
atynnol	a
athrawiaethol	a
athrofaol	a
athronyddol	a
awdurdodol	a
awenol	a
awenyddol	a
awgrymiadol	a
awyrgylchol	a
awyrol	a
baeol	eg
baledol	a
barddol	a
barddonol	a
barnol	a
barwnol	a
bathol	a
bedyddiol	a
beirniadol	a
bendithiol	a
benywol	a
berfol	a
berwol	a
beunyddiol	a
blaenorol	a
blagurol	a
blodeuol	a
blorol	a
blynyddol	a
bodol	a
boddhaol	a
boreol	a
botanegol	a
bradol	a
bradwriaethol	a
bradwrol	a

ol

brawdol	a
breiniol	a
brenhinol	a
breuddwydiol	a
brodorol	a
brol	eg
bucheddol	a
buddiol	a
buddugol	a
bugeiliol	a
busnesol	a
bwriadol	a
bydol	a
byddarol	a
bygythiol	a
bythol	a
bywgraffiadol	a
bywgraffyddol	a
bywhaol	a
bywiocaol	a
bywiol	a
bywydol	a
cabol	a
cadarnhaol	a
cadeiriol	a
calchol	a
calonogol	a
callestrol	a
camarweiniol	a
camsyniol	a
camweddol	a
canfyddol	a
caniataol	a
canlyniadol	a
canlynol	a
canmol	be, eg
canmoliaethol	a
canol	a, eg

ol

canolraddol	a
cardodol	a
cariadol	a
carnol	a
carol	eb
cartrefol	a
carwriaethol	a
catrodol	a
cefnogol	a
ceidwadol	a
ceinciol	a
ceinlythrennol	a
ceinysgrifol	a
celaneddol	a
celfyddydol	a
cellweiriol	a
cemegol	a
cenedlaethol	a
cenhadol	a
cerddorol	a
cerfluniol	a
ceryddol	a
ceuol	a
cigysol	a
cilyddol	a
claddedigaethol	a
claddedigol	a
clasurol	a
clerigol	a
clymbleidiol	a
cnawdol	a
cnewyllol	a
cnydiol	a
coedol	a
cofiannol	a
coffadwriaethol	a
coffaol	a
côl + col	ebg

ol

colegol	a
coluddol	a
collfarnol	a
comiwnyddol	a
condemniol	a
confensiynol	a
corffol	a
corfforaethol	a
corfforol	a
cosbedigaethol	a
cosbedigol	a
cosbol	a
creadigol	a
crechwenol	a
crediniol	a
crefyddol	a
crefftwrol	a
creiddiol	a
creiniol	a
creol	a
criafol	ell
criawol	ell
cristionogol	a
cristnogol	a
croenol	a
cronolegol	a
crwydrol	a
cryfhaol	a
cuchiol	a
cufyddol	a
curnol	a
cybôl	eg
cychwynnol	a
cydamserol	a
cydberthynol	a
cydffurfiol	a
cydgenedlaethol	a
cydiol	a

ol

cydnabyddol	a
cydoesol	a
cydol	a, eg
cydolygol	a
cydraddol	a
cydredol	a
cydrywiol	a
cydseiniol	a
cydsyniol	a
cydweddol	a
cydweithiol	a
cydweithredol	a
cydwladol	a
cydwybodol	a
cydymdeimladol	a
cydymffurfiol	a
cydymgeisiol	a
cydystyrol	a
cyfaddasol	a
cyfaddefol	a
cyfalafol	a
cyfamodol	a
cyfamserol	a
cyfandirol	a
cyfanfydol	a
cyfanheddol	a
cyfannol	a
cyfansoddiadol	a
cyfansoddol	a
cyfanwerthol	a
cyfarchol	a
cyfareddol	a
cyfarwyddol	a
cyfatebol	a
cyfathrachol	a
cyfathrebol	a
cyfebol	a
cyfeiniol	a

ol

cyfeiriadol	a
cyfeiriol	a
cyferbyniol	a
cyfethol	be
cyfiawnhaol	a
cyflafareddol	a
cyfluniol	a
cyflwyniadol	a
cyflwynol	a
cyflythrennol	a
cyfnerthol	a
cyfnewidiol	a
cyfnodol	a
cyfnosol	a
cyfochrol	a
cyfodol	a
cyfoesol	a
cyfosodol	a
cyfraddol	a
cyfraniadol	a
cyfrannol	a
cyfredol	a
cyfreithiol	a
cyfresol	a
cyfrifiadurol	a
cyfrifol	a
cyfrinachol	a
cyfriniol	a
cyfrol	eb
cyfryngol	a
cyfundebol	a
cyfundrefnol	a
cyfystyrol	a
cyffredinol	a
cynganeddol	a
cyngherddol	a
cyhuddol	a
cyhydeddol	a

ol

cylchgronol	a
cylchol	a
cylchredol	a
cylchynol	a
cyllidol	a
cymanfaol	a
cymarebol	a
cymdeithasol	a
cymdogaethol	a
cymdogol	a
cymedrol	a
cymelliadol	a
cymeradwyol	a
cymharol	a
cymhwysol	a
cymodol	a
cymrodorol	a
cymunedol	a
cymunol	a
cymynnol	a
cynamserol	a
cynaniadol	a
cynderfynol	a
cynefinol	a
cynfrodorol	a
cynfydol	a
cynhaliol	a
cyn-hanesyddol	a
cynhesol	a
cynhwynol	a
cynhyrchiol	a
cynhyrfiol	a
cynoesol	a
cynorthwyol	a
cynrychioliadol	a
cynulleidfaol	a
cynyddol	a
cysgodol	a

ol		ol		ol	
cystadleuol	a	deddfwriaethol	a	difeddyginiaethol	a
cystrawennol	a	defnyddiol	a	diferol	a
cystuddiol	a	defodol	a	diflannol	a
cystwyol	a	defosiynol	a	difrifol	a
cysylltiol	a	degol	a, eg	difrïol	a
cytundebol	a	deheuol	a	difrodol	a
cytunol	a	deifiol	a	diffiniol	a
cythruddol	a	deintiol	a	diffygiol	a
chwarelyddol	a	deintyddol	a	digabol	a
chwarterol	a	delfrydol	a	digamsyniol	a
chwedlonol	a	delweddol	a	digidol	a
chwibol	a, ebg	deniadol	a	digonol	a
chwyldroadol	a	deongliadol	a	digrifol	a
dadadeiladol	a	deol	be	digwyddol	a
dadansoddol	a	derbyniol	a	dihangol	a
dadelfennol	a	derwyddol	a	dihedrol	a
dadfeiliol	a	dethol	a, be	dilynol	a
dadlennol	a	deubarthol	a	dinasol	a
dadleuol	a	deuol	a	dinistriol	a
dadrithiol	a	dewinol	a	dioddefol	a
daearegol	a	dewisol	a	diplomatyddol	a
daearol	a	di-lol	a	diplomyddol	a
daearyddol	a	diafol	eg	diraddiol	a
dagreuol	a	diamheuol	a	dirdynnol	a
damcaniaethol	a	diamodol	a	direol	a
damhegol	a	diarhebol	a	dirfodol	a
damniol	a	dibennol	a	diriaethol	a
damweiniol	a	dibenyddiol	a	dirnadol	a
dangosiadol	a	dibrisiol	a	dirprwyol	a
dangosol	a	dibynnol	a	dirwestol	a
dansoddol	a	didol	a, be	dirwyol	a
danteithiol	a	diddanol	a	dirywiol	a
darbodol	a	diddidol	a	disbyddol	a
darluniadol	a	diddorol	a	disgrifiadol	a
deallol	a	diddwythol	a	disgyblaethol	a
deallusol	a	diddymol	a	disgynnol	a
dechreuol	a	diedifeiriol	a	disgyrchol	a
deddfol	a	difaol	a	distrywiol	a

ol

diwinyddol	a
diwrnodol	a
diwydiannol	a
diwygiadol	a
diwylliadol	a
diwylliannol	a
diystyriol	a
dogfennol	a
dol + dôl	ab, eb
doniol	a
dosbarthiadol	a
dramaol	a
dryntol	eb
duriol	a
duwiol	a
dwyfol	a
dwyreiniol	a
dwywreigiol	a
dychanol	a
dychmygol	a
dyddiol	a
dyfodol	a, eg
dyfrol	a
dyfynnol	a
dylanwadol	a
dymunol	a
dyneiddiol	a
dyngarol	a
dynofyddol	a
dynol	a
dynwaredol	a
dyrchafol	a
dyrnfol	eb
ebol	eg
ecolegol	a
edifeiriol	a
efelychiadol	a
effeithiol	a

ol

eglurhaol	a
egnïol	a
egwyddorol	a
enghreifftiol	a
eiddunol	a
eiledol	adf
eiriol	be
eisteddfodol	a
eithafol	a
eithriadol	a
elfennol	a
elusennol	a
emosiynol	a
emynyddol	a
enciliol	a
eneidiol	a
enwadol	a
enwol	a
enynnol	a
epiliol	a
epistol	eg
erfyniol	a
ergydiol	a
erlidiol	a
erydol	a
eryrol	a
esblygol	a
esboniadol	a
esgobaethol	a
esgobol	a
esgusodol	a
esgusol	a
esgynnol	a
estronol	a
estynnol	a
etifeddol	a
ethol	be
etholiadol	a

ol

ewlychol	a
ewynnol	a
fertigol	a
fiol	eb
ffafriol	a
ffansïol	a
ffasiynol	a
ffeithiol	a
ffeminyddol	a
fferyllol	a
ffigurol	a
ffiniol	a
ffiol	eb
fflamychol	a
ffôl	a
fforddiol	a
fforddol	eg
ffrwydrol	a
ffrydiol	a
ffugiol	a
ffuglennol	a
ffurfafennol	a
ffurfiol	a
gaeafol	a
galaethol	a
galarnadol	a
galwedigaethol	a
galwedigol	a
geirdarddol	a
geirfaol	a
geiriadurol	a
geiriol	a
gelyniaethol	a
genedigol	a
genidol	a
genychol	a
gerwinol	a
gewynnol	a

ol

glanhaol	a
glofaol	a
glynol	a
gobeithiol	a
goddefol	a
goddrychol	a
gofodol	a
gofynnol	a
gogleddol	a
gogleisiol	a
gogwyddol	a
gohebol	a
goleddfol	a
goleuol	a
golygol	a
golygyddol	a, eg
gorchestol	a
gorchfygol	a
gorchmynnol	a
goresgynnol	a
gorfannol	a
gorfodol	a
gorffennol	a, eg
gorllewinol	a
gormesol	a
gormodol	a
goruwchnaturiol	a
gorweddol	a
gorynysol	a
gosberol	a
gostyngol	a
graddol	a
gramadegol	a
grasol	a
grasusol	a
greddfol	a
gronynnol	a
grymusol	a

ol

gwaddol	ebg
gwaedol	a
gwaelodol	a
gwageddol	a
gwahanglwyfol	a
gwahaniaethol	a
gwahanol	a
gwanhaol	a
gwanwynol	a
gwarcheidiol	a
gwarchodol	a
gwaredigol	a
gwaredol	a
gwareddol	a
gwarthol	eb
gwasanaethol	a
gwasgarol	a
gwasgfaol	a
gwasgfeuol	a
gwastadol	a
gwawdluniol	a
gweddnewidiol	a
gweddol	a, adf
gwefreiddiol	a
gwefusol	a
gweinidogaethol	a
gweinidogol	a
gweinyddol	a
gweithfaol	a
gweithiol	a
gweithredol	a
gweledol	a
gwellhaol	a
gwenerol	a
gwennol	eb
gwenwynol	a
gweriniaethol	a
gwerinol	a

ol

gwerthfawrogol	a
gwiberol	a
gwibiol	a
gwirfoddol	a
gwiriol	a
gwirioneddol	a
gwirodol	a
gwladfaol	a
gwladgarol	a
gwladol	a
gwladwriaethol	a
gwleidyddol	a
gwobrwyol	a
gwreiddeiriol	a
gwreiddiol	a
gwreigol	a
gwrol	a
gwrthchwyldroadol	a
gwrthgyferbyniol	a
gwrth-heintiol	a
gwrthol	adf
gwrthrychol	a
gwrthweithiol	a
gwrthwynebol	a
gwrywgydiol	a
gwrywol	a
gwydrol	a
gwyddonol	a
gwyrol	a
gwyrthiol	a
gwyryfol	a
gyddfol	a
gyrfaol	a
haeddiannol	a
haeddol	a
hafol	a
hamddenol	a
hanesyddol	a

ol

hanfodol	a
haniaethol	a
heddychol	a
heneiddiol	a
heol	eb
herfeiddiol	a
heriol	a
herodrol	a
hiliol	a
hil-laddiadol	a
hil-leiddiol	a
hinsoddol	a
hôl	be
hollol	a
hollwybodol	a
hudol	a
hunanol	a
hwyrol	a
hydredol	a
hydrefol	a
hydreiddiol	a
hyfforddiadol	a
hyfforddiol	a
hylifol	a
hynafiaethol	a
hynafol	a
hynodol	a
iachaol	a
iachol	a
iachusol	a
iäennol	a
iasol	a
iechydol	a
ieithegol	a
ieithol	a
ieithyddol	a
ieuol	a
ingol	a

ol

israddol	a
isymwybodol	a
lol	eb
llaciol	a
llafarol	a
llawfeddygol	a
llawryfol	a
llawysgrifol	a
lledol	eg
lledrithiol	a
lleddfol	a
llengol	a
lleiaol	a
lleibiol	a
lleisiol	a
llencynnol	a
llenorol	a
llenyddol	a
lleol	a
llesaol	a
llesmeiriol	a
llesol	a
llesteiriol	a
llethol	a
lleuadol	a
llifeiriol	a
llinellol	a
lliniarol	a
llinynnol	a
lloerol	a
llongwrol	a
lloriol	a
llorweddol	a
lluniol	a
llwyrymwrthodol	a
llwythol	a
llyfryddol	a
llygadol	a

ol

llyngesol	a
llysgenhadol	a
llysieuol	a
llysiol	a
llysol	a
llythrennol	a
llywodraethol	a
llywyddol	a
mabol	a
mabwysiadol	a
maddeuol	a
maenol	eb
maerol	a
maethol	a
mamol	a
manteisiol	a
mantol	eb
marchnadol	a
marchogol	a
marwnadol	a
marwol	a, ebg
masnachol	a
materol	a
materyddol	a
mathemategol	a
mecanyddol	a
meddiannol	a
meddwol	a
meddygol	a
meddyliol	a
meidrol	a
meiriol	eg
melysol	a
melltithiol	a
meudwyol	a
mewnblygol	a
mewnfwriol	a
mewngyrchol	a

ol

mewnol	a
milfeddygol	a
milofyddol	a
milwrol	a
misol	a
moesegol	a
moesol	a
môl	eg
mordwyol	a
morol	a
morwrol	a
morwynol	a
mudol	a
murol	a
mwyhaol	a
mydrol	a
mydryddol	a
myfïol	a
myfyriol	a
mygedol	a
mympwyol	a
mynegiannol	a
mynegol	a
mynwesol	a
mytholegol	a
nacaol	a
naturiol	a
nawddogol	a
nawnol	a
nefol	a
negyddol	a
neidiol	a
neilltuol	a
nerfol	a
nerthol	a
nesaol	a
newidiol	a
newyddiadurol	a

ol

niweidiol	a
nodweddiadol	a
nôl	be
nosol	a
nosweithiol	a
nwydol	a
nwyol	a
ochrol	eg
oesol	a
offeiriadol	a
offerynnol	a
ogofaol	a
ôl	eg
olynol	a
oriol	a
pabyddol	a
pardduol	a
parlysol	a
partïol	a
parhaol	a
patholegol	a
pedol	eb
pedwarcarnol	a
pefriol	a
pegol	a
pegynol	a
peiriannol	a
pelydrol	a
pellweledol	a
penderfynol	a
penodol	a
pensaernïol	a
pentrefol	a
pereiddiol	a
perlesmeiriol	a
perlewygol	a
personol	a
perswadiol	a

ol

perthnasol	a
perthynol	a
petrol	eg
planedol	a
pleidiol	a
plwyfol	a
plwynol	a
plygeiniol	a
poenydiol	a
posidiol	a
pregethwrol	a
presennol	a
prifol	eg
prifysgol	eb
priodasol	a
priodol	a
profiadol	a
proffesiynol	a
proffeswrol	a
proffidiol	a
proffwydol	a
prydweddol	a
prydyddol	a
prynedigol	a
prynhawnol	a
pwrpasol	a
rhagarweiniol	a
rhagenwol	a
rhagluniaethol	a
rhagorol	a
rhagrithiol	a
rhagweledol	a
rhanbarthol	a
rhaniadol	a
rhannol	a
rheidiol	a
rheiddiol	a
rheol	eb

ol

rhestrol	a
rhesymegol	a
rhesymol	a
rhethregol	a
rhifol	eg
rhifyddol	a
rhigol	eb
rhiniol	a
rhinweddol	a
rhòl	eb
rhuol	a
rhwygol	a
rhyddfrydol	a
rhyddhaol	a
rhyddieithol	a
rhyfeddol	a
rhyng-golegol	a
rhyngwladol	a
rhywiol	a
rhywogaethol	a
sabothol	a
saernïol	a
safonol	a
sagrafennol	a
sbectol	eb
sectyddol	a
sefydliadol	a
seicdreiddiol	a
seiciatryddol	a
seicolegol	a
seinegol	a
seinyddol	a
seneddol	a
serchol	a
seremonïol	a
serol	a
seryddol	a
sgyrsiol	a

ol

siarsiol	a
sibol	ell
siôl	eb
siriol	a
sirol	a
snobyddol	a
sobreiddiol	a
stôl	eb
storïol	a
strategol	a
swyddogol	a
swyngyfareddol	a
swynol	a
sychdduwiol	a
syfrdanol	a
sylfaenol	a
sylweddol	a
symbol	eb
symol	a
symudol	a
synfyfyriol	a
synhwyrol	a
syniadol	a
sythweledol	a
tactegol	a
tadol	a
taflod-orfannol	a
taflodol	a
tafluniol	a
tafodieithol	a
tafol	eb
taleithiol	a
tanddaearol	a
tanforol	a
tansuddol	a
tarddiadol	a
tebygol	a, adf
technegol	a

ol

technolegol	a
teimladol	a
teithiol	a
telynegol	a
terfynol	a
testunol	a
teuluol	a
teyrngarol	a
tiriogaethol	a
tirol	a
torfol	a
toriadol	a
tosturiol	a
traddodiadol	a
traethodol	a
tragwyddol	a
trawiadol	a
trawsfeddiannol	a
trawsffurfiol	a
trefedigaethol	a
trefedigol	a
trefol	a
treftadol	a
treiddiol	a
treisiol	a
tremyddol	a
trigiannol	a
trofannol	a
trol	eb
trontol	eb
troseddol	a
trosgynnol	a
trosol	eg
trwynol	a
trwythol	a
trydanol	a
tryfesurol	a
tueddol	a

ol	
twymynol	a
tyngedfennol	a
tylwythol	a
tymhorol	a
uchelgeisiol	a
uchelwrol	a
uffernol	a
unbenaethol	a
unbenesol	a
undebol	a
unfrydol	a
unigol	a, eg
unigolyddol	a
unigolynnol	a
uniongyrchol	a
unol	a
urddasol	a
urddol	a
uwchraddol	a
wybrennol	a
wybrol	a
wythnosol	a
ychwanegol	a
ynghanol	ardd
ymadawol	a
ymarferol	a
ymataliol	a
ymbelydrol	a
ymbleidiol	a
ymddangosiadol	a
ymddeol	be
ymddiheurol	a
ymeiriol	be
ymenyddiol	a
ymerodrol	a
ymesgusodol	a
ymfudol	a
ymfflamychol	a

ol	
ymgosbol	a
ymgreiniol	a
ymgripiol	a
ymgynghorol	a
ymlaciol	a
ymledol	a
ymlusgol	a
ymneilltuol	a
ymofynnol	a
ymorol	be
ymosodol	a
ymroddol	a
ymwthiol	a
ymwybodol	a
ymylol	a
ynysol	a
ysbeidiol	a
ysbrydegol	a
ysbrydol	a
ysgol	eb
ysgrythurol	a
ysgubol	a
ysgytiol	a
ysgytwol	a
ysol	a
ystadegol	a
ystrydebol	a
ystyriol	a

olc	
tolc	eg

olch	
agolch	eg
anniolch	eg
bolch	ab
diddiolch	a
diolch	eg

olch	
golch	eg
priddgolch	eg
tolch	eb
ymolch	be

olp	
olp	eg

ols	
cols	ell

oll	
amrygoll	a
archoll	ebg
briwdoll	ab
coll	a, eg
cyfrgoll	a, eg
deilgoll	eb
difancoll	eg
diffyndoll	eb
digoll	a
ffoll	a
gwreiddgoll	a
holl	a
moll	ab
oll	adf
pendoll	ab
pengoll	a
seingoll	eg
sillgoll	eb
toll	ab, eb
trydoll	ab

ollt	
bollt	eg
edeufollt	eg
hollt	ebg
mollt	eg
taranfollt	eb

190

om

om

-om: terfyniad berfol
— canom a hefyd
canasom, etc.

adnabuom	bf
adnapom	bf
adwaenom	bf
aethom	bf
amdanom	ardd
amgrom	ab
argrom	ab
arnom	ardd
atom	ardd, ebg
bôm + bom	bf, ebg
buom	bf
byddom	bf
caffom	bf
canfuom	bf
cawsom	bf
crom	ab
cydnabuom	bf
cyfarfuom	bf
daethom	bf
danom	ardd
darfuom	bf
darganfuom	bf
delom	bf
drosom	ardd
drwom	ardd
eiddom	rhag
elom	bf
erom	ardd
ffrom	a
gorfuom	bf
gwnaethom	bf
gwnelom	bf
gwybuom	bf
gwyddom	bf

om

gwypom	bf
hebom	ardd
llom	ab
metronom	eg
mohonom	ardd
ohonom	ardd
pendrom	ab
rhagom	ardd
rhyngom	ardd
siom	eb
som	eb
tanom	ardd
tom	eb
trom	ab
trosom	ardd
trwom	ardd
ymgom	eb
ynom	ardd

omp

stomp	eb

on

acenion	ell
actorion	ell
achlysuron	ell
achosion	ell
achwynion	ell
achyddion	ell
adacenion	ell
adaryddion	ell
adfanigion	ell
adfeilion	ell
adflithion	ell
adforion	ell
adneuon	ell
adolygon	ell
adroddweddion	ell
adweithyddion	ell

on

adwyon	ell
addewidion	ell
aeron	ell
aerwyon	ell
afiechydon	ell
aflwyddion	ell
afon	eb
afradlon	a
afraslon	a
anghenion	ell
anghyfreithlon	a
anghyfunion	a
anghymodlon	a
anghyson	a
angorion	ell
angylion	ell
alawon	ell
almon	eb
allafon	eb
allforion	ell
alltudion	ell
amcangyfrifon	ell
amcanion	ell
amgylcheddion	ell
amheuon	ell
amhiniogion	ell
amhrydlon	a
amlblwyfyddion	ell
anelion	ell
anerchion	ell
anfanteision	ell
anfodlon	a
anfon	be
anfonogion	ell
anffodion	ell
anffodusion	ell
anffyddlon	a
annichon	a

on

anrhegion	ell
anudon	eg
apostolion	ell
arbrofion	ell
archangylion	ell
archebion	ell
archesgobion	ell
archollion	ell
ardalyddion	ell
arferion	ell
argelion	ell
argoelion	ell
arlwyon	ell
arlywyddion	ell
arodion	ell
arogleuon	ell
arolygon	ell
arweinyddion	ell
arwyddion	ell
arwylion	ell
arysgrifion	ell
asglodion	ell
asiedyddion	ell
atblygion	ell
atborion	ell
atebion	ell
ategion	ell
atgofion	ell
atgyfnerthion	ell
athrawon	ell
athrodion	ell
awduron	ell
awelon	ell
awenyddion	ell
awron	eb
bachdroeon	ell
bachellion	ell
bachigion	ell

on

bachwyon	ell
baddon	eg
baglorion	ell
banigion	ell
banon	eb
bargeinion	ell
bargenion	ell
bargodion	ell
bathofyddion	ell
bathorion	ell
bawddynion	ell
begegyron	ell
beilchion	all
beiston	eb
bendithion	ell
benthycion	ell
beraon	ell
berwon	ell
blaenbrofion	ell
blaendarddion	ell
blaendrychion	ell
blinderon	ell
blinion	all
blithion	all, ell
blodion	ell
blwyddiaduron	ell
bodlon	a
boddlon	a
bôn	eg
boncyffion	ell
boneddigion	ell
bonion	ell
botffon	eb
breision	all
breon	ell
breuddwydion	ell
breuon	all
brigadyddion	ell

on

brithion	all
brithweision	ell
briwsion	ell
brochion	ell
brodorion	ell
bron	adf, eb
bryntion	all
budron	all
buddion	ell
buddsoddion	ell
bugeilegion	ell
bugeilffon	eb
busnesion	ell
bwriadon	ell
bychanigion	ell
bydolddynion	ell
bygythion	ell
byrion	all
bywgraffiaduron	ell
bywion	ell
cablyddion	ell
cabmon	eg
cachmon	eg
cadeiryddion	ell
cadfridogion	ell
cadlywyddion	ell
cadnawon	ell
cadofyddion	ell
cadweinyddion	ell
caethfeibion	ell
caethforynion	ell
caethion	all, ell
caethweision	ell
cangellorion	ell
calafon	ell
caledion	all
calon	eb
camacenion	ell

camarferion	ell
camlwon	ell
camystyron	ell
caneuon	ell
caniedyddion	ell
canigion	ell
canlynyddion	ell
canoligynion	ell
canon	ebg
cantorion	ell
canwyllyron	ell
canwyrion	ell
carcharorion	ell
caredigion	ell
cariadlon	a
cariadon	ell
carnogion	all
carnolion	all
carthion	ell
casddynion	ell
caseion	ell
casglion	ell
casglyddion	ell
catholigion	ell
cawsion	ell
cedion	ell
cenglynion	ell
ceimion	all
ceinion	all, ell
cemywion	ell
cenawon	ell
cenedl-ddynion	ell
cenhadon	ell
cerddorion	ell
certmon	eg
ceryddon	ell
cethlyddion	ell
ceulion	ell

cicaion	ell
cigyddion	ell
cilion	ell
cilolygon	ell
cilyddion	ell
cilygon	ell
cipolygon	ell
cipyllion	ell
clasuron	ell
clebarddynion	ell
clefydon	ell
cleifion	ell
clochyddion	ell
cloddilion	ell
cloddolion	ell
cloeon	ell
cloigion	ell
cloron	ell
cludyddion	ell
clwcion	ell
clwyfedigion	all, ell
clywedyddion	ell
cnafon	ell
cneifion	ell
cnoeon	ell
cnywion	ell
cochion	all
coegddynion	ell
coegfeddygon	ell
coelion	ell
cofebion	ell
cofiaduron	ell
cofianyddion	ell
cofiedyddion	ell
cofion	ell
cofnodion	ell
cofrestryddion	ell
cofroddion	ell

cofweinyddion	ell
coffaon	ell
coffeion	ell
cogyddion	ell
colion	ell
coluddion	ell
colledigion	ell
colledion	ell
comiwnyddion	ell
conion	ell
copaon	ell
cordynion	ell
corddynion	ell
cornorion	ell
cornwydon	ell
coron	ebg
cosbyddion	ell
crachfeddygon	ell
crafion	ell
cramenogion	ell
crebwyllion	ell
credadunion	ell
crefyddon	ell
cregynyddion	ell
creifion	ell
creision	all, ell
crension	ell
creulon	a
criafon	ell
cribinion	ell
crinion	all
cristion	eg
cristnogion	ell
cron	ab
cronaduron	ell
croywon	all
crybwyllion	ell
crychdon	eb

on

crychion	ell	cyfarwyddiaduron	ell	cymynroddion	ell
crychyddion	ell	cyfarwyddion	ell	cynaeafyddion	ell
cryddion	ell	cyfebion	ell	cynflithion	ell
cryfion	all	cyfebrion	ell	cynfrodorion	ell
cryndoeon	ell	cyfeilyddion	ell	cynffon	eb
crynddynion	ell	cyfeillion	ell	cynhinion	ell
crynion	all	cyfeiriaduron	ell	cynhorion	ell
crynyddion	ell	cyfleon	ell	cynhwysion	ell
crythorion	ell	cyflogddynion	ell	cynhyrchion	ell
cuddion	ell	cyflymyddion	ell	cynigion	ell
cuddon	eb	cyfnerthion	ell	cynilion	ell
cuddswyddogion	ell	cyfnerthyddion	ell	cynion	ell
culion	all	cyfnodolion	ell	cynllwynion	ell
culweision	ell	cyfoedion	ell	cynorthwyon	ell
cwerylon	ell	cyfoesolion	ell	cynrhon	ell
cwpon	eg	cyfoethogion	ell	cyntefigion	all
cwympedigion	all	cyfolygon	ell	cyrbibion	ell
cwympodion	ell	cyfranogion	ell	cyrfyddion	ell
cwynfanion	ell	cyfreithlon	a	cysgodion	ell
cwynion	ell	cyfrgron	ab	cysodyddion	ell
cybyddion	ell	cyfrifiaduron	ell	cyson	a
cychwynyddion	ell	cyfrifon	ell	cysurlon	a
cyd-ddynion	ell	cyfrifyddion	ell	cysuron	ell
cydgyfranogion	ell	cyfrinion	ell	cythruddion	ell
cydgynghorion	ell	cyfystyron	ell	cyweirion	ell
cydnabyddion	ell	cyffesion	ell	cyweithion	ell
cydraddolion	all	cyffion	ell	cywion	ell
cydroddion	ell	cynganeddion	ell	cywreinion	ell
cydweddion	ell	cynghorion	ell	chwaon	ell
cydweddogion	ell	cylchdroeon	ell	chwaraeon	ell
cydymdrechion	ell	cylchganeuon	ell	chwaraeyddion	ell
cyfalawon	ell	cylion	ell	chwarterolion	ell
cyfanheddion	ell	cyllaon	ell	chwedleuon	ell
cyfanion	ell	cymdeithion	ell	chwibon	eg
cyfansoddion	ell	cymdogion	ell	chwimiaduron	ell
cyfarchion	ell	cymodlon	a	chwiredion	ell
cyfareddion	ell	cymon	a	chwyldroeon	ell
cyfartalion	ell	cymrodorion	ell	chwylolwynion	ell

on

dadleuon	ell
damhegion	ell
danfon	be
danteithion	ell
darfelyddion	ell
dawon	ell
dedfrydon	ell
degolion	ell
deillion	all, ell
deintyddion	ell
deisyfion	ell
demon	eg
deon	eg
deoryddion	ell
derbynyddion	ell
derwyddon	ell
dewisddynion	ell
dewrion	all, ell
diacon	eg
dialon	ell
dialyddion	ell
diarhebion	ell
dibenion	ell
dibryderon	a
dibynyddion	ell
dicllon	a
dichellion	ell
dichon	adf, bf
didolyddion	ell
diddanion	ell
difyrion	ell
diffygion	ell
diffynyddion	ell
digalon	a
digon	a, adf, eg
digrifweision	ell
dilledyddion	ell
dillynion	ell

on

dinasyddion	ell
diofalon	a
dipton	eb
dirgelion	ell
dirprwyon	ell
dirwyon	ell
disgwylion	ell
disgyblion	ell
disgynyddion	ell
dison	a
distyllion	ell
diweddgloeon	ell
diwinyddion	ell
doethion	all, ell
dofion	all, ell
drudion	all
drygddynion	ell
drysorion	ell
duon	all
dwyfolion	all
dwyfron	eb
dwysion	all
dychmygion	ell
dychweledigion	all
dychwelion	ell
dyddiaduron	ell
dyfnion	all, ell
dyfynion	ell
dygiedyddion	ell
dylebion	ell
dyledion	ell
dyneddon	ell
dyniadon	ell
dynion	ell
dynofyddion	ell
dysgaduron	ell
dysgedigion	all
dysgedyddion	ell

on

dysgodron	ell
ebillion	ell
ebolion	ell
echryslon	a
echwynion	ell
efrydion	ell
efryddion	all
egnïon	ell
egwyddorion	ell
englynion	ell
ehedyddion	ell
eidion	eg
eigion	eg
eingion	eb
eilion	ell
eilyddion	ell
einion	eb
eirchion	ell
eithafion	ell
ellyllon	ell
emyniaduron	ell
encilion	ell
enillion	ell
enllibion	ell
entrychion	ell
enwaduron	ell
eon	a
erchwynion	ell
ergydion	ell
erydyddion	ell
esgobion	ell
esgusion	ell
esgusodion	ell
estron	a, eg
etifeddion	ell
euon	ell
euron	eb
fermilion	a, eg

ffeilsion	all	gofwyon	ell	gwasanaethddynion		
ffilosoffyddion	ell	gofynion	ell		ell	
ffion	eg	gogorion	ell	gwastrodion	ell	
ffodion	ell	golchion	ell	gwaywffon	eb	
ffodusion	ell	golosgion	ell	gweddillion	ell	
ffon + ffôn	eb, eg	golwythion	ell	gweddwon	all, ell	
fforddolion	ell	golygon	ell	gwehilion	ell	
fforffedion	ell	golygyddion	ell	gwehyddion	ell	
ffraeon	ell	gorchestion	ell	gweigion	all	
ffraethebion	ell	gorchmynion	ell	gweilchyddion	ell	
ffreision	ell	gorchuddion	ell	gweillion	ell	
ffrilion	ell	gorchwylion	ell	gweinidogion	ell	
ffrwydryddion	ell	goreuon	ell	gweinion	all	
ffrwythlon	a	goreuyddion	ell	gweinyddion	ell	
ffyddlon	a	gorfodogion	ell	gweision	ell	
ffynnon	eb	gorwelion	ell	gweledyddion	ell	
gafaelion	ell	gorwyrion	ell	gwelwon	all	
gardyson	ell	gosgorddion	ell	gwendon	eb	
geingion	ell	gostegion	ell	gwerddon	eb	
geiriaduron	ell	graddebion	ell	gwerydon	ell	
geirwon	all	graddedigion	ell	gweryddon	ell	
gelynion	ell	gramoffôn	eb	gwesteion	ell	
gemyddion	ell	graslon	a	gwifion	ell	
genau-goegion	ell	grugion	ell	gwirebion	ell	
generaduron	ell	gwaddodion	ell	gwirion	a	
gerbron	ardd	gwaddolion	ell	gwladweinyddion	ell	
glafoerion	ell	gwaelddynion	ell	gwleidyddion	ell	
gleinion	ell	gwaelodion	ell	gwlybion	all	
gleision	all, ell	gwaethafyddion	ell	gwlybyron	ell	
glewion	all	gwahangleifion	ell	gwniaduron	ell	
gloywon	all	gwahanyddion	ell	gwobrwyon	ell	
gludion	ell	gwahoddedigion	ell	gwreichion	ell	
gobeithion	ell	gwahoddion	ell	gwron	eg	
gobenyddion	ell	gwangalon	a	gwrthbrofion	ell	
goblygion	ell	gwaredigion	ell	gwrthdystion	ell	
godreon	ell	gwargedion	ell	gwrthddadleuon	ell	
gofalon	ell	gwargredion	ell	gwrthgynllwynion	ell	
gofidion	ell	gwartholion	ell	gwrthsurion	ell	

gwybodusion	ell
gwybodyddion	ell
gwyddon	eg
gwyddoniaduron	ell
gwyddorion	ell
gwyliedyddion	ell
gwyllion	ell
gwylltion	all
gwymon	eg
gwynegon	ell
gwynion	all
gwyrddion	all
gwyryfon	ell
gwysion	ell
gwystlon	ell
hanesion	ell
hebogyddion	ell
hedion	ell
hedonyddion	ell
heddweision	ell
heddychlon	a
heilltion	all
heirddion	all
helbulon	ell
helyntion	ell
henebion	ell
heusorion	ell
hidlyddion	ell
hidlyron	ell
hinon	eb
hirgron	ab
hirion	all
hocedion	ell
hoelion	ell
holiaduron	ell
holiedyddion	ell
holion	ell
hon	rhag

hoywon	all
hudion	ell
huddion	ell
hwsmon	eg
hydion	ell
hydredion	ell
hyffion	ell
hylon	a
hyllion	all
hynefyddion	ell
hynodion	ell
hysbysebion	ell
hyson	a
ieithmon	eg
igion	ell
iôn	eg
isafon	eb
isathrawon	ell
israddedigion	ell
lifreion	ell
lôn	eb
lladmeryddion	ell
lladron	ell
lladdedigion	ell
llafarogion	ell
llamidyddion	ell
llateion	ell
llathryddion	ell
llawfeddygon	ell
llawforynion	ell
llawffon	eb
llawnion	all
llawroddion	ell
llechfaon	ell
lledlwon	ell
lledredion	ell
lledymylon	ell
lleithion	all, ell

llenorion	ell
llewygfaon	ell
llewygon	ell
lleygion	ell
llifion	ell
llinon	eb
llodryddion	ell
lloerigion	all
llofnodion	ell
llofruddion	ell
lloffion	ell
llongyfarchion	ell
llon	a
llugaeron	ell
lluniedyddion	ell
lluosyddion	ell
llusgion	ell
lluwchfaon	ell
llwgrwobrwyon	ell
llwon	ell
llwybryddion	ell
llwydfron	eb
llwydion	all
llyfnion	all
llyngesyddion	ell
llymion	all
llythyron	ell
llywyddion	ell
madruddion	ell
maelion	ell
maeslywyddion	ell
maethion	ell
maethlon	a
mafon	ell
malurion	ell
mamogion	ell
mamolion	ell
manion	ell

on

mân-ladron	ell
manteision	ell
mantolion	ell
manylion	ell
marchogion	ell
marchweision	ell
marwdon	eg
marwolion	all
materion	ell
mawlganeuon	ell
mawrion	all, ell
mechnïon	ell
meddwon	all, ell
meddygon	ell
meibion	ell
meicroffôn	eg
meichiafon	ell
meidrolion	ell
meiddion	ell
meillion	ell
meinion	all
meirwon	all, ell
meithion	all
melynion	all
melltithion	ell
merion	ell
merthyron	ell
mesuronyddion	ell
mesuryddion	ell
methion	ell
mewnforion	ell
mewnolion	ell
migion	ell
milfeddygon	ell
miliynyddion	ell
milrhithion	ell
minion	ell
misolion	ell

on

moduron	ell
moddion	eg, ell
moelion	all
moelrhon	eg
monwyson	ell
môr-forynion	ell
môr-ladron	ell
mordwyon	ell
moron	ell
morthwylion	ell
morynion	ell
mudyddion	ell
murmuron	ell
mwyaduron	ell
mwydion	ell
mwynion	all
myfyrion	ell
mympwyon	ell
mynegeion	ell
mywion	ell
naddion	ell
negeseuon	ell
negesyddion	ell
negyddion	ell
neilltuolion	ell
newyddiaduron	ell
newyddion	all, ell
nodarwyddion	ell
nodion	ell
nodweddion	ell
noddion	ell
noethion	all
noson	eb
nwyon	ell
ochrolion	ell
oedfaon	ell
oedfeuon	ell
oedolion	ell

on

ofergoelion	ell
ofyddion	ell
onglyddion	ell
ôl-ddyledion	ell
olion	ell
olwynion	ell
organyddion	ell
oriaduron	ell
pabyddion	ell
pacmon	eg
parchedigion	all
partïon	ell
pedwarcarnolion	ell
peillion	ell
pellafion	ell
pengron	ab
pencynyddion	ell
pendefigion	ell
penillion	ell
penllywyddion	ell
penswyddogion	ell
pentewynion	ell
penwynion	all
perchenogion	ell
pererinion	ell
perfeddion	ell
periglorion	ell
perlewygon	ell
person	eg
peryddion	ell
peryglon	ell
pibyddion	ell
pigion	ell
pilion	ell
pillion	ell
piston	eg
planedyddion	ell
planhigion	ell

on

plismon	eg
plwyfogion	ell
plwyfolion	ell
plwyfweision	ell
plygion	ell
pobyddion	ell
poethion	all
polion	ell
porion	ell
porthmon	eg
porthorion	ell
porthweision	ell
postmon	ell
pothellyddion	ell
preiffion	all
prifathrawon	ell
prifolion	ell
prifysgolion	ell
prinion	all
priodorion	ell
profion	ell
prosesyddion	ell
pryderon	ell
prydlon	a
prydyddion	ell
pryfyddion	ell
purion	a, adf
puryddion	ell
pwython	ell
pydron	all
rhadlon	a
rhagafon	eb
rhagbrofion	ell
rhagdybion	ell
rhagodion	ell
rhagofalon	ell
rhagolygon	ell
rhagorion	ell

on

rhagorolion	all
rhagrithion	ell
rhagymadroddion	ell
rhanyddion	ell
rhasglion	ell
rhawffon	eb
rheidusion	ell
rheiddiaduron	ell
rheithorion	ell
rhifolion	ell
rhoddgedion	ell
rhoddion	ell
rhuchion	ell
rhuddion	all, ell
rhuddogion	ell
rhwython	all
rhybedion	ell
rhybuddion	ell
rhyddion	all
rhyfon	ell
rhynion	ell
rhython	ell
rhywelion	ell
sadyddion	ell
saeson	ell
saethyddion	ell
safon	eb
sbon	adf
sebon	eg
segurddynion	ell
selogion	all, ell
seryddion	ell
sewion	ell
sgorpion	eg
sibrydion	ell
sïon	ell
siryddion	ell
siwrneion	ell

on

soffyddion	ell
sôn	be, eg
stesion	eb
stolion	ell
stôn	eb
straeon	ell
suddion	ell
sugion	ell
suon	ell
surion	all
swyddogion	ell
swyngyfareddion	ell
swynion	ell
sylwedyddion	ell
sylladuron	ell
symbylyddion	ell
taenellyddion	ell
taenion	ell
taeogion	ell
tafledigion	ell
tafleisyddion	ell
taflunyddion	ell
tafodogion	ell
talgron	ab
talgrynion	all
tarddion	ell
teilchion	ell
teimlyddion	ell
teipiaduron	ell
teipiedyddion	ell
teipyddion	ell
teledyddion	ell
telynegion	ell
telynorion	ell
temigion	ell
teneuon	all
tetrahedron	eg
tewion	all

on

tewynion	ell
teyrnolion	ell
tirion	a
tlodion	all, ell
tlysion	all
toddion	ell
toeon	ell
ton + tôn	ab, ebg
torion	eg, ell
trafaelion	ell
trafodion	ell
trafferthion	ell
trallodion	ell
trawyddion	ell
trefedigion	ell
trefnyddion	ell
trengholyddion	ell
treiglddynion	ell
tremofyddion	ell
trigolion	ell
troednodion	ell
troeon	ell
trosiaduron	ell
trosolion	ell
trothwyon	ell
truenusion	all
trychion	ell
tryloywon	all, ell
trymion	all
trysoryddion	ell
trywelion	ell
tugelion	ell
twymgalon	a
twymyddion	ell
tymeriaduron	ell
tyndroeon	ell
tystion	ell
tywelion	ell

on

tywysogion	ell
tywysyddion	ell
uchafion	ell
uchelion	ell
unigolion	ell
union	a
weithion	adf
wyrion	ell
wythnosolion	ell
ychwanegion	ell
yfflon	ell
ymadroddion	ell
ymarferion	ell
ymdrechion	ell
ymddiddanion	ell
ymerodryddion	ell
ymgomion	ell
ymrafaelion	ell
ymron	adf
ymryson	be, eg
ymson	be, eg
ymylon	ell
ynadon	ell
ynfydion	ell
ysborion	ell
ysbrydion	ell
ysgafngalon	a
ysgolheigion	ell
ysgolion	ell
ysgolorion	ell
ysgrifenyddion	ell
ysgubion	ell
ysgutorion	ell
ysgyrenion	ell
ysgyrion	ell
ystodion	ell
ystyrlon	a
ystyron	ell

onc

onc

clonc	a
honc	eb
ionc	eg
ponc	eb
rhonc	a
sbonc	eb
sionc	a
tonc	eb
ysbonc	eb

ond

llond	eg
ond	cys
stond	eg

onn

onn	ell

ons

ffons	eb
trons	eg

ont

adnabuont	bf
adnapont	bf
bônt	bf
bront	ab
buont	bf
byddont	bf
caffont	bf
ceubont	eb
clônt	bf
cnônt	bf
cont	eb
crocbont	eb
crynhont	bf
cydnabuont	bf

ont		**or**		**or**	
cyffrônt	bf	brodor	eg	drysor	eg
daethont	bf	buarthfor	eg	dyfnfor	eg
datglônt	bf	canghellor	eg	dygyfor	a, be, eg
deffrônt	bf	callor	eg	egwyddor	eb
delont	bf	cantor	eg	elor	eb
dônt	bf	carcharor	eg	esgor	be
elont	bf	catgor	eg	ewinor	eb
ffônt	bf	cedor	eb	ffactor	eb
gwnelont	bf	cefnfor	eg	gagendor	ebg
gwybuont	bf	cerddor	eg	geneufor	eg
gwypont	bf	cilagor	be	gogor	eb
paratônt	bf	cilddor	eb	gôr	eg
pont	eb	clôr	ell	gorddor	eb
rhônt	bf	cogor	be, eg	goror	eg
trônt	bf	cor + côr	eg	gwarthfor	eg
		cornor	eg	gweithgor	eg
op		crythor	eg	gwyddor	eb
clop	eg	culfor	eg	hawddamor	eg
cop	eg	cydgyngor	eg	hepgor	be
siop	eb	cyfanfor	eg	heusor	eg
stop	eg	cyfor	a	hiwmor	eg
top	eg	cyfrin-gyngor	eg	ionor	eg
		cyfyng-gyngor	eg	iôr	eg
opr		cyngor	eg	llenor	eg
copr	eg	cylor	ell	llifddor	eb
		cymrodor	eg	llinor	eg
or		cynfrodor	eg	maenor	eb
actor	eg	cynhwysor	eg	marmor	eg
agor	be	cynnor	eg	marwor	ell
angor	ebg	chwefror	eg	meinfor	eg
allor	eb	delor	eg	môr	eg
anesgor	a	deor	be	mynor	eg
anhepgor	a	didor	a	nemor	a
atbor	eg	diegwyddor	a	neithior	eb
atgor	be, eg	doctor	eg	pegor	eg
baglor	eg	doethor	eg	pennor	ebg
bathor	eg	dôr	eb	periglor	eg
beisfor	eg	drôr	ebg	porffor	a
blaenor	eg				

201

or

porthor	eg
priodor	eg
prior	eg
proctor	eg
pwyllgor	eg
pylor	eg
rhagddor	eb
rhagflaenor	eg
rhagor	a, adf, eg
rheithgor	eg
rheithor	eg
rhychor	eg
sensor	eg
sgôr	eg
stôr	eg
tanfor	a
telor	eg
telynor	eg
tenor	eg
tor	ebg
tordor	adf
tractor	eg
tramor	a
trysor	eg
tymor	eg
ungor	a
ymagor	be
ynysfor	eg
ysgolor	eg
ysgubor	eb
ysgutor	eg

orc

corc	eg
fforc	eb

orch

amdorch	eb
eurdorch	eb

orch

fforch	eb
glastorch	eb
gyddfdorch	eb
picfforch	eb
plethdorch	eb
teilfforch	eb
torch	eb

ord

anghytgord	eg
bord	eb
cord	eg
cytgord	eg
ffiord	eg
record	ebg

ordd

anhyffordd	a
baldordd	eg
ceuffordd	eb
cilffordd	eb
cledrffordd	eb
croesffordd	eb
culffordd	eb
cyffordd	eb
diarffordd	a
ffordd	eb
gordd	eb
gosgordd	eb
hyffordd	a
priffordd	eb
rheilffordd	eb
traffordd	eb
trefgordd	eb
troedffordd	eb

orf

corf	ebg
llorf	eb

orf

seindorf	eb
torf	eb

orff

cogeilgorff	eg
corff	eg

orm

norm	eg
storm	eb

orn

catgorn	eg
corn	eg
cyfeiliorn	eg
cyweirgorn	eg
chwilgorn	a
digyfeiliorn	a
helgorn	eg
mallgorn	eg
pibgorn	eg
uncorn	a
utgorn	eg

orp

llorp	eb

ors

cors	eb

ort

sbort	ebg

orth

adborth	eg
cymorth	be, eg
digymorth	a
llongborth	eb
porth	ebg

orth

sorth	ab
torth	eb
ymborth	eg

os

achos	ardd, eg
agos	a, adf
andros	eg
annos	be
anos	a
arddangos	be
aros	be
banhadlos	eb
bechgynnos	ell
beunos	adf
caregos	ell
carthffos	eb
ceirios	ell
cerigos	ell
ceuffos	eb
cilcynnos	ell
clòs + clos	a, ab, eg
cocos	ell
cos	eg
cwynos	ebg
cyfagos	a
cyfaros	be
cyfnos	eg
cyhydnos	eb
dangos	be
dechreunos	eg
di-os	a
diachos	a
diaros	a
diddos	a, eg
diymaros	a
dos	eb, bf
dreinios	ell

os

dros	ardd
dunos	eb
dyfrffos	eb
dynos	ell
echnos	adf, eb
eos	eb
euros	ell
ffos	eb
gwerinos	eb, ell
gwernos	ell
gwylnos	eb
hirymaros	be
hirnos	eb
hwyrnos	eb
llinos	eb
llwydnos	eb
marwydos	ell
merchetos	ell
nos	eb
os	cys
plantos	ell
pos	eg
pythefnos	ebg
rhedynglos	eg
rhos	eb
rhuddos	ell
teios	ell
tlos	ab
tros	ardd
unnos	a
wynos	ell
wythnos	eb
ymaros	be, eg
ymddangos	be

osb

cosb	eb
di-gosb	a

osg

osg

anhylosg	a
ciosg	eg
diosg	be
golosg	eg
hylosg	a
llosg	a, eg
mosg	eg

osgl

trosgl	ab

ost

adnabuost	bf
adwaenost	bf
aethost	bf
atecbost	eg
bonllost	eb
bost	eb
buost	bf
calchbost	eg
canbost	eg
canfuost	bf
cilbost	eg
cost	ebg
cydnabuost	bf
cyfarfuost	bf
daethost	bf
darfuost	bf
darganfuost	bf
di-gost	a
diymffrost	a
ffrost	ebg
gorfuost	bf
gwnaethost	bf
gwybuost	bf
gwyddost	bf
llost	eb

ost	
llymdost	a
post	eg
rhost	a
tost	a, eg
ymffrost	eg

ot	
balot	eg
blot	ebg
cnot	eg
cot + côt	eb
dot	eg
drosot	ardd
drwot	ardd
eiddot	rhag
erot	ardd
fôt	eb
grôt	eg
hebot	ardd
lot	eb
mohonot	ardd
ohonot	ardd
parot	eg
peilot	eg
pot	eg
rhagot	ardd
rhyngot	ardd
tebot	eg
trosot	ardd
trwot	ardd
ynot	ardd

ots	
ots	eg

oth	
both	eb
croth	eb

oth	
gloth	ab
rhoth	ab
saboth	eg
ysgoth	eg

ous	
cyffrous	a
hir-ymarhous	a
ymarhous	a
ymrous	a

owch	
clowch	bf
cnowch	bf
crynhowch	bf
cyffrowch	bf
datglowch	bf
deffrowch	bf
dowch	bf
ffowch	bf
paratowch	bf
rhowch	bf
trowch	bf
ymrowch	bf

own	
brown	a
clown	bf, eg
cnown	bf
crynhown	bf
cyffrown	bf
datglown	bf
deffrown	bf
down	bf
ffown	bf
paratown	bf
rhown	bf
trown	bf

own	
ymrown	bf

ownd	
sownd	a

owns	
owns	eb

ows	
blows	eb
lobsgows	eg

owt	
cowt	eg
sgowt	eg

oyw	
-oyw: Pe cyfrifid yr **w** yn llafariad, gellid odli **-oyw** â **w**.	
croyw	a
gloyw	a
hoyw	a
tryloyw	a

u	
aberthu	be
aberu	be
absennu	be
absolfennu	be
acennu	be
achlesu	be
adbelydru	be
ad-dalu	be
adeiladu	be
adfeddu	be
adlewyrchu	be
adnabu	bf

adnewyddu	be
adolygu	be
adrefu	be
adweinyddu	be
addasu	be
addunedu	be
addysgu	be
aeddfedu	be
aelddu	a
afagddu	eb
aflonyddu	be
afradu	be
afu	ebg
agennu	be
angennu	be
anghenu	be
anghredu	be
ailasesu	be
ailbrynu	be
ailddarlledu	be
ailgylchu	be
ailysgrifennu	be
alaethu	be
alaru	be
amaethu	be
amcanu	be
amddifadu	be
amgylchu	be
amgylchynu	be
amharchu	be
amharu	be
amlinellu	be
amlygu	be
amrantu	be
amseru	be
anadlu	be
anafu	be
anallu	eg

anelu	be
anferthu	be
anharddu	be
anheddu	be
anhrefnu	be
anhyfrydu	be
anialu	be
anlladu	be
anrhegu	be
anrhydeddu	be
anweddu	be
anwesu	be
anwybyddu	be
aradru	be
aradu	be
arafu	be
arbelydru	be
archebu	be
archwaethu	be
arddyrchafu	be
arfaethu	be
arglwyddiaethu	be
argraffu	be
ariannu	be
arogldarthu	be
arolygu	be
arwerthu	be
asennu	be
asesu	be
asethu	be
asgennu	be
atafaelu	be
ategu	be
atgenhedlu	be
atglafychu	be
atgyfannu	be
atgyflyru	be
atgyfnerthu	be

atgynhyrchu	be
atolygu	be
atyfu	be
atynnu	be
athrawiaethu	be
athronyddu	be
awchlymu	be
awchu	be
awgrymu	be
awyddu	be
awyru	be
babanu	be
bacsu	be
bachu	be
baeddu	be
bagadu	be
baglu	be
balddu	a
baneru	be
barnu	be
basgedu	be
bathu	be
bawdheglu	be
beirniadu	be
beisgawnu	be
berweddu	be
blaendalu	be
blaendarddu	be
blaenllymu	be
blaenoriaethu	be
blaenu	be
blasu	be
blonegu	be
blysu	be
bocsachu	be
boglynnu	be
bolrythu	be
bongamu	be

botymu	be	caeru	be	cawsu	be
bradfwriadu	be	caglu	be	cebystru	be
bradu	be	canghennu	be	cecru	be
bradychu	be	calchennu	be	cedenu	be
braenaru	be	calchu	be	cefnlu	eg
braenu	be	caledu	be	cefnu	be
bragu	be	camacennu	be	ceinlythrennu	be
brasgamu	be	camamseru	be	cegrythu	be
brasnaddu	be	camdyngu	be	cegu	be
brathu	be	camfarnu	be	cenglu	be
brawddegu	be	camfeddiannu	be	celcu	be
brawychu	be	camfucheddu	be	celu	be
brefu	be	camgolledu	be	cenfigennu	be
bregysu	be	camhysbysu	be	cenhadu	be
briallu	ell	camlesu	be	cenhedlu	be
bru	eg	camsillafu	be	ceryddu	be
brychu	be	camu	be	cethru	be
bu	bf	camweddu	be	cildynnu	be
buarthu	be	camynganu	be	cilwenu	be
bucheddu	be	canfu	bf	cilwgu	be
buchfrechu	be	cannu	be	claddu	be
busnesu	be	canu	be, eg	claearu	be
bustachu	be	carcharu	be	clafychu	be
bwbachu	be	caregu	be	cledru	be
bwldagu	be	carfaglu	be	cliciedu	be
bwndelu	be	carfanu	be	cloriannu	be
bwriadu	be	carlamu	be	clymu	be
byclu	be	carnu	be	cnecu	be
bychanu	be	carpedu	be	cnocellu	be
byddaru	be	carpu	be	cnu	eb
bygylu	be	cartrefu	be	cochddu	a
bylchu	be	carthu	be	codymu	be
byrlymu	be	caru	be	cofiannu	be
byseddu	be	casglu	be	cofrestru	be
bysu	be	castellu	be	coleddu	be
cablu	be	cathlu	be	colfachu	be
cachu	be	cawdelu	be	colynnu	be
caenennu	be	cawellu	be	colledu	be

u

collfarnu	be	cusanu	be	cyferbynnu	be
cordeddu	be	cwestiynu	be	cyfieithu	be
corfannu	be	cwmanu	be	cyflafareddu	be
corfflu	eg	cwmpasu	be	cyflegru	be
corganu	be	cwnnu	be	cyflymu	be
corlannu	be	cwpanu	be	cyflynu	be
cornelu	be	cwpelu	be	cyflyru	be
costrelu	be	cwtanu	be	cyfnerthu	be
crachennu	be	cwteru	be	cyfnyddu	be
crafangu	be	cwynfanu	be	cyfrannu	be
crafu	be, eg	cycyllu	be	cyfresu	be
craffu	be	cychu	be	cyfresymu	be
cramennu	be	cyd-drefnu	be	cyfrifiannu	be
crasu	be	cyd-dynnu	be	cyfrinachu	be
crawennu	be	cydfwriadu	be	cyfrodeddu	be
crebachu	be	cydganu	be	cyfryngu	be
crechwenu	be	cydgasglu	be	cyfundrefnu	be
credu	be	cydnabu	bf	cyfyngu	be
credydu	be	cydolygu	be	cyfystyru	be
crefu	be	cydrannu	be	cyffelybu	be
creffynnu	be	cydweddu	be	cyffesu	be
crestennu	be	cydweithredu	be	cynganeddu	be
crinellu	be	cydymagweddu	be	cynghraffu	be
crintachu	be	cyfaddasu	be	cyhydeddu	be
crisialu	be	cyfaddawdu	be	cylchlythyru	be
croesawu	be	cyfamseru	be	cylchu	be
croestynnu	be	cyfanheddu	be	cylchynu	be
crofennu	be	cyfannu	be	cyllellu	be
crychlamu	be	cyfanwerthu	be	cymathu	be
crychu	be	cyfareddu	be	cymdeithasu	be
crydu	be	cyfarfu	bf	cymharu	be
crygu	be	cyfarparu	be	cymhennu	be
crymanu	be	cyfartalu	be	cymhlethu	be
crymu	be	cyfathrachu	be	cymrodeddu	be
crynodebu	be	cyfathrebu	be	cymru	eb
crynu	be	cyfebru	be	cymylu	be
cu	a, eg	cyfebu	be	cymynnu	be
curnennu	be	cyfeillachu	be	cymynu	be

u

cymysgu	be	chwysigennu	be	dedfrydu	be
cynaeafu	be	chwysu	be	deddfu	be
cynanu	be	chwythu	be	defnynnu	be
cyndynnu	be	dadadeiladu	be	deialu	be
cyneddfu	be	dadatafaelu	be	deirydu	be
cynhennu	be	dadebru	be	deisebu	be
cynhesu	be	dadelfennu	be	deisyfu	be
cynhyrchu	be	dadfachu	be	delfrydu	be
cynhyrfu	be	dadfythu	be	delffu	be
cynllyfanu	be	dadlennu	be	delweddu	be
cynnu	be	dadluddedu	be	delltu	be
cynyddu	be	dadlygru	be	denu	be
cynysgaeddu	be	dadolychu	be	derllyddu	be
cyplu	be	dadwladychu	be	deutu	eg
cyplysu	be	dadyrddu	be	diadellu	be
cyrcydu	be	daearu	be	dianghenu	be
cyrchu	be	dafnu	be	diallu	a
cyrfu	be	dallu	be	dianrhydeddu	be
cysegru	be	damcanu	be	diarhebu	be
cysgu	be	damhegu	be	diasgellu	be
cystadlu	be	danheddu	be	dibennu	be
cystrawennu	be	darfu	bf	diblannu	be
cysylltu	be	darganfu	bf	dibynnu	be
cythru	be	darlledu	be	dichellu	be
cythryblu	be	daroganu	be	didreftadu	be
cywasgu	be	darparu	be	didynnu	be
chwaethu	be	darsyllu	be	diddanu	be
chwalu	be	datblygu	be	diddyfnu	be
chwantu	be	datfforestu	be	diddymu	be
chwarennu	be	datganu	be	dienyddu	be
chwarteru	be	datgelu	be	diesgyrnu	be
chwenychu	be	datgordeddu	be	difaru	be
chwibanu	be	datgymalu	be	difeddiannu	be
chwistrellu	be	datgysegru	be	diferu	be
chwydu	be	datgysylltu	be	diferynnu	be
chwynnu	be	datrannu	be	diflannu	be
chwyrnellu	be	datrefedigaethu	be	diflasu	be
chwyrnu	be	dathlu	be	difyrru	be

u

digaregu	be	du	a	eiddigeddu	be
digennu	be	dwlu	be	eiledu	be
digolledu	be	dwyrannu	be	eiriasu	be
dihatru	be	dyblu	be	elfennu	be
diluddedu	be	dyblygu	be	enwaedu	be
dilysu	be	dychanu	be	enwebu	be
dilladu	be	dychlamu	be	eplesu	be
diofrydu	be	dychmygu	be	erchyllu	be
diogelu	be	dychrynu	be	erthylu	be
diorseddu	be	dyddfu	be	erydu	be
diraenu	be	dyfalu	be	etifeddu	be
dirdynnu	be	dyfarnu	be	ewyllysu	be
dirgrynu	be	dyfnu	be	ewynnu	be
dirmygu	be	dyfru	be	fagddu	eb
dirwasgu	be	dyfynnu	be	ffaelu	be
dirydu	be	dygnu	be	ffaglu	be
dirymu	be	dylanwadu	be	ffasgu	be
disbaddu	be	dylu	be	ffenestru	be
disbyddu	be	dylyfu	be	fferru	be
disgyblaethu	be	dynesu	be	fflangellu	be
disgyblu	be	dyrannu	be	fflamychu	be
disgyrchu	be	dyrchafu	be	fforffedu	be
distadlu	be	dyrchu	be	ffrewyllu	be
distyllu	be	dyrnu	be	ffuredu	be
disychedu	be	dysgu	be	ffwdanu	be
diwallu	be	dywalu	be	ffynnu	be
diweddaru	be	ebrannu	be	gaeafu	be
diweddu	be	ebychu	be	gaflachu	be
diystyru	be	echelu	be	galarnadu	be
dodrefnu	be	echrydu	be	galaru	be
doethinebu	be	edifaru	be	gallu	be, eg
dogfennu	be	edmygu	be	garanu	be
dolennu	be	efengylu	be	gardysu	be
dosbarthu	be	efelychu	be	garlantu	be
dosrannu	be	efrydu	be	gefynnu	be
dreflu	be	egru	be	generadu	be
drygu	be	ehangu	be	glasu	be
drysu	be	ehebu	be	glaswenu	be

209

gloywddu	a
glynu	be
gobeithlu	eg
goblygu	be
godinebu	be
gofalu	be
goferu	be
goganu	be
gogoneddu	be
gogrynu	be
gohebu	be
goleddfu	be
golygu	be
gorchestu	be
gorchfygu	be
gordyfu	be
gordderchu	be
gorfoleddu	be
gorfu	bf
gormesu	be
gorofalu	be
gorseddu	be
gorthrechu	be
gorthrymu	be
gorwlychu	be
gorwychu	be
gosgorddlu	eg
gostegu	be
graenu	be
gresynu	be
gwadnu	be
gwadu	be
gwaedu	be
gwaelu	be
gwaethygu	be
gwagu	be
gwahaniaethu	be
gwahanu	be

gwaltysu	be
gwamalu	be
gwancu	be
gwanegu	be
gwanu	be
gwanychu	be
gwarantu	be
gwarchodlu	eg
gwaredu	be
gwargaledu	be
gwargamu	be
gwargrymu	be
gwasanaethu	be
gwasgaru	be
gwasgu	be
gwastraffu	be
gwdennu	be
gweddu	be
gwehyddu	be
gweinidogaethu	be
gweinyddu	be
gweithlu	eg
gweithredu	be
gwenieithu	be
gwenu	be
gwersyllu	be
gwerthu	be
gŵeru	be
gweryru	be
gweunblu	ell
gwgu	be
gwireddu	be
gwironeddu	be
gwiweru	be
gwladychu	be
gwlychu	be
gwregysu	be
gwrthganu	be

gwrthgyferbynnu	be
gwrthwynebu	be
gwybu	bf
gwyngalchu	be
gwylltu	be
gwynegu	be
gwyniasu	be
gwynlasu	be
gwynnu	be
gwyntyllu	be
gwyrddlasu	be
gwyrddu	be
gwyrgamu	be
gyrru	be
hadu	be
haeddu	be
haenellu	be
haenu	be
haeru	be
hagru	be
halltu	be
haneru	be
hanu	be
harddu	be
heddlu	eg
heddychu	be
heglu	be
helaethu	be
helmu	be
helpu	be
hendrefu	be
hiraethu	be
hobelu	be
hocedu	be
hoenynnu	be
holltennu	be
hualu	be
hufennu	be

u		u		u	
hybu	be	llewyrchu	be	madreddu	be
hyderu	be	llifanu	be	madru	be
hyllu	be	llindagu	be	maeddu	be
hymynnu	be	llinellu	be	maethu	be
hyrddu	be	lliniaru	be	maglu	be
hysbyddu	be	llinynnu	be	magu	be
hysbysebu	be	llochesu	be	malu	be
hysbysu	be	llofelu	be	mallu	be
hyweddu	be	llonyddu	be	mam-gu	eb
iasu	be	llu	eg	mân-werthu	be
igam-ogamu	be	lluchddu	a	manblu	ell
iselu	be	lluchedu	be	mannu	be
lefelu	be	lludu	eg	mantellu	be
llaesu	be	lluddedu	be	manu	be
llaethu	be	lluestu	be	manylu	be
llafnu	be	llumanu	be	marchlu	eg
llafurlu	eg	lluniadu	be	marchoglu	eg
llamsachu	be	lluniaethu	be	marwnadu	be
llamu	be	llwgu	be	marwolaethu	be
llanastru	be	llwyd-ddu	a	masglu	be
llanerchu	be	llwyfannu	be	masgynhyrchu	be
llathennu	be	llwytu	a	masnachu	be
llathru	be	llydnu	be	mathru	be
llawenychu	be	llyfnu	be	mathu	be
llechfeddiannu	be	llyfru	be	mawrygu	be
llechu	be	llyfu	be	medru	be
llechweddu	be	llygad-dynnu	be	meddalu	be
lledaenu	be	llygadrythu	be	meddiannu	be
lledru	be	llygadu	be	meddu	be
lledu	be	llygeitu	a	meddyginiaethu	be
lleddfu	be	llygru	be	meddylu	be
llefaru	be	llymru	eg	meflu	be
llennu	be	llymu	be	meidryddu	be
llestru	be	llyncu	be	melynddu	a
llesu	be	llywodraethu	be	melynu	be
lletemu	be	llywyddu	be	melysu	be
llethu	be	mabwysiadu	be	melltennu	be
llewygu	be	macsu	be	mennu	be

merthyru	be	ogedu	be	picedu	be
methu	be	olsyllu	be	picellu	be
mewnlyncu	be	olynu	be	pistyllu	be
mewnsaethu	be	pabellu	be	plannu	be
mingamu	be	palfalu	be	plethu	be
modelu	be	palmantu	be	plu	ell
moesymgrymu	be	palu	be	pluennu	be
moliannu	be	pallu	be	plygu	be
mursennu	be	pannu	be	pocedu	be
mydru	be	panylu	be	poergarthu	be
mydryddu	be	parablu	be	poethofanu	be
mydylu	be	parchu	be	poptu	eg
mygdarthu	be	pardynu	be	porfelu	be
mygu	be	parddu	eg	portreadu	be
mygydu	be	parlysu	be	potelu	be
myllu	be	parthu	be	pothellu	be
mynnu	be	paru	be	pregethu	be
mynwesu	be	pastynu	be	proffesu	be
mynychu	be	pawennu	be	prosesu	be
mysgu	be	pechu	be	pryderu	be
nadu	be	pelydru	be	prydferthu	be
naddu	be	pellennu	be	prydu	be
negyddu	be	penderfynu	be	prydyddu	be
neilltu	eg	pendifadu	be	pryfedu	be
nennu	be	pendrymu	be	prynu	be
nerthu	be	pengrymu	be	pwdu	be
nesu	be	penddu	ebg	pwrcasu	be
newyddu	be	pennu	be	pwrpasu	be
newynu	be	pensyfrdanu	be	pydru	be
niferu	be	pensynnu	be	pygddu	a
nodweddu	be	penteulu	eg	pygu	be
nychu	be	pentyrru	be	pyngu	be
nyddu	be	penwynnu	be	pylu	be
nythu	be	perorasiynu	be	pyllu	be
oddeutu	adf, ardd	persawru	be	rhacanu	be
oernadu	be	peryglu	be	rhaffu	be
offeru	be	pesychu	be	rhagarfaethu	be
offrymu	be	pibellu	be	rhagddyfalu	be

u

rhagflaenu	be
rhagofalu	be
rhamantu	be
rhannu	be
rhasglu	be
rhathellu	be
rhathu	be
rhechu	be
rhefru	be
rheiddiadu	be
rhentu	be
rhestru	be
rhesymu	be
rhidyllu	be
rhigymu	be
rhu	eg
rhwdu	be
rhwymynnu	be
rhybedu	be
rhychu	be
rhychwantu	be
rhydu	be
rhydyllu	be
rhyfeddu	be
rhyfygu	be
rhyglyddu	be
rhygnu	be
rhygyngu	be
rhyngu	be
rhynnu	be
rhythu	be
saethu	be
safnrhythu	be
sangu	be
sarnu	be
sathru	be
sawru	be
sefydlu	be

u

sennu	be
serchu	be
serennu	be
sgathru	be
sgrafellu	be
sgrialu	be
sianelu	be
sidellu	be
sillafu	be
simsanu	be
sisyrnu	be
stocanu	be
stryffaglu	be
styffylu	be
su	eg
swbachu	be
sybachu	be
sychdarthu	be
sychedu	be
sychu	be
syfrdanu	be
sylfaenu	be
syllu	be
symbylu	be
symlu	be
synnu	be
sypynnu	be
syrffedu	be
sythu	be
tabernaclu	be
tabyrddu	be
taclu	be
tad-cu	eg
taenellu	be
taenu	be
taeru	be
tafellu	be
taflennu	be

u

taflu	be
tagu	be
tangnefeddu	be
talchu	be
talfyrru	be
talgrychu	be
talmu	be
talu	be
tanlinellu	be
tannu	be
taradru	be
taranu	be
tarddellu	be
tarddu	be
tarfu	be
tarthu	be
tasgu	be
tasu	be
tawelu	be
tawlu	be
tebygu	be
teilyngu	be
teirannu	be
teledu	be, eg
tempru	be
terfynu	be
terfysgu	be
teru	be
teulu	eg
tewychu	be
teyrnasu	be
tlysu	be
tolchennu	be
torfynyglu	be
torsythu	be
tra-arglwyddiaethu	be
trachwantu	be
traeanu	be

traethu	be	tynnu	be	ymddiofrydu	be
trafaelu	be	tyrchu	be	ymddiorseddu	be
traflyncu	be	tyrfu	be	ymddisgyblu	be
trafferthu	be	tyrru	be	ymddolennu	be
trawsblannu	be	tystiolaethu	be	ymddyfalu	be
trawsfeddiannu	be	tywarchu	be	ymddyrchafu	be
trawsyrru	be	tywyllu	be	ymfflamychu	be
treblu	be	tywynnu	be	ymganghennu	be
trechu	be	tywysu	be	ymgaledu	be
trefnu	be	untu	a	ymgartrefu	be
tremu	be	wyneblasu	be	ymgasglu	be
tremygu	be	wynebu	be	ymgecru	be
tresbasu	be	ychwanegu	be	ymgeleddu	be
tresmasu	be	ynganu	be	ymgelu	be
trethu	be	ymageru	be	ymgleddyfu	be
trigfannu	be	ymagweddu	be	ymgodymu	be
trigiannu	be	ymarweddu	be	ymgrymu	be
troseddu	be	ymawyddu	be	ymgydnabyddu	be
trwblu	be	ymbalfalu	be	ymgyfathrachu	be
trwmpedu	be	ymbelydru	be	ymgyfeillachu	be
trwyddedu	be	ymdaclu	be	ymgyffelybu	be
trybaeddu	be	ymdaenu	be	ymgyrchu	be
trychu	be	ymdaeru	be	ymgysegru	be
trydanu	be	ymdagu	be	ymgysylltu	be
tryferu	be	ymdannu	be	ymharddu	be
tryledu	be	ymdebygu	be	ymhelaethu	be
trythyllu	be	ymdrafferthu	be	ymhyfrydu	be
trywanu	be	ymdrechu	be	ymlaesu	be
tu	eg	ymdrybaeddu	be	ymlawenychu	be
tudalennu	be	ymdrythyllu	be	ymledu	be
tueddu	be	ymdynghedu	be	ymlonyddu	be
tyfu	be	ymdyngu	be	ymlynu	be
tyngedfennu	be	ymdynnu	be	ymorchestu	be
tynghedu	be	ymdyrru	be	ymrannu	be
tyngu	be	ymdderu	be	ymrestru	be
tyllu	be	ymddifyrru	be	ymresymu	be
tymheru	be	ymddihatru	be	ymsefydlu	be
tyneru	be	ymddilladu	be	ymsennu	be

u

ymserchu	be
ymsythu	be
ymwadu	be
ymwaredu	be
ymwasgu	be
ymwerthu	be
ymylu	be
ymyrru	be
ynfydu	be
ynysu	be
ysbaddu	be
ysbyty	eg
ysgafnu	be
ysgaldanu	be
ysgarthu	be
ysgaru	be
ysglyfaethu	be
ysgrifennu	be
ysgyrnygu	be
ysgythru	be
ysmygu	be
ysnodennu	be
ystrydebu	be
ysu	be

ub

achub	be
cerub	eg
dysgub	be
ymachub	be
ysgub	eb

uch

cnuch	eg
eunuch	eg

ud

alltud	a, eg
anfynud	a

ud

astud	a
barcud	eg
brud	eg
caethglud	eb
crud	eg
cynnud	eg
drud	a
ehud	a
esgud	a
ffunud	eg
glud	eg
golud	eg
gwrthsymud	be
helgud	be, eg
hud	eg
hyglud	a
machlud	be, eg
mud	a
munud	ebg
pulpud	eg
sud	rhag
symud	be
tud	eb

udr

budr	a

udd

anhyludd	a
anufudd	a
budd	eg
cochrudd	a
coludd	ell
cudd	a, bf, eg
cystudd	eg
cythrudd	eg
dadannudd	eg
datgudd	eg

udd

deurudd	eg
di-fudd	a
diachudd	a
dioludd	a
dirybudd	a
dwyrudd	eb
gorchudd	eg
grudd	ebg
gwaedrudd	a
gwarthrudd	eg
hudd	eg
llofrudd	eg
lludd	eg
madrudd	eg
muchudd	eg
nudd	eb
prudd	a
rhudd	a
rhybudd	eg
sudd	eg
trabludd	eg
ufudd	a

uf

cnuf	eb
pluf	ell

ug

barrug	eg
caddug	eg
crug	eg
dug	bf, eg
ffug	a
grug	ell
haerllug	a
haflug	eg
hug	eb
minffug	a

ugl

morgrug	ell
sarrug	a
seithug	a
sug	eg

ugl

rhugl	a

ugn

sugn	eg

ul

casul	ebg
cnul	eg
cul	a
gwachul	a
helbul	eg
hirgul	a
mul	eg
sul	eg

ull

arddull	eb
atgynnull	be
camddull	eg
cydgynnull	be
cynnull	be
dull	eg
ffull	eg
llenddull	eg
rhull	a
trull	eg
ymgynnull	be

um

adnabûm	bf
bûm	bf
burum	eg
canfûm	bf
cydnabûm	bf

um

cyfarfûm	bf
darfûm	bf
darganfûm	bf
deuthum	bf
euthum	bf
gorfûm	bf
gwneuthum	bf
gwybûm	bf
pum	a
trum	eg
ystlum	eg
ystum	ebg

ump

pump	a

un

anghredadun	eg
anghytûn	a
amheuthun	a, eg
amrantun	ebg
anhun	eg
anoddun	eg
arddun	a
arofun	be, eg
arwyddlun	eg
baslun	eg
blaengynllun	eg
braslun	eg
bun	eb
cerflun	eg
clun	eb
corun	eg
credadun	a, eg
cun	a
cyd-destun	eg
cyflun	a, eg
cyfun	a

un

cymun	eg
cynllun	eg
cyntun	eg
cysgodlun	eg
cytûn	a
darlun	eg
deulun	a
digynllun	a
digriflun	eg
di-hun	a
di-lun	a
diwarafun	a
eilun	eg
esgymun	a
ffortun	eb
ffurflun	eg
gwarafun	be
gwawdlun	eg
gwrthun	a
hun	eb, rhag
llun	eg
llwncdestun	eg
llymun	a
mân-ddarlun	eg
murddun	eg
murlun	eg
noethlymun	a
patrymlun	eg
rhaglun	eg
rhywun	eg
striplun	eg
testun	eg
tirlun	eg
un	a
wylun	a
wyneblun	eg
ysbardun	eg
ysgymun	a

unt

unt

punt	eb
rhupunt	eg

ur

achlysur	eg
anghyfesur	a
amatur	eg
amfesur	eg
amhur	a
aneglur	a
antur	eb
awdur	eg
blagur	ell
blwyddiadur	eg
bywgraffiadur	eg
cachadur	eg
canolfur	eg
carburedur	eg
clasur	eg
cofiadur	eg
creadur	eg
cronadur	eg
cur	eg
cyfarwyddiadur	eg
cyfeiriadur	eg
cyfesur	a
cyfrifiadur	eg
cyffur	eg
cymesur	a
cynhalfur	eg
cysgadur	eg
cysur	eg
cyweiriadur	eg
chwimiadur	eg
dadwneuthur	be
didostur	a
difesur	a

ur

digysur	a
doethur	eg
dolur	eg
dur	a, eg
dyddiadur	eg
dysgadur	eg
eglur	a
emyniadur	eg
enwadur	eg
fwltur	eg
ffigur	ebg
fflur	ell
ffoadur	eg
ffreutur	eg
geiriadur	eg
generadur	eg
gwahanfur	eg
gwneuthur	be
gwniadur	ebg
gwerthfesur	eg
gwrthsur	eg
gwyddoniadur	eg
henadur	eg
holiadur	eg
hur	eg
llafur	eg
llifddur	eb
lliwur	eg
llymsur	a
mesur	be, eg
modur	eg
mur	eg
murmur	be, eg
mwyadur	eg
natur	eb
newyddiadur	eg
oriadur	eb
papur	eg

ur

pechadur	eg
penadur	eg
pladur	eb
prysur	a
pupur	eg
pur	a, adf
rhagfur	eg
rheiddiadur	eg
rhifiadur	eg
segur	a
strwythur	eg
suntur	eg
sur	a
sylladur	eg
teipiadur	eg
tollfur	eg
trosiadur	eg
trwynsur	a
tryfesur	eg
tymeriadur	eg
ymwneuthur	be
ysgrythur	eb
ystrodur	eb

urdd

cyfurdd	a
urdd	eb

urf

amlffurf	a
anffurf	eg
croesffurf	a
diffurf	a
ffurf	eb
tirffurf	eg
unffurf	a
wyffurf	a

urn

urn

urn	
addurn	eg
curn	eb
diaddurn	a

urs

turs	eg

urt

hurt	a

us

absennus	a
adfydus	a
adnabyddus	a
addfwynus	a
aethus	a
afiachus	a
afieithus	a
aflonyddus	a
aflwyddiannus	a
aflywodraethus	a
afradus	a
afreolus	a
anghenus	a
anghlodforus	a
anghofus	a
anghydmarus	a
anghydnabyddus	a
anghyfieithus	a
anghyfforddus	a
anghymarus	a
anghysurus	a
ailadroddus	a
alaethus	a
amcanus	a
amddifadus	a
amharchus	a
amharus	a

us

amhleserus	a
amhorthiannus	a
amhwyllus	a
amryfus	a
anadnabyddus	a
anafus	a
anedmygus	a
anfedrus	a
anfentrus	a
anfoddus	a
anffodus	a
anffortunus	a
anffyniannus	a
anhapus	a
anhrefnus	a
anhrwsiadus	a
anhwylus	a
anlwcus	a
annarbodus	a
annaturus	a
anneallus	a
annhyciannus	a
annhymerus	a
anniddanus	a
annosbarthus	a
annychmygus	a
anolygus	a
anrhydeddus	a
ansoniarus	a
anturiaethus	a
anturus	a
anudonus	a
anweddus	a
anwireddus	a
anwybodus	a
anwydus	a
anymrafaelus	a
arabus	a

us

argoelus	a
argyfyngus	a
aroglus	a
arswydus	a
astrus	a
atgofus	a
athrawus	a
athrodus	a
awchus	a
awgrymus	a
awyddus	a
baldorddus	a
barnus	a
barus	a
beichus	a
beius	a
blagurus	a
blasus	a
blinderus	a
bocsachus	a
bradwriaethus	a
bradwrus	a
bradychus	a
brawychus	a
bregus	a
breichus	a
breintus	a
breinus	a
brochus	a
buddugoliaethus	a
bwriadus	a
bychanus	a
bygylus	a
byrgofus	a
byrlymus	a
cableddus	a
cadwrus	a
caethiwus	a

camdybus	a	cyfforddus	a	doethinebus	a
campus	a	cynghorfynnus	a	dognus	a
camweddus	a	cyhoeddus	a	dolefus	a
canmoliaethus	a	cyllidus	a	dolurus	a
carcus	a	cymharus	a	dosbarthus	a
cariadus	a	cynhennus	a	drwgdybus	a
carlamus	a	cynhyrfus	a	drycsawrus	a
cecrus	a	cysurus	a	drychiolaethus	a
ceintachus	a	cytunus	a	drygionus	a
cellweirus	a	cythryblus	a	dychmygus	a
cenfigennus	a	cywilyddus	a	dyledus	a
cildynnus	a	chwaethus	a	ebargofus	a
cilwgus	a	chwantus	a	echrydus	a
clabarddus	a	chwerthinus	a	edliwus	a
clebarddus	a	dadyrddus	a	edmygus	a
clebrus	a	daionus	a	eiddigeddus	a
clodforus	a	dalus	a	eiddigus	a
clwyfus	a	darbodus	a	enbydus	a
cofus	a	dawnus	a	enllibus	a
cogorus	a	deallus	a	esgeulus	a
colledus	a	destlus	a	esgus	eg
costus	a	detholus	a	ffafrus	a
crafangus	a	dianrhydeddus	a	ffetus	a
craffus	a	dibetrus	a	ffodus	a
crechwenus	a	dichellus	a	fforddus	a
crefftus	a	diddanus	a	ffortunus	a
crefftwrus	a	diddarbodus	a	ffuantus	a
croesawus	a	difeius	a	ffwdanus	a
cruglus	ell	difrodus	a	ffwndrus	a
crwydrus	a	difyrrus	a	ffyniannus	a
crydus	a	digofus	a	gafaelus	a
cwynfanus	a	dihoenus	a	galarus	a
cwynus	a	dilornus	a	gelyniaethus	a
cydnabyddus	a	dirboenus	a	godinebus	a
cydweddus	a	direidus	a	gofalus	a
cyfarchus	a	dirmygus	a	gofidus	a
cyfareddus	a	distrywus	a	goganus	a
cyfeiliornus	a	diwallus	a	gogoneddus	a

golygus	a	hiraethus	a	mwydrus	a
gorawenus	a	hocedus	a	mwythus	a
gorfoleddus	a	hoenus	a	myngus	a
gorthrymus	a	hoffus	a	naturus	a
graenus	a	homogenus	a	nerfus	a
gresynus	a	hudolus	a	niferus	a
griddfanus	a	hunandybus	a	nwydus	a
grymus	a	hunanreolus	a	nwyfus	a
gwagelus	a	hwylus	a	oedrannus	a
gwahanglwyfus	a	hyderus	a	ofergoelus	a
gwahoddus	a	hyfforddus	a	palfalus	a
gwallgofus	a	hygoelus	a	parablus	a
gwallus	a	iachus	a	parchus	a
gwancus	a	lwcus	a	pechadurus	a
gwaradwyddus	a	llafurus	a	peraroglus	a
gwarthus	a	llamsachus	a	persawrus	a
gwastraffus	a	llechwrus	a	peryglus	a
gwatwarus	a	llewyrchus	a	petrus	a
gwawdus	a	llidus	a	plagus	a
gweddus	a	lliniarus	a	plentynnus	a
gwefus	eb	lliwus	a	pleserus	a
gwenieithus	a	llus	ell	poenus	a
gwgus	a	llwyddiannus	a	porthiannus	a
gwragennus	a	llygadus	a	pruddglwyfus	a
gwrandawus	a	llywodraethus	a	pryderus	a
gwrth-heintus	a	maldodus	a	pwerus	a
gwrthwynebus	a	maleisus	a	rhadus	a
gwybodus	a	mallus	a	rhamantus	a
gwybyddus	a	manus	ell	rheibus	a
gwyliadwrus	a	marchus	a	rheidus	a
haelionus	a	medrus	a	rheolus	a
hapus	a	mefus	ell	rhus	eg
heintus	a	mentrus	a	rhwyfus	a
helbulus	a	methiannus	a	rhwystrus	a
helyntus	a	milwriaethus	a	rhyfygus	a
hepianus	a	moddus	a	rhyglyddus	a
heterogenus	a	moethus	a	rhywus	a
hidrus	a	moliannus	a	sawrus	a

us	
serchus	a
siaradus	a
smaragdus	a
soniarus	a
stormus	a
swmpus	a
synhwyrus	a
syrffedus	a
taclus	a
tangnefeddus	a
tantrus	a
temprus	a
terfynus	a
tewychus	a
torcalonnus	a
trabluddus	a
trachwantus	a
trafferthus	a
trallodus	a
tramgwyddus	a
trefnus	a
tremygus	a
trowsus	eg
truenus	a
trwblus	a
trwchus	a
trwsiadus	a
trychinebus	a
trywsus	eg
twyllodrus	a
tybus	a
tyciannus	a
tynghedus	a
tymherus	a
thus	eg
us	ell
ustus	eg

us	
wylofus	a
ymadroddus	a
ymbalfalus	a
ymfodlonus	a
ymrafaelus	a
ysglyfaethus	a
ystrywus	a

usg	
cyflusg	eb
llusg	eg

ust	
achlust	eg
bonclust	eg
clust	ebg
ffust	eb
locust	eg
penffust	eg
ust	eg

ustl	
bustl	eg

ut	
barcut	eg
cut	eg
di-sut	a
rhywsut	adf
sut	rhag

uth	
ffulltuth	eg
goduth	eg
truth	eg
tuth	eg

uthr	
aruthr	a, eg
rhuthr	eg
uthr	a

uw	
annuw	a
didduw	a
duw	eg

uwch	
buwch	eb
cuwch	a, eg
cyfuwch	a
ffluwch	eg
goruwch	ardd
lluwch	eg
uwch	a, ardd

uwd	
uwd	eg

w

-w: Cofier mai unsill yw marw, tarw, etc. yn draddodiadol ac ni fyddent yn odli â dim ond **-arw**.

O gyfrif yr **w** yn llafariad bur, mae'r holl eiriau yn y rhestr yn odli.

Ond sylwer mai unsill ydyw **ceidw** a **meirw** hyd heddiw ar lafar.

| acw | adf |

221

w		**w**		**w**	
adalw	be	dienw	a	pitw	a
adenw	eg	difarw	a	rhagenw	eg
anelw	a	difenw	eg	salw	a
bambŵ	eg	drydw	eg	sŵ	eg
bedw	ell	elw	eg	sylw	eg
berfenw	eg	enw	eg	tabŵ	eg
berw	a, eg	erw	eb	tarw	eg
bitw	a	ffugenw	eg	teirw	ell
budrelw	eg	gafrdarw	eg	titw	ebg
buddelw	ebg	galw	be	tusw	eg
bw	eg	garw	a, eg	tw	eg
bwrw	be, eg	geilw	bf	twrw	eg
cadw	be	geirw	all	ulw	adf, ell
camenw	eg	glasenw	eg	ymgadw	be, eg
cam-lw	eg	gorlanw	eg		
camlwrw	eg	gwdihŵ	eb	**wb**	
canŵ	eg	gwddw	eg	clwb	eg
canwelw	a	gweddw	a, eb	crwb	eg
carw	eg	gwelw	a	cwb	eg
cedw	eg	gwidw	eb	hwb	eg
ceidw	bf	herw	eb	twb	eg
ceirw	ell	hwnnw	rhag		
cerfddelw	eb	hwntw	eg	**wbl**	
cethw	eg	llamddelw	eb	cwbl	a, eg
corfedw	ell	llanw	be, eg	cyfrgwbl	a
cwcw	eb	lledlw	eg	cythrwbl	eg
cwrw	eg	lleinw	bf	dwbl	a, eg
cydenw	eg	lleisw	eg	pedrwbl	a
cyfenw	eg	lludw	eg	perffeithgwbl	a
cynddelw	eb	llw	eg	trwbl	eg
chwerw	a	llwrw	ardd, eg		
dacw	adf	llysenw	eg	**wc**	
deilw	eg	marw	a, be, eg	anlwc	eg
delw	eb	masw	a	clwc	a, eg
derw	ell	meddw	a	cnwc	eg
dielw	a	meirw	all, ell	crwc	eg
disylw	a	nhw	rhag	lwc	eb
didwrw	a	penfeddw	a	plwc	eg
				stwc	eg

wcl

wcl

bwcl	eg

wcr

swcr	eg

wcs

fflwcs	ell
ffrwcs	ell

wch

-wch: terfyniad berfol
   – cenwch, etc.

ablwch	eg
aflafarwch	eg
aflerwch	eg
aflonyddwch	eg
allgarwch	eg
amhleidgarwch	eg
anfaddeugarwch	eg
anfoesgarwch	eg
anheddwch	eg
anhyfrydwch	eg
anialwch	eg
annedwyddwch	eg
annhegwch	eg
annheyrngarwch	eg
anoddefgarwch	eg
anwadalwch	eg
anwylwch	eg
anymhongarwch	eg
arafeiddiwch	eg
arafwch	eg
ariangarwch	eg
barbareiddiwch	eg
basgwch	eg
benyweiddiwch	eg
blaendrwch	eg

wch

blerwch	eg
blinderwch	eg
blwch	eg
brafiwch	eg
brawdgarwch	eg
brogarwch	eg
bryntwch	eg
bwch	eg
bwnglerwch	eg
bwystfileiddiwch	eg
byddarwch	eg
byddwch	bf
byrfwch	eg
cachgïeiddiwch	eg
caledwch	eg
calongaledwch	eg
carueiddiwch	eg
celfyddgarwch	eg
cenedlgarwch	eg
cimwch	eg
clydwch	eg
clyfrwch	eg
cnafeiddiwch	eg
cnwch	eg
coetwch	eb
corgimwch	eg
croengaledwch	eg
cwch	eg
cyfartalwch	eg
cyfatebwch	eg
cyfeillgarwch	eg
cymwynasgarwch	eg
cymysgwch	eg
cynharwch	eg
chwaraegarwch	eg
chwilgarwch	eg
dadolwch	eg
dedwyddwch	eg

wch

dengarwch	eg
dichellgarwch	eg
diddanwch	eg
dieithrwch	eg
difaterwch	eg
difrifwch	eg
difyrrwch	eg
diffeithwch	eg
digrifwch	eg
dihirwch	eg
dioddefgarwch	eg
diofalwch	eg
diogelwch	eg
diolchgarwch	eg
diolwch	be, eg
dirgelwch	eg
diweddarwch	eg
diymhongarwch	eg
diystyrwch	eg
doniolwch	eg
dryswch	eg
düwch	eg
dybrydwch	eg
dyfalwch	eg
dyfeisgarwch	eg
dygnwch	eg
dyngarwch	eg
ebwch	ebg
edifeirwch	eg
eiddgarwch	eg
eiddilwch	eg
elusengarwch	eg
elwch	eg
ewyllysgarwch	eg
ffuantwch	eg
gochelgarwch	eg
goddefgarwch	eg
gofalwch	eg

wch

gwargaledwch	eg
gwarwch	eg
gwasanaethgarwch	
	eg
gweithgarwch	eg
gwladgarwch	eg
gwydnwch	eg
hagrwch	eg
harddwch	eg
hawddgarwch	eg
heddwch	eg
hesbinwch	eb
holgarwch	eg
hunangarwch	eg
hwch	eb
hwdiwch	bf
hwdwch	eg
hwriwch	bf
hyfrydwch	eg
hygarwch	eg
llacharwch	eg
lletygarwch	eg
lliwgarwch	eg
llonyddwch	eg
llwch	eg
maddeugarwch	eg
manylwch	eg
meddalwch	eg
meddylgarwch	eg
moesgarwch	eg
moeswch	bf
morhwch	eb
mwrllwch	eg
newyddwch	eg
oerfelgarwch	eg
peswch	be, eg
pleidgarwch	eg
prydferthwch	eg

wch

pybyrwch	eg
rhialtwch	eg
rhwch	eg
rhyfelgarwch	eg
salwch	eg
sentimentaleiddiwch	
	eg
snobeiddiwch	eg
surbwch	a
swch	eb
tawelwch	eg
tegwch	eg
teneuwch	eg
teyrngarwch	eg
tirionwch	eg
treiddgarwch	eg
trewlwch	eg
tristwch	eg
trwch	a, eg
trwsgleiddiwch	eg
trwstaneiddiwch	eg
trythyllwch	eg
tynerwch	eg
tywyllwch	eg
wynebgaledwch	eg
ymchwilgarwch	eg
ysgafalwch	eg

wd

amrwd	a
blaengnwd	eg
brwd	a
cefnrhwd	a
ceillgwd	eg
cnwd	eg
cwd	eg
cwmwd	eg
cwrcwd	eg

wd

cymrwd	eg
ffrwd	eb
ffrwgwd	eg
hergwd	eg
mwd	eg
mwgwd	eg
nenfwd	eg
pencwd	eg
pwd	eg
rhwd	eg
sgwd	eg
sibrwd	be, eg
siffrwd	be
siwd	rhag
swrwd	ell
ysgerbwd	eg

wdn

llwdn	eg

wdr

pwdr	a

wddf

gwddf	eg

wf

anhydwf	a
atwf	eg
blaendwf	eg
cyfandwf	a
hydwf	a
iddwf	eg
irdwf	a, eg
twf	eg

wfl

cwfl	eg
cythrwfl	eg

wfn

wfn

annwfn	eg
dwfn	a

wfr

dwfr	eg
llifddwfr	eg
llwfr	a

wff

clwff	eg
cwff	eg
hwff	eg
pwff	eg
stwff	eg

wfft

wfft	ebych

wg

adolwg	eb
amlwg	a
arolwg	eg
atolwg	ebych
bilwg	eg
bulwg	eg
cefnhwrwg	a
cilolwg	eb
cilwg	eg
cipolwg	eg
corwg	eg
cydolwg	eg
cyfolwg	a, eg
cynddrwg	a
diddrwg	a
diolwg	a
drwg	a, eg
dwg	bf

wg

eiddiorwg	eg
ffwg	eg
golwg	ebg
gwddwg	eg
gwg	eg
hudwg	eg
iorwg	eg
jwg	eb
llwg	eg
mawrddrwg	eg
mwg	eg
mwlwg	eg
plwg	eg
rhagolwg	eg
siwg	eb
tafotrwg	a

wgl

corwgl	eg
mwnwgl	eg
mwswgl	eg
pendramwnwgl	a

wgn

cwgn	eg

wgr

di-lwgr	a
llwgr	a
siwgr	eg

wng

annheilwng	a
argyfwng	eg
blwng	a
bwng	eg
cyfrwng	ardd, eg
cyfwng	eg

wng

cynhebrwng	eg
cythlwng	eg
darostwng	be
digyfrwng	a
ffwng	eg
gollwng	be
gostwng	be
gwreiddffwng	eg
gwrthdwng	eg
hebrwng	be
meilwng	eg
mwng	eg
rhwng	ardd
teilwng	a
twng	bf
ymollwng	be
ymostwng	be
ysbwng	eg

wl

blaenbwl	a
brebwl	eg
bŵl	eg
bygwl	a, eg
capwl	eg
carbwl	a
catffwl	eg
ceisbwl	eg
cŵl	eg
cwmwl	eg
dibwl	a
difeddwl	a
digwmwl	a
dwl	a
erddifwl	eg
ffŵl	eg
manwl	a
meddwl	be, eg

wl

mwdwl	eg
mwrthwl	eg
nifwl	eg
pannwl	eg
penbwl	a, eg
pŵl + pwl	a, eg
stwffwl	eg
swmbwl	eg
trwynbwl	a

wlc

sgwlc	eg
twlc	eg

wlch

bwlch	eg
difwlch	a

wlff

cwlff	eg

wll

bochdwll	eg
briwdwll	a, eg
cambwll	eg
ceubwll	eg
ceudwll	eg
cleibwll	eg
corbwll	eg
cwcwll	eg
chwystwll	eg
globwll	eg
mandwll	eg
mawnbwll	eg
meindwll	eg
merbwll	eg
mwll	a
pendwll	a
pwll	eg

wll

trobwll	eg
trydwll	a
twll	a, eg

wllt

capwllt	eg
cyswllt	eg
deuswllt	eg
digyswllt	a
swllt	eg

wlltr

cwlltr	eg

wm

achlwm	eg
afreswm	eg
amgrwm	a
argrwm	a
bacteriwm	eg
blodeuglwm	eg
boglwm	eg
bondrwm	a
bonllwm	a
botwm	eg
bronglwm	eg
bwm	eg
bwrlwm	eg
caclwm	eg
canclwm	eg
carlwm	eg
cefngrwm	a
cefnllwm	a
cegwm	eg
ceugrwm	a
cidwm	eg
clustrwm	a
clwm	eg
codwm	eg

wm

cotwm	eg
croenllwm	a
crwm	a
cwlwm	eg
cwm	eg
cwthwm	eg
cyfanswm	eg
degwm	eg
diod-offrwm	eg
direswm	a
drwm	eg
ffelwm	eg
ffrwstwm	eg
ffwlcrwm	eg
ffwrwm	eb
garglwm	eg
gorthrwm	eg
gwargrwm	a
gymnasiwm	eg
hirlwm	eg
hwyrdrwm	a
incwm	eg
isafswm	eg
larwm	eg
lledlwm	a
lleiafswm	eg
lluoswm	eg
llwm	a
offrwm	eg
opiwm	eg
patrwm	eg
penglwm	eg
pendrwm	a
plwm	a, eg
premiwm	eg
prifswm	eg
rheswm	eg
rhigwm	eg

wm

saffrwm	eg
serwm	eg
sgrotwm	eg
swm	eg
tindrwm	a
troetrwm	a
trwm	a
uchafswm	eg
ynghlwm	a

wmp

bwmp	eg
clwmp	eg
crwmp	eg
ffrwmp	eg
lwmp	eg
pwmp	eg
stwmp	eg
swmp	eg

wn

-wn: terfyniad berfol
  – canwn a hefyd
  canaswn, etc.

adnapwn	bf
adwaenwn	bf
aethwn	bf
annwn	eg
argrwn	a
babŵn	eg
bacwn	eg
balŵn	ebg
barwn	eg
baswn	eg
betgwn	ebg
biliwn	eg
bleiddgwn	ell
bolgwn	ell

wn

bralgwn	ell
brathgwn	ell
brithgwn	ell
brolgwn	ell
buaswn	bf
bugeilgwn	ell
bwn	eg
bwtwn	eg
byddwn	bf
byrdwn	eg
bytwn	eg
bytheiatgwn	ell
cacwn	ell
cachgwn	ell
cansiwn	eg
caprwn	eg
catgwn	ell
cawswn	bf
celwyddgwn	ell
clapgwn	ell
clecwn	ell
coetgwn	ell
comisiwn	eg
corgwn	ell
crwn	a
cwestiwn	eg
cŵn	ell
cyfeirgwn	ell
cyfrgrwn	a
chwegrwn	eg
chwiwgwn	ell
daeargwn	ell
daethwn	bf
dandlwn	be
dandwn	be
defosiwn	eg
delwn	bf
dimensiwn	eg

wn

drewgwn	ell
dwrgwn	ell
dwthwn	eg
dyfrgwn	ell
dylaswn	bf
dylwn	bf
dwnsiwn	eg
elswn	bf
elwn	bf
emosiwn	eg
fersiwn	ebg
ffasiwn	eb
ffederasiwn	eg
ffortiwn	eb
ffracsiwn	eg
gafaelgwn	ell
galiwn	eb
gamwn	eg
gogrwn	be
grwn	eg
gwaetgwn	ell
gwn + gŵn	bf, eg
gwnaethwn	bf
gwnelswn	bf
gwnelwn	bf
gwyndwn	eg
gwypwn	bf
helgwn	ell
hirgrwn	a
hwn	rhag
hyddgwn	ell
llechgwn	ell
llyfrgwn	ell
mewnbwn	eg
memrwn	eg
milgwn	ell
miliwn	eb
myrddiwn	eg

wn

oeddwn	bf
opiniwn	eg
pafiliwn	eg
pardwn	eg
pastwn	eg
pegwn	eg
pengrwn	a
pensiwn	eg
perorasiwn	eg
petaswn	cys
picwn	ell
pigwn	eg
pompiwn	eg
pricsiwn	eg
pwn	eg
sasiwn	ebg
sesiwn	eb
sibwn	ell
sipsiwn	ell
sŵn	eg
talgrwn	a
temtasiwn	ebg
tensiwn	eg
trwyndwn	a
twn	a

wnc

dyrysbwnc	eg
llwnc	bf, eg
pwnc	eg
rhwnc	eg
surdrwnc	eg
traflwnc	eg
trwnc	eg

wnt

brwnt	a
diemwnt	eg

wnt

hwnt	adf
mwnt	eg
swnt	eg

wp

grawnswp	eg
grŵp	eg
hwp	eg
swp	eg
twp	a

wpl

cwpl	eg

wr

aberthwr	eg
actiwr	eg
achleswr	eg
achubwr	eg
achwynwr	eg
adarwr	eg
adeiladwr	eg
adferwr	eg
adfilwr	eg
adfywiwr	eg
adneuwr	eg
adolygwr	eg
adroddwr	eg
addolwr	eg
addurnwr	eg
addysgwr	eg
affeithiwr	eg
agorwr	eg
anghydffurfiwr	eg
almaenwr	eg
amaethwr	eg
amddiffynnwr	eg
americanwr	eg

wr

amheuwr	eg
anffurfiwr	eg
anffyddiwr	eg
annibynnwr	eg
anrheithiwr	eg
anterliwtiwr	eg
anturiwr	eg
anudonwr	eg
anwr	eg
apeliwr	eg
aradrwr	eg
arbedwr	eg
arbenigwr	eg
arbrofwr	eg
archaeolegwr	eg
archwiliwr	eg
arddangoswr	eg
arddulliwr	eg
arddwr	eg
areithiwr	eg
argraffwr	eg
ariannwr	eg
arloeswr	eg
arolygwr	eg
asgellwr	eg
arteithiwr	eg
arwerthwr	eg
arwr	eg
arholwr	eg
asgellwr	eg
atgyfnerthwr	eg
atgyweiriwr	eg
atomegwr	eg
athrodwr	eg
awyrennwr	eg
bacteriolegwr	eg
bachwr	eg
badwr	eg

baldorddwr	eg	brawychwr	eg	canfyddwr	eg
baledwr	eg	brethynnwr	eg	canhwyllwr	eg
bancwr	eg	breuddwydiwr	eg	canlynwr	eg
banerwr	eg	bridiwr	eg	cannwr	eg
barbwr	eg	broliwr	eg	canolwr	eg
barfwr	eg	brwydrwr	eg	canonwr	eg
bargyfreithiwr	eg	buddsoddwr	eg	cantwr	eg
barnwr	eg	buddugwr	eg	canwr	eg
basgedwr	eg	bugeiliwr	eg	canwyrwr	eg
bastynwr	eg	busneswr	eg	capelwr	eg
baswr	eg	bwmbwr	eg	carcharwr	eg
batiwr	eg	bwydlysieuwr	eg	cardotwr	eg
bedyddiwr	eg	bwydwr	eg	cariwr	eg
begiwr	eg	bychanwr	eg	carolwr	eg
beiddiwr	eg	byddinwr	eg	carpedwr	eg
beiwr	eg	bygylwr	eg	carthwr	eg
bendithiwr	eg	bylchwr	eg	carwr	eg
benthyciwr	eg	byrddiwr	eg	casglwr	eg
berwr	ell	byrnwr	eg	castellwr	eg
betiwr	eg	byseddwr	eg	castiwr	eg
biliwr	eg	bythynnwr	eg	cawellwr	eg
biolegwr	eg	bywydegwr	eg	cawswr	eg
blaenasgellwr	eg	cablwr	eg	cefnddwr	eg
blodiwr	eg	cachwr	eg	cefnogwr	eg
bloeddiwr	eg	cadwr	eg	ceidwadwr	eg
bloesgwr	eg	caethwr	eg	ceinlythrennwr	eg
bodiwr	eg	caewr	eg	ceintachwr	eg
boddiwr	eg	caffiwr	eg	ceinysgrifwr	eg
bolerwr	eg	calenigwr	eg	ceisiwr	eg
bonheddwr	eg	calonogwr	eg	celfyddwr	eg
bostiwr	eg	caliwr	eg	celwyddwr	eg
botanegwr	eg	callwr	eg	cellweiriwr	eg
botaswr	eg	camgyhuddwr	eg	cemegwr	eg
bowliwr	eg	camliwiwr	eg	cenedlaetholwr	eg
bradwr	eg	campwr	eg	cenedlgarwr	eg
bradychwr	eg	camweddwr	eg	cenhadwr	eg
bragwr	eg	camwr	eg	cerbydwr	eg
brawdwr	eg	canfasiwr	eg	cerddedwr	eg

cerddwr	eg
cerfiwr	eg
cernodiwr	eg
certiwr	eg
ceryddwr	eg
ciciwr	eg
cipiwr	eg
claddwr	eg
clebrwr	eg
cleciwr	eg
cleddyfwr	eg
clerigwr	eg
clerwr	eg
clociwr	eg
clocsiwr	eg
cloddiwr	eg
cludwr	eg
clustfeiniwr	eg
clwciwr	eg
clwstwr	eg
clydwr	eg
clymbleidiwr	eg
cneifiwr	eg
cnociwr	eg
cnöwr	eg
codlwr	eg
codwr	eg
coediwr	eg
coedwigwr	eg
coegwr	eg
coeliwr	eg
coethwr	eg
cofiwr	eg
cofleidiwr	eg
cofnodwr	eg
cofrestrwr	eg
cogiwr	eg
colbiwr	eg

coleddwr	eg
colegwr	eg
colledwr	eg
collfarnwr	eg
collwr	eg
comedïwr	eg
condemniwr	eg
consuriwr	eg
copïwr	eg
corddwr	eg
cornedwr	eg
cosbwr	eg
crachfonheddwr	eg
crafangwr	eg
crafwr	eg
craswr	eg
creawdwr	eg
credwr	eg
credydwr	eg
crefyddwr	eg
crefftwr	eg
creigiwr	eg
crëwr	eg
cribddeiliwr	eg
cribiniwr	eg
cribwr	eg
cricedwr	eg
crintachwr	eg
crïwr	eg
crochlefwr	eg
croesgadwr	eg
croeshoeliwr	eg
croeswr	eg
crogwr	eg
croniclwr	eg
crwydrwr	eg
crwynwr	eg
cryfdwr	eg

crymanwr	eg
crynwr	eg
crythwr	eg
cuchiwr	eg
cuddiwr	eg
culwr	eg
curwr	eg
cusanwr	eg
cwenciwr	eg
cwerylwr	eg
cwestiynwr	eg
cwffiwr	eg
cwlltwr	eg
cwmnïwr	eg
cwmwr	eg
cwr	eg
cwrtiwr	eg
cwtogwr	eg
cwympwr	eg
cwynwr	eg
cwyswr	eg
cybolwr	eg
cychwr	eg
cychwynnwr	eg
cydganwr	eg
cydgeisiwr	eg
cydiwr	eg
cydoeswr	eg
cydseiniwr	eg
cydsyniwr	eg
cydweithiwr	eg
cyd-weithredwr	eg
cyd-wladwr	eg
cydymdeimlwr	eg
cydymdeithiwr	eg
cydymffurfiwr	eg
cydymgeisiwr	eg
cyfaddawdwr	eg

wr		**wr**		**wr**	
cyfaddefwr	eg	cyfryngwr	eg	cynrychiolwr	eg
cyfalafwr	eg	cyffeswr	eg	cynutwr	eg
cyfamodwr	eg	cyffiniwr	eg	cyrchwr	eg
cyfanheddwr	eg	cynganeddwr	eg	cysgwr	eg
cyfannwr	eg	cynghorwr	eg	cysodwr	eg
cyfansoddwr	eg	cynghreiriwr	eg	cysonwr	eg
cyfanwerthwr	eg	cyhoeddwr	eg	cystadleuwr	eg
cyfareddwr	eg	cyhuddwr	eg	cystuddiwr	eg
cyfarthwr	eg	cylchwr	eg	cystwywr	eg
cyfarwyddwr	eg	cyllellwr	eg	cysurwr	eg
cyfathrachwr	eg	cymathwr	eg	cysylltwr	eg
cyfathrebwr	eg	cymdeithasegwr	eg	cythruddwr	eg
cyfeddachwr	eg	cymdeithaswr	eg	cythryblwr	eg
cyfeiliornwr	eg	cymedrolwr	eg	cyweiriwr	eg
cyfeiliwr	eg	cymeradwywr	eg	cywirwr	eg
cyfeillachwr	eg	cymhellwr	eg	cywyddwr	eg
cyfeiriwr	eg	cymhwyswr	eg	chwalwr	eg
cyfieithwr	eg	cymodwr	eg	chwaraewr	eg
cyflafareddwr	eg	cymonwr	eg	chwarddwr	eg
cyflawnwr	eg	cymreigiwr	eg	chwarelwr	eg
cyflenwr	eg	cymrodeddwr	eg	chwedleuwr	eg
cyflogwr	eg	cymudwr	eg	chwenychwr	eg
cyfluniwr	eg	cymunwr	eg	chwibanwr	eg
cyflwr	eg	cymwynaswr	eg	chwidlwr	eg
cyflwynwr	eg	cymynnwr	eg	chwifiwr	eg
cyflychwr	eg	cymynwr	eg	chwiliwr	eg
cyflyrwr	eg	cymysgwr	eg	chwilotwr	eg
cyfnerthwr	eg	cynffonnwr	eg	chwipiwr	eg
cyfnewidiwr	eg	cynhaliwr	eg	chwistrellwr	eg
cyfodwr	eg	cynhennwr	eg	chwydwr	eg
cyfoeswr	eg	cynheswr	eg	chwyldroadwr	eg
cyfranddaliwr	eg	cynhyrfwr	eg	chwyrnwr	eg
cyfrannwr	eg	cynigiwr	eg	chwythwr	eg
cyfranogwr	eg	cynilwr	eg	dadansoddwr	eg
cyfreithiwr	eg	cynlluniwr	eg	dadfythwr	eg
cyfrinachwr	eg	cynllwynwr	eg	dadleuwr	eg
cyfriniwr	eg	cynoeswr	eg	dadrithiwr	eg
cyfrwywr	eg	cynorthwywr	eg	daearegwr	eg

wr

daearyddwr	eg
daliwr	eg
dallbleidiwr	eg
damcaniaethwr	eg
damhegwr	eg
darganfyddwr	eg
darlithiwr	eg
darlläwr	eg
darlledwr	eg
darllenwr	eg
daroganwr	eg
darparwr	eg
datgymalwr	eg
datgysylltwr	eg
dawnsiwr	eg
dechreuwr	eg
dedfrydwr	eg
deddfwr	eg
defnyddiwr	eg
deheuwr	eg
dehonglwr	eg
deifiwr	eg
deisebwr	eg
deisyfwr	eg
delfrydwr	eg
delweddwr	eg
democrateiddiwr	eg
dewiswr	eg
dialwr	eg
dibrisiwr	eg
didolwr	eg
diddanwr	eg
diddymwr	eg
dienyddiwr	eg
difäwr	eg
difenwr	eg
difethwr	eg
difodwr	eg

wr

difrïwr	eg
difrodwr	eg
difyrrwr	eg
diffeithwr	eg
diffoddwr	eg
diffygiwr	eg
diffynnwr	eg
dihirwr	eg
dilëwr	eg
dilornwr	eg
dilynwr	eg
dilladwr	eg
dinaswr	eg
dinistriwr	eg
diniwliwr	eg
dioddefwr	eg
diolchwr	eg
diotwr	eg
diraddiwr	eg
dirmygwr	eg
dirprwywr	eg
dirwestwr	eg
disbyddwr	eg
disgyblwr	eg
disiwr	eg
distrywiwr	eg
distyllwr	eg
diweddarwr	eg
diwydiannwr	eg
diwygiwr	eg
diystwr	a
dodrefnwr	eg
doethwr	eg
dofwr	eg
dosbarthwr	eg
dramodwr	eg
driblwr	eg
dringwr	eg

wr

drwgdybiwr	eg
drwgweithredwr	eg
drygwr	eg
dryswr	eg
dwndwr	eg
dŵr	eg
dwyreiniwr	eg
dychanwr	eg
dychmygwr	eg
dyddiadurwr	eg
dyddiwr	eg
dyfarnwr	eg
dyfeisiwr	eg
dyfrwr	eg
dyledwr	eg
dymchwelwr	eg
dyneiddiwr	eg
dyngarwr	eg
dyngaswr	eg
dynwaredwr	eg
dyrnwr	eg
dysgawdwr	eg
dysgwr	eg
dyweddïwr	eg
economegwr	eg
echwynnwr	eg
edmygwr	eg
edrychwr	eg
efengylwr	eg
efelychwr	eg
efwr	eg
eglurwr	eg
eglwyswr	eg
englynwr	eg
ehedwr	eg
eidalwr	eg
eifftiwr	eg
eiliwr	eg

eilunaddolwr	eg
eilliwr	eg
eiriolwr	eg
eisteddfodwr	eg
eithafwr	eg
elusennwr	eg
emynwr	eg
enciliwr	eg
eneiniwr	eg
enillwr	eg
enllibiwr	eg
enwadwr	eg
erfyniwr	eg
ergydiwr	eg
erlidiwr	eg
esboniwr	eg
esgeuluswr	eg
esgynnwr	eg
etholwr	eg
eurwr	eg
ewyllysiwr	eg
fotiwr	eg
ffalswr	eg
ffarmwr	eg
ffermwr	eg
ffieiddiwr	eg
ffigwr	eg
ffisegwr	eg
ffitiwr	eg
fflŵr	eg
fforddwr	eg
fforestwr	eg
ffraewr	eg
ffrancwr	eg
ffuantwr	eg
ffugiwr	eg
ffurfiwr	eg
ffustiwr	eg

ffwndwr	eg
ffwr	eg
gafrwr	eg
galarwr	eg
galwr	eg
gamblwr	eg
garddwr	eg
geiriadurwr	eg
genweiriwr	eg
glastwr	eg
gloddestwr	eg
glöwr	eg
godinebwr	eg
goddiweddwr	eg
gofalwr	eg
gofwywr	eg
gofynnwr	eg
goganwr	eg
gogleddwr	eg
golchwr	eg
goleuwr	eg
gomeddwr	eg
gorchfygwr	eg
gordderchwr	eg
goresgynnwr	eg
goreugwr	eg
gormeswr	eg
goroeswr	eg
gorthrechwr	eg
gorthrymwr	eg
goruchwyliwr	eg
gorymdeithiwr	eg
gosodwr	eg
gostegwr	eg
gostyngwr	eg
gramadegwr	eg
groegwr	eg
grwgnachwr	eg

gwadwr	eg
gwaddotwr	eg
gwaddwr	eg
gwaedwr	eg
gwahangyflwr	eg
gwahanwr	eg
gwahoddwr	eg
gwalchwr	eg
gwamalwr	eg
gwarantwr	eg
gwarchodwr	eg
gwaredwr	eg
gwariwr	eg
gwasanaethwr	eg
gwasgarwr	eg
gwasgwr	eg
gwastatwr	eg
gwastraffwr	eg
gwatwarwr	eg
gwawdiwr	eg
gweddïwr	eg
gweinyddwr	eg
gweithiwr	eg
gweithredwr	eg
gwenieithiwr	eg
gwenwynwr	eg
gwenynwr	eg
gweriniaethwr	eg
gwerinwr	eg
gwersyllwr	eg
gwerthwr	eg
gwestywr	eg
gwëwr	eg
gwingwr	eg
gwinllannwr	eg
gwirfoddolwr	eg
gwladgarwr	eg
gwladwr	eg

wr

gwladychwr	eg
gwlanennwr	eg
gwleddwr	eg
gwlybwr	eg
gwneuthurwr	eg
gwobrwywr	eg
gŵr	eg
gwrteithiwr	eg
gwrtharwr	eg
gwrthdystiwr	eg
gwrthgiliwr	eg
gwrthgyrchwr	eg
gwrthodwr	eg
gwrthsafwr	eg
gwrthwynebwr	eg
gwrthymosodwr	eg
gwrywgydiwr	eg
gwthiwr	eg
gwydrwr	eg
gwyliadwr	eg
gwyliwr	eg
gwyntyllwr	eg
gwystlwr	eg
gynnwr	eg
gyrrwr	eg
hadwr	eg
halogwr	eg
hanerwr	eg
harbwr	eg
hawliwr	eg
hawlwr	eg
hedwr	eg
heddychwr	eg
heliwr	eg
helpwr	eg
henwr	eg
heriwr	eg
herwgipiwr	eg

wr

herwr	eg
hetiwr	eg
heuwr	eg
hidlwr	eg
hifiwr	eg
hocedwr	eg
hoeliwr	eg
holwr	eg
hudwr	eg
hunanliwtiwr	eg
huriwr	eg
hŵr	eb
hwriwr	eg
hyfforddwr	eg
hynafgwr	eg
hynafiaethwr	eg
hyrddiwr	eg
hyrwyddwr	eg
hysbysebwr	eg
hysbyswr	eg
iachawdwr	eg
iangwr	eg
iawndyllwr	eg
impiwr	eg
irwr	eg
iselwr	eg
labrwr	eg
lafwr	eg
lefelwr	eg
limrigwr	eg
lladratwr	eg
lladdwr	eg
llaethwr	eg
llafurwr	eg
llamwr	eg
llathrwr	eg
llawciwr	eg
llechwr	eg

wr

lledaenwr	eg
lledrwr	eg
llefarwr	eg
lleihäwr	eg
lleisiwr	eg
llerciwr	eg
llesteiriwr	eg
lletywr	eg
lleygwr	eg
llifiwr	eg
llinellwr	eg
llithiwr	eg
lliwiwr	eg
llodrwr	eg
llofruddiwr	eg
lloffwr	eg
llongwr	eg
llosgwr	eg
llowciwr	eg
lluchiwr	eg
lluddiwr	eg
llueddwr	eg
lluestwr	eg
llumanwr	eg
lluniwr	eg
lluosogwr	eg
llurguniwr	eg
llusgwr	eg
llwgrwobrwywr	eg
llwybrwr	eg
llwyrymataliwr	eg
llwyrymwrthodwr	eg
llwythwr	eg
llydawr	eg
lyfr-rwymwr	eg
llyfrwerthwr	eg
llyfrwr	eg
llyfwr	eg

wr

llygotwr	eg
llygrwr	eg
llyngeswr	eg
llymeitiwr	eg
llyncwr	eg
llysgenhadwr	eg
llysieuwr	eg
llyswr	eg
llythyrwr	eg
llywiwr	eg
llywodraethwr	eg
macswr	eg
maddeuwr	eg
maelwr	eg
maglwr	eg
magnelwr	eg
malwr	eg
maluriwr	eg
mân-werthwr	eg
mantolwr	eg
mapiwr	eg
marciwr	eg
marchnatwr	eg
marchwr	eg
marsiandïwr	eg
marwnadwr	eg
masnachwr	eg
masweddwr	eg
maswr	eg
materolwr	eg
mathemategwr	eg
mathrwr	eg
mechnïwr	eg
medelwr	eg
meddylegwr	eg
meddyliwr	eg
meindwr	eg
meistrolwr	eg

wr

melltithiwr	eg
memrynwr	eg
merchetwr	eg
merddwr	eg
mesurwr	eg
methdalwr	eg
mewnfudwr	eg
mewnwr	eg
milwr	eg
modurwr	eg
moesegwr	eg
moesolwr	eg
môr-herwr	eg
mordwywr	eg
morgeisiwr	eg
morwr	eg
mudwr	eg
muriwr	eg
mursennwr	eg
mwrdwr	eg
mwstwr	eg
mwydrwr	eg
mwydwr	eg
mwyngloddiwr	eg
mwynwr	eg
mydryddwr	eg
myfyriwr	eg
mympwywr	eg
mynegwr	eg
mynychwr	eg
mynyddwr	eg
nadwr	eg
naddwr	eg
naturiaethwr	eg
negeseuwr	eg
neidiwr	eg
neieddwr	eg
neithiwr	adf

wr

newidiwr	eg
newyddiadurwr	eg
newyddwr	eg
newynwr	eg
nithiwr	eg
niweidiwr	eg
noddwr	eg
nofelwr	eg
nofiwr	eg
nyddwr	eg
ocrwr	eg
ochrwr	eg
oedwr	eg
oeswr	eg
oferwr	eg
offerynnwr	eg
offrymwr	eg
olrheiniwr	eg
olwr	eg
olynwr	eg
osgöwr	eg
paffiwr	eg
paldaruwr	eg
pamffledwr	eg
pannwr	eg
papurwr	eg
parlwr	eg
pasteiwr	eg
pastynwr	eg
pedolwr	eg
peintiwr	eg
peiriannwr	eg
pelwr	eg
pencampwr	eg
pensiynwr	eg
pentrefwr	eg
pentwr	eg
penydiwr	eg

wr

perfformiwr	eg
picedwr	eg
picellwr	eg
pictiwr	eg
pigdwr	eg
pigwr	eg
pladurwr	eg
plannwr	eg
plastrwr	eg
pleidiwr	eg
pleidleisiwr	eg
plymwr	eg
pobwr	eg
poenydiwr	eg
portreadwr	eg
porthwr	eg
porwr	eg
potiwr	eg
powdwr	eg
pregethwr	eg
preiddiwr	eg
preswyliwr	eg
printiwr	eg
prociwr	eg
profwr	eg
protestiwr	eg
prydeiniwr	eg
prynwr	eg
puteiniwr	eg
pwyswr	eg
pwythwr	eg
pysgotwr	eg
ralïwr	eg
rybelwr	eg
rhaffwr	eg
rhagrithiwr	eg
rhannwr	eg
rhedwr	eg

wr

rhefrwr	eg
rhegwr	eg
rheibiwr	eg
rheidegwr	eg
rheithiwr	eg
rheolwr	eg
rhesymegwr	eg
rhifwr	eg
rhifyddwr	eg
rhigymwr	eg
rhiniwr	eg
rhithiwr	eg
rhodiwr	eg
rhodreswr	eg
rhoddwr	eg
rhofiwr	eg
rholiwr	eg
rhwyfwr	eg
rhwymwr	eg
rhyddfrydwr	eg
rhyfelwr	eg
saernïwr	eg
saethwr	eg
sangwr	eg
sebonwr	eg
segurwr	eg
sennwr	eg
seryddwr	eg
sganiwr	eg
sgïwr	eg
sglefriwr	eg
sgrialwr	eg
sgrwbiwr	eg
sgwriwr	eg
sgwrsiwr	eg
siaradwr	eg
siopwr	eg
siwglwr	eg

wr

siwr	a
smociwr	eg
smocwr	eg
sodlwr	eg
sonedwr	eg
stociwr	eg
stompiwr	eg
storïwr	eg
stŵr	eg
sugnwr	eg
swcwr	eg
swolegwr	eg
swyngyfareddwr	eg
swynwr	eg
sychdwr	eg
sychwr	eg
sylfaenwr	eg
tabyrddwr	eg
taenellwr	eg
tafarnwr	eg
taflwr	eg
tafodwr	eg
tagwr	eg
tangnefeddwr	eg
talfyrrwr	eg
taniwr	eg
tanwr	eg
taranwr	eg
tarfwr	eg
technolegwr	eg
teiliwr	eg
teisiwr	eg
teithiwr	eg
telynegwr	eg
temtiwr	eg
terfysgwr	eg
teyrnfradwr	eg
tirfeddiannwr	eg

wr

tocynnwr	eg
tollwr	eg
torddwr	eg
torrwr	eg
töwr	eg
traddodwr	eg
traethwr	eg
trafaeliwr	eg
trafaelwr	eg
trafnidiwr	eg
trallodwr	eg
tramgwyddwr	eg
tramorwr	eg
tramwywr	eg
trawsgludwr	eg
trechwr	eg
trefnwr	eg
treiglwr	eg
treisgyrchwr	eg
treisiwr	eg
tresbaswr	eg
tresmaswr	eg
trethdalwr	eg
troediwr	eg
troellwr	eg
troseddwr	eg
truthiwr	eg
trwmpedwr	eg
trwsiwr	eg
trydanwr	eg
trythyllwr	eg
tuchanwr	eg
tuthiwr	eg
twr + twr	eg
twyllwr	eg
tyddynnwr	eg
tyfwr	eg
tyngwr	eg

wr

tylinwr	eg
tyllwr	eg
tyrchwr	eg
tywyswr	eg
uchdwr	eg
uchelwr	eg
unawdwr	eg
undebwr	eg
undodwr	eg
unwr	eg
waldiwr	eg
wicedwr	eg
yfwr	eg
ymataliwr	eg
ymbiliwr	eg
ymbleidiwr	eg
ymchwiliwr	eg
ymdeithiwr	eg
ymdrochwr	eg
ymddialwr	eg
ymddiddanwr	eg
ymddifyrrwr	eg
ymddigrifwr	eg
ymddiriedolwr	eg
ymerawdwr	eg
ymfudwr	eg
ymffrostiwr	eg
ymgeleddwr	eg
ymgiliwr	eg
ymgodymwr	eg
ymgomiwr	eg
ymgreiniwr	eg
ymguddiwr	eg
ymgynghorwr	eg
ymgymerwr	eg
ymheliwr	eg
ymhoelwr	eg
ymholwr	eg

wr

ymhonnwr	eg
ymladdwr	eg
ymlidiwr	eg
ymlynwr	eg
ymneilltuwr	eg
ymosodwr	eg
ymprydiwr	eg
ymrafaeliwr	eg
ymresymwr	eg
ymrysonwr	eg
ymsefydlwr	eg
ymwadwr	eg
ymwelwr	eg
ymwrthodwr	eg
ymwthiwr	eg
ynyswr	eg
ysbeiliwr	eg
ysbïwr	eg
ysbrydegwr	eg
ysgarwr	eg
ysgogwr	eg
ysgraffwr	eg
ysgrifennwr	eg
ysgrythurwr	eg
ysgubwr	eg
ysgwr	eg
ysgythrwr	eg
yslotiwr	eg
ysmygwr	eg
ystelciwr	eg
ystofiwr	eg
ystumiwr	eg

wrb

cwrb	eg

wrch

caeriwrch	eg
ffwrch	eg

wrch

iwrch	eg
twrch	eg

wrdd

agwrdd	a
arwyddfwrdd	eg
bwrdd	eg
cwpwrdd	eg
cwrdd	be, eg
cyffwrdd	be
dadwrdd	be, eg
ffwrdd	adf
gorgyffwrdd	a, be
hambwrdd	eg
hwrdd	eg
hysbysfwrdd	eg
tabwrdd	eg
tawlbwrdd	eg
tirfwrdd	eg

wrf

cynnwrf	eg
digynnwrf	a
twrf	eg

wrm

gwrm	a

wrn

arddwrn	eg
asgwrn	eg
bwrn	eg
celwrn	eg
cil-dwrn	eg
clogwrn	eg
cogwrn	eg
dwrn	eg

wrn

eurddwrn	a, eg
ffwrn	eb
hesbwrn	eg
llosgwrn	eg
migwrn	eg
miswrn	eg
mwrn	a, eg
pigwrn	eg
pinsiwrn	eg
sadwrn	ebg
siswrn	eg
stwbwrn	a
swrn	ebg
talwrn	eg

wrp

cwrp	eg

wrs

cwrs	eg
pwrs	eg
sgwrs	eb

wrt

cwrt	eg

wrth

bwmbwrth	eg
swrth	a
wrth	ardd

ws

abacws	eg
amws	eg
bacilws	eg
becws	eg
betws	eg
bonws	eg

ws

breichdlws	eg
brws	eg
bws	eg
calcwlws	eg
campws	eg
cidws	eb
clustlws	eg
clws	a
coetsiws	eg
corpws	eg
corws	eg
cwplws	eg
cwtws	ebg
cynddrws	eg
drws	eg
eurdlws	eg
firws	eg
ffocws	eg
ffwgws	eg
gwarddrws	eg
gyddfdlws	eg
lotws	ebg
madws	eg
meindlws	a
mindlws	a
minws	eg
mwnws	ell
oerddrws	eg
pincws	eg
rheinws	eg
statws	eg
storws	eg
sws	ebg
tatws	ell
tlws	a, eg
warws	eg
wyrcws	eg

wsg

wsg

cwsg	a, bf, eg
digwsg	a
gaeafgwsg	eg
mwsg	eg
trwmgwsg	eg

wsgl

trwsgl	a

wst

bolwst	ebg
cibwst	eb
clunwst	eb
crwst	eg
crydwst	eb
crygwst	eg
cymalwst	eb
didrwst	a
dwst	eg
dywedwst	a
ffrwst	eg
gwrwst	eb
llabwst	eg
llwynwst	eg
mamwst	eb
nerfwst	eg
troedwst	eb
trwst	eg
ysgyfeinwst	eg

wt

clwt	eg
crwt	eg
cwt	ebg
di-ffrwt	a
ffrwt	a, eg
pwt	eg

wt

sigl-i-gwt	eg
slwt	eb
smwt	a
twt	a

wth

abwth	eg
bolrwth	a
bwgwth	be
bwth	eg
bygwth	be, eg
cegrwth	a
crwth	eg
crynswth	eg
chwimwth	a
disymwth	a
glwth	a, eg
gwth	eg
horwth	eg
llygadrwth	a
mwth	a
rhwth	a
safnrhwth	a
sgaprwth	a
torpwth	eg

wthr

cwthr	eg
ysgwthr	eg

wy

achubadwy	a
adferadwy	a
adroddadwy	a
adwy	eb
addasadwy	a
aerwy	eg
afreoladwy	a

wy

agoradwy	a
anghaboladwy	a
anghanfyddadwy	a
anghanmoladwy	a
angharadwy	a
angherddadwy	a
anghludadwy	a
anghlywadwy	a
anghosbadwy	a
anghreadwy	a
anghredadwy	a
anghydffurfiadwy	a
anghyfieithiadwy	a
anghyflogadwy	a
anghyfrifadwy	a
anghyffyrddadwy	a
anghyhoeddadwy	a
anghymathadwy	a
anghymelladwy	a
anghymeradwy	a
anghymodadwy	a
anghyneuadwy	a
anghynwysadwy	a
ailgylchadwy	a
amaethadwy	a
amddiffynadwy	a
amgyffredadwy	a
amhaentiadwy	a
amharadwy	a
amherfformiadwy	a
amhlygadwy	a
amhontiadwy	a
amhortreadwy	a
amhreswyliadwy	a
amhrisiadwy	a
amhrofadwy	a
amhrynadwy	a
anactadwy	a

anachubadwy	a	anhreigladwy	a	annirwyadwy	a
anadferadwy	a	anhrethadwy	a	annisgrifiadwy	a
anadnabyddadwy	a	anhreuliadwy	a	annisgwyliadwy	a
anadroddadwy	a	anhrigiadwy	a	anniwalladwy	a
anaddasadwy	a	anhrinadwy	a	anniwylliadwy	a
anagoradwy	a	anhroadwy	a	annosbarthadwy	a
anamaethadwy	a	anhroedadwy	a	annringadwy	a
anamddiffynadwy	a	anhrosadwy	a	annychmygadwy	a
anamgyffredadwy	a	anhrosglwyddadwy	a	annychweladwy	a
anarchwiliadwy	a	anhrwsiadwy	a	annychrynadwy	a
anarweiniadwy	a	anllanwadwy	a	annyddiadwy	a
anataliadwy	a	anlleoladwy	a	annyfynadwy	a
anatebadwy	a	anllosgadwy	a	annysgadwy	a
anatgyweiriadwy	a	anllygradwy	a	annywedadwy	a
anchwaraeadwy	a	anllywiadwy	a	anocheladwy	a
anchwiliadwy	a	annadansoddadwy	a	anoddefadwy	a
anegluradwy	a	annaliadwy	a	anolrheiniadwy	a
anesboniadwy	a	annarbwylladwy	a	anorfodadwy	a
anesgynadwy	a	annarfodadwy	a	anorffenadwy	a
anetifeddadwy	a	annarluniadwy	a	anosgoadwy	a
anfabwysiadwy	a	annarllenadwy	a	anrhanadwy	a
anfaddeuadwy	a	annatgeladwy	a	anrheoladwy	a
anfarchnatadwy	a	annatodadwy	a	anrhydadwy	a
anfechniadwy	a	annatrysadwy	a	ansymudadwy	a
anfordwyadwy	a	annealladwy	a	anwadadwy	a
anfwytadwy	a	annefnyddiadwy	a	anwahanadwy	a
anffermadwy	a	annehongliadwy	a	anwarchodadwy	a
anfflamadwy	a	annerbyniadwy	a	anwareiddiadwy	a
anffrwynadwy	a	annewidiadwy	a	anweithredadwy	a
anffugiadwy	a	annhanadwy	a	anweladwy	a
anffurfiadwy	a	annheimladwy	a	anwelladwy	a
anffynadwy	a	annhoradwy	a	anwerthadwy	a
anhedadwy	a	annibynadwy	a	anwireddadwy	a
anhepgoradwy	a	annichonadwy	a	anwiriadwy	a
anhidladwy	a	anniffoddadwy	a	anwisgadwy	a
anholltadwy	a	annileadwy	a	anwobrwyadwy	a
anhraethadwy	a	annioddefadwy	a	anwrteithiadwy	a
anhrafodadwy	a	annirnadwy	a	anyfadwy	a

anynganadwy	a
anymchwiliadwy	a
anyswiriadwy	a
archwiliadwy	a
argyhoeddadwy	a
arlwy	eb
arweiniadwy	a
aswy	a
ataliadwy	a
atebadwy	a
atgyweiriadwy	a
bachwy	eg
bwytadwy	a
bythgofiadwy	a
caboladwy	a
caffaeladwy	a
canadwy	a
canfyddadwy	a
canmoladwy	a
caradwy	a
ceidwadwy	a
cerddadwy	a
cloncwy	eg
cludadwy	a
clustfodrwy	eb
clywadwy	a
cofiadwy	a
coffadwy	a
colladwy	a
cosbadwy	a
creadwy	a
credadwy	a
cwcwy	eg
cydffurfiadwy	a
cydiadwy	a
cyfeiriadwy	a
cyfiawnadwy	a
cyfieithiadwy	a

cyfnewidiadwy	a
cyfranadwy	a
cyfrifadwy	a
cyfrwy	eg
cyffyrddadwy	a
cyhoeddadwy	a
cylchrwy	eg
cymathadwy	a
cymelladwy	a
cymeradwy	a
cyneuadwy	a
cynhorthwy	eg
cynwysadwy	a
cynyrchadwy	a
cyraeddadwy	a
chwaladwy	a
chwaraeadwy	a
chwenychadwy	a
dadansoddadwy	a
darbwylladwy	a
darfodadwy	a
darluniadwy	a
darllenadwy	a
datganadwy	a
datgeladwy	a
datodadwy	a
datrysadwy	a
dealladwy	a
defnyddiadwy	a
dehongliadwy	a
deoradwy	a
derbyniadwy	a
deufwy	a, adf
dibynadwy	a
dichonadwy	a
diddymadwy	a
difrodadwy	a
diffoddadwy	a

diffynadwy	a
digynhorthwy	a
dileadwy	a
dioddefadwy	a
dirnadwy	a
dirprwy	eg
dirwy	eb
dirwyadwy	a
dirymadwy	a
disgrifiadwy	a
diwalladwy	a
diwylliadwy	a
dodwy	be
dosbarthadwy	a
dringadwy	a
drudwy	eg
drwy	ardd
dwy	a
dychmygadwy	a
dychweladwy	a
dyddiadwy	a
dyfaladwy	a
dyfradwy	a
dyfynadwy	a
dyladwy	a
dyrchafadwy	a
dysgadwy	a
dywedadwy	a
enilladwy	a
esboniadwy	a
esgynadwy	a
etifeddadwy	a
ffilmadwy	a
fflamadwy	a
ffrwynadwy	a
ffugiadwy	a
ffurfiadwy	a
ffynadwy	a

wy

gafaeladwy	a
gocheladwy	a
goddefadwy	a
gofwy	eg
gollyngadwy	a
gorddadwy	a
gorfodadwy	a
gorffenadwy	a
gwadadwy	a
gwarchodadwy	a
gwareiddiadwy	a
gwasgadwy	a
gwasgaradwy	a
gweithiadwy	a
gweithrediadwy	a
gweladwy	a
gwelladwy	a
gwerthadwy	a
gwisgadwy	a
gwobrwy	eb
gwobrwyadwy	a
gwrteithiadwy	a
gwrthbrofadwy	a
gwynnwy	eg
hawliadwy	a
hepgoradwy	a
hidladwy	a
holltadwy	a
hwy	a, rhag
hwynt-hwy	rhag
ildiadwy	a
llanwadwy	a
lleoladwy	a
lliwiadwy	a
llosgadwy	a
llwgrwobrwy	eg
llwy	eb
llygradwy	a

llywiadwy	a
mabwysiadwy	a
macwy	eg
maddeuadwy	a
marchnatadwy	a
mathradwy	a
meddalwy	eg
melynwy	eg
mesuradwy	a
meudwy	eg
modrwy	eb
mordwy	eg
mordwyadwy	a
mwy	a, adf
mwyfwy	adf
mympwy	eg
newidiadwy	a
niweidiadwy	a
nofiadwy	a
nwy	eg
ofnadwy	a
olrheiniadwy	a
osgoadwy	a
paentiadwy	a
paradwy	a
penodadwy	a
pibonwy	ell
plygadwy	a
pontiadwy	a
portreadwy	a
preswyliadwy	a
profadwy	a
prynadwy	a
pwy	rhag
rhanadwy	a
rhagweladwy	a
rheoladwy	a
rhuadwy	a

rhwy	eg
rhwystradwy	a
rhyferthwy	eg
safadwy	a
sathradwy	a
symudadwy	a
synwyradwy	a
taladwy	a
teimladwy	a
tidmwy	ebg
toddadwy	a
tolladwy	a
toradwy	a
tradwy	adf
traethadwy	a
trafodadwy	a
tramwy	be
trawsgludadwy	a
treigladwy	a
treuliadwy	a
trethadwy	a
trigiadwy	a
trinadwy	a
troadwy	a
troedadwy	a
trosadwy	a
trosglwyddadwy	a
trothwy	eg
trwsiadwy	a
trwy	ardd
tyfadwy	a
tywysadwy	a
wy	eg
yfadwy	a
ynganadwy	a
ymchwiliadwy	a
yswiriadwy	a

wybr

wybr

crwybr	eg
cylchlwybr	eg
di-lwybr	a
ewybr	a
llwybr	eg
taflwybr	eg
wybr	eb

wyd

-wyd: terfyniad berfol
  – canwyd, etc.

abwyd	eg
adnabuwyd	bf
aelwyd	eb
aethpwyd	bf
annwyd	eg
arswyd	eg
arteithglwyd	eb
atalnwyd	eb
blasusfwyd	eg
breithlwyd	ab
breuddwyd	ebg
briglwyd	a
brithlwyd	a
briwfwyd	eg
buwyd	bf
bwyd	eg
cafwyd	bf
canfuwyd	bf
ceulfwyd	eg
clwyd	eb
cornwyd	eg
cronglwyd	eb
cwyd	bf
cwynosfwyd	eg
daethpwyd	bf
danteithfwyd	eg

wyd

darganfuwyd	bf
denwyd	bf
diarswyd	a
dorglwyd	eb
dwysfwyd	eg
egwyd	eb
ganwyd	bf
grawnfwyd	eg
gwelwlwyd	a
gwnaethpwyd	bf
gwybuwyd	bf
llaethfwyd	eg
llwyd	a
llymeidfwyd	eg
morddwyd	eb
mwyd	eg
mynawyd	eg
nwyd	eg
proffwyd	eg
rhwyd	eb
taflrwyd	eb
treillrwyd	eb
tynrwyd	eb

wydr

brwydr	eb
crwydr	eg

wydd

addasrwydd	eg
addfwyneiddrwydd	
	eg
aeddfedrwydd	eg
afledneisrwydd	eg
aflwydd	eg
afreolusrwydd	eg
afrwydd	a
afrywiogrwydd	eg

wydd

agosatrwydd	eg
agosrwydd	eg
angenrheidrwydd	eg
anghartrefolrwydd	eg
anghofrwydd	eg
anghreadigolrwydd	
	eg
anghyfaddasrwydd	
	eg
anghyfarwydd	a
anghyfforddusrwydd	
	eg
anghynesrwydd	eg
amcanrwydd	eg
amharodrwydd	eg
amhendantrwydd	eg
amherffeithrwydd	eg
amhwysigrwydd	eg
amhoblogrwydd	eg
amlieithrwydd	eg
amlygrwydd	eg
anaddasrwydd	eg
anaeddfedrwydd	eg
anatebolrwydd	eg
aneffeithiolrwydd	eg
anfadrwydd	eg
anfedrusrwydd	eg
anferthrwydd	eg
anfodlonrwydd	eg
anfoddogrwydd	eg
anfoneddigeiddrwydd	
	eg
anfydolrwydd	eg
anffaeledigrwydd	eg
anffodusrwydd	eg
anffrwythlonrwydd	eg
anhaeddedigrwydd	
	eg

wydd

anhapusrwydd	eg
anhrugarogrwydd	eg
anhyblygrwydd	eg
anhydynrwydd	eg
anhylwydd	a
anhysbysrwydd	eg
anlladrwydd	eg
anneheurwydd	eg
annhebygolrwydd	eg
annhebygrwydd	eg
annhueddrwydd	eg
anniddigrwydd	eg
anniffuantrwydd	eg
annigonolrwydd	eg
annilysrwydd	eg
anonestrwydd	eg
anorchfygolrwydd	eg
anraslonrwydd	eg
anrasolrwydd	eg
anrhadlonrwydd	eg
ansadrwydd	eg
ansefydlogrwydd	eg
anserchowgrwydd	eg
ansicrwydd	eg
anwastadrwydd	eg
anweddusrwydd	eg
anynadrwydd	eg
arallfydolrwydd	eg
arbenigrwydd	eg
arglwydd	eg
arswydlonrwydd	eg
arwahanrwydd	eg
arwydd	eg
arwynebolrwydd	eg
astrusrwydd	eg
astudrwydd	eg
atebolrwydd	eg
atgasrwydd	eg

wydd

barusrwydd	eg
basigrwydd	eg
baweiddrwydd	eg
beichiogrwydd	eg
beiusrwydd	eg
blasusrwydd	eg
blwydd	a, eb
blysigrwydd	eg
bodlonrwydd	eg
boddlonrwydd	eg
bolchwydd	eg
boneddigeiddrwydd	
	eg
bregusrwydd	eg
bwriadusrwydd	eg
bydolrwydd	eg
bytholrwydd	eg
bywiogrwydd	eg
caledrwydd	eg
calonogrwydd	eg
caneidrwydd	eg
canmlwydd	a
caredigrwydd	eg
cartrefolrwydd	eg
carueiddrwydd	eg
catholigrwydd	eg
cedrwydd	a
ceiliagwydd	eg
cildynrwydd	eg
closrwydd	eg
cnawdolrwydd	eg
crandrwydd	eg
creadigolrwydd	eg
creadigrwydd	eg
crefftusrwydd	eg
crintachrwydd	eg
crychnodwydd	eb
cwrteisrwydd	eg

wydd

cydwastadrwydd	eg
cyfaddasrwydd	eg
cyfagosrwydd	eg
cyfanrwydd	eg
cyfartalrwydd	eg
cyfarwydd	a, eg
cyfatebolrwydd	eg
cyfatebrwydd	eg
cyfebrwydd	eg
cyfoethogrwydd	eg
cyfreithlonrwydd	eg
cyffelybrwydd	eg
cyfforddusrwydd	eg
cyffredinolrwydd	eg
cyffredinrwydd	eg
cyhoeddusrwydd	eg
cymhenrwydd	eg
cyndynrwydd	eg
cynddeiriogrwydd	eg
cynhesrwydd	eg
cyntefigrwydd	eg
cysegredigrwydd	eg
cysgadrwydd	eg
cythreuligrwydd	eg
cywasgrwydd	eg
cywilyddusrwydd	eg
cywreinrwydd	eg
chwydd	eg
dandinrwydd	eg
dauwynebogrwydd	
	eg
deallusrwydd	eg
deheurwydd	eg
destlusrwydd	eg
diamcanrwydd	eg
diawledigrwydd	eg
dicllonrwydd	eg
dichlynrwydd	eg

wydd

dichonolrwydd	eg
dideimladrwydd	eg
didramgwydd	a
didueddrwydd	eg
diddosrwydd	eg
diefligrwydd	eg
dienbydrwydd	eg
dieuogrwydd	eg
difeiusrwydd	eg
diflasrwydd	eg
diffuantrwydd	eg
digonolrwydd	eg
digwydd	be
digyffelybrwydd	eg
digymhellrwydd	eg
diheurwydd	eg
dihidrwydd	eg
dilwydd	eb
dilysrwydd	eg
diniweidrwydd	eg
diogelrwydd	eg
dirodresrwydd	eg
diserchowgrwydd	eg
distawrwydd	eg
disyfydrwydd	eg
diwydrwydd	eg
diymwadrwydd	eg
diysgogrwydd	eg
dofrwydd	eg
dwyieithrwydd	eg
dyletswydd	eb
dywalrwydd	eg
ebrwydd	a
echryslonrwydd	eg
effeithiolrwydd	eg
effeithlonrwydd	eg
ehudrwydd	eg
eilflwydd	a

wydd

enbydrwydd	eg
enwogrwydd	eg
esgudrwydd	eg
euogrwydd	eg
ffaeledigrwydd	eg
ffeindrwydd	eg
ffeithiolrwydd	eg
ffitrwydd	eg
ffrwythlonrwydd	eg
ffuantrwydd	eg
ffyddiogrwydd	eg
ffyrnigrwydd	eg
geiriogrwydd	eg
glawogrwydd	eg
godidowgrwydd	eg
gofalusrwydd	eg
gogwydd	eg
gonestrwydd	eg
gorffyddiogrwydd	eg
gosgeiddigrwydd	eg
gosgeiddrwydd	eg
gostyngeiddrwydd	eg
graslonrwydd	eg
gwahanrwydd	eg
gwallgofrwydd	eg
gwamalrwydd	eg
gwancusrwydd	eg
gwanrwydd	eg
gwaradwydd	eg
gwargaledrwydd	eg
gwarthusrwydd	eg
gwastadrwydd	eg
gweddusrwydd	eg
gwirfoddolrwydd	eg
gwladeiddrwydd	eg
gwresogrwydd	eg
gwrthwynebrwydd	eg
gŵydd	a, ebg

wydd

gwynfydedigrwydd	
	eg
haelfrydigrwydd	eg
haerllugrwydd	eg
halogrwydd	eg
halltrwydd	eg
hapusrwydd	eg
helaethrwydd	eg
hoenusrwydd	eg
hollalluowgrwydd	eg
hurtrwydd	eg
hwyrfrydigrwydd	eg
hyblygrwydd	eg
hydynrwydd	eg
hylawrwydd	eg
hylifrwydd	eg
hylwydd	a
hynodrwydd	eg
hyrwydd	a
hysbysrwydd	eg
iachusrwydd	eg
llacrwydd	eg
lledneisrwydd	eg
llidiowgrwydd	eg
llithrigrwydd	eg
lluosflwydd	a
lluosogrwydd	eg
llwydd	eg
llymrigrwydd	eg
mamolrwydd	eg
mamwydd	eb
manylrwydd	eg
mawreddogrwydd	eg
mawrfrydigrwydd	eg
medrusrwydd	eg
meddalrwydd	eg
miniogrwydd	eg
moethusrwydd	eg

wydd

morbidrwydd	eg
mynegolrwydd	eg
naïfrwydd	eg
neilltuolrwydd	eg
nerfusrwydd	eg
nodarwydd	eg
nodwydd	eb
normalrwydd	eg
nwydd	eg
nwyfusrwydd	eg
odrwydd	eg
ofnusrwydd	eg
onestrwydd	eg
parchusrwydd	eg
parodrwydd	eg
pechadurusrwydd	eg
pen-blwydd	eg
pendantrwydd	eg
penodolrwydd	eg
perffeithrwydd	eg
pertrwydd	eg
perthnasolrwydd	eg
plentynrwydd	eg
poblogrwydd	eg
poenusrwydd	eg
posibilrwydd	eg
preifatrwydd	eg
pureiddrwydd	eb
pwysigrwydd	eg
pyrwydd	ell
relatifrwydd	eg
rhadlonrwydd	eg
rhagaeddfedrwydd	
	eg
rheibusrwydd	eg
rheidrwydd	eg
rhwydd	a
rhyddfrydigrwydd	eg

wydd

rhywiogrwydd	eg
sadrwydd	eg
sancteiddrwydd	eg
sefydlogrwydd	eg
seisnigrwydd	eg
sensitifrwydd	eg
serchowgrwydd	eg
sicrwydd	eg
simsanrwydd	eg
sioncrwydd	eg
slacrwydd	eg
slicrwydd	eg
sobrwydd	eg
swydd	eb
sydynrwydd	eg
symlrwydd	eg
synwyrusrwydd	eg
taclusrwydd	eg
tadolrwydd	eg
taeogrwydd	eg
tagwydd	ell
talogrwydd	eg
tamprwydd	eg
tanbeidrwydd	eg
tawedogrwydd	eg
tebygolrwydd	eg
tebygrwydd	eg
teimladrwydd	eg
teneurwydd	eg
tostrwydd	eg
tramgwydd	eg
trefnusrwydd	eg
truenusrwydd	eg
trugarowgrwydd	eg
tueddrwydd	eg
twtrwydd	eg
unieithrwydd	eg
unigolrwydd	eg

wydd

unigrwydd	eg
unplygrwydd	eg
unswydd	a
ymchwydd	eg
ynfydrwydd	eg
ysgwydd	eb
ystyfnigrwydd	eg

wyf

-wyf: terfyniad berfol
 – canwyf, etc.

adnapwyf	bf
bwyf	bf
byddwyf	bf
caffwyf	bf
clwyf	eg
delwyf	bf
diglwyf	a
dinwyf	a
eisglwyf	eg
elwyf	bf
gwahanglwyf	eg
gwnelwyf	bf
gwypwyf	bf
hunglwyf	eg
hyglwyf	a
llwyf	ell
misglwyf	eg
nwyf	eg
plwyf	eg
pruddglwyf	eg
rhwyf	eb
wyf	bf
ydwyf	bf

wyg

rhwyg	eg

246

wygl

wygl
gwygl	a
mwygl	a

wyl
anhwyl	eg
annisgwyl	a
annwyl	a
arwyl	eb
darpar-ŵyl	eb
di-hwyl	a
digrifwyl	eb
diorchwyl	a
disgwyl	be, eg
diwyl	a
dygwyl	eg
egwyl	eb
gorchwyl	eg
gwigwyl	eb
gŵyl	a, eb
hwyl	eb
morthwyl	eg
noswyl	eb
perwyl	eg
preswyl	eg
uchelwyl	eb

wyll
amwyll	a, eg
bondigrybwyll	a, adf
byrbwyll	a
cannwyll	eb
crebwyll	eg
crybwyll	be, eg
darbwyll	eg
dibwyll	a
didwyll	a
gorffwyll	a

wyll

gwyddbwyll	eb
hybwyll	a
hydwyll	a
pwyll	eg
rhwyll	eb
trwyll	eb
twyll	eg
ystwyll	eg

wym
bolrwym	a
cloffrwym	eg
eildwym	a
rhefr-rwym	a
rhwym	a, eg
safnrhwym	eg
twym	a

wymp
atgwymp	eg
cwymp	eg

wyn
achwyn	be, eg
adolwyn	eg
addfwyn	a
afwyn	eb
anaddfwyn	a
ancwyn	eg
anfwyn	a
anhyddwyn	a
bedwlwyn	eg
blaengrwyn	ell
brwyn	ell
brysglwyn	eg
cadwyn	eb
caethforwyn	eb
camymddwyn	be

wyn

cerwyn	eb
clogwyn	eg
colwyn	eg
collwyn	eg
crwyn	ell
cwyn	ebg
cydymddwyn	be
cyfrddwyn	be
cynllwyn	be, eg
cyswyn	a
chwylolwyn	eb
derlwyn	eg
digwyn	a
dirwyn	be
diwenwyn	a
draenllwyn	eg
dryslwyn	eg
dwyn	be
eurgwyn	eg
fflamddwyn	a
ffrwyn	eb
galwyn	eg
gwanwyn	eg
gwenwyn	eg
gwrthgynllwyn	eg
gwrthwenwyn	eg
halwyn	eg
hyfwyn	a
llaethwyn	ell
llawforwyn	eb
llwyn	ebg
llyswenwyn	eg
mandwyn	eg
môr-forwyn	eb
morwyn	eb
mwyn	a, eg
olwyn	eb
papurfrwyn	ell

wyn

penffrwyn	eg
plwyn	eg
rhuglgrwyn	ell
swyn	eg
syrlwyn	eg
terrwyn	a
trwyn	eg
twyn	eg
ŵyn	ell
ymddwyn +	
ymddŵyn	be
ymswyn	be

wynt

canolbwynt	eg
cyferbwynt	eg
diflanbwynt	eg
eithafbwynt	eg
gwrthbwynt	eg
hwynt	rhag
isafbwynt	eg
lleolbwynt	eg
pwynt	eg
pwysbwynt	eg
safbwynt	eg
trobwynt	eg
uchafbwynt	eg

wyr

adwyr	a
cannwyr	eg
cwyr	eg
disynnwyr	a
gorwyr	eg
gŵyr	a, bf
hwyr	a, eg
lledwyr	a
llwyr	a

wyr

magwyr	eb
pabwyr	eg, ell
synnwyr	eg
trylwyr	a
ŵyr	eg

wys

anghyfrwys	a
anghymwys	a
anghytbwys	a
amwys	a
anorffwys	a
arllwys	be
claseglwys	eb
crwys	eb
cwys	eb
cyfrwys	a
cymwys	a
cynnwys	be, eg
cytbwys	a
diamwys	a
dibwys	a
diorffwys	a
dwys	a
eglwys	eb
glwys	a
gorffwys	be, eg
grawys	eg
gwrthbwys	eg
mwys	a
nwys	eg
paradwys	eb
pwys	eg

wysg

brwysg	a
rhwysg	eg
twysg	eb

wystl

wystl

gwystl	eg

wystr

dirwystr	a
rhwystr	eg

wyt

wyt	bf
ydwyt	bf

wyth

adwyth	eg
anesmwyth	a
anhydwyth	a
anystwyth	a
blaendrwyth	eg
blaenffrwyth	eg
brasbwyth	eg
brenhinllwyth	eg
carllwyth	eg
cramwyth	ell
cruglwyth	eg
cynffrwyth	eg
diffrwyth	a
esmwyth	a
ffrwyth	eg
golchdrwyth	eg
golwyth	eg
gorlwyth	eg
grawnffrwyth	eg
gwrthbwyth	eg
hydwyth	a
llwyth	eg
nythlwyth	eg
pwyth	eg
rhwyth	a
tanllwyth	eg

wyth

torllwyth	eb
trwyth	eg
tylwyth	eg
wyth	a
ystwyth	a

y

abaty	eg
adardy	eg
addoldy	eg
amaethdy	eg
argraffty	eg
ariandy	eg
awyrendy	eg
barcty	eg
bathdy	eg
bawdy	eg
beudy	eg
bloty	eg
bracty	eg
brenhindy	eg
brodordy	eg
bwyty	bf, eg
cabidyldy	eg
cachdy	eg
carchardy	eg
cedny	ell
cerbyty	eg
clafdy	eg
clasordy	eg
clochdy	eg
clwysty	eg
cly	bf
cneifdy	eg
cny	bf
coety	eg
colomendy	eg
corffdy	eg

y

crefydd-dy	eg
crogwely	eg
cydwely	eg
cyfrifdy	eg
cyffry	bf
cynghordy	eg
cymry	ell
cywely	ebg
chwaraedy	eg
daeardy	eg
darlundy	eg
defeity	eg
deffry	bf
deildy	eg
detgly	bf
detry	bf
dilety	a
dioty	eg
dirwyndy	eg
distyllty	eg
dyry	bf
eglwysty	eg
elusendy	eg
felly	adf
ficerdy	eg
fry	adf
fyny	adf
ffermdy	eg
ffy	bf
gedy	bf
geudy	eg
glowty	eg
golchdy	eg
goleudy	eg
gorifyny	eg
gwallgofdy	eg
gweithdy	eg
gwely	eg

y

gwesty	eg
gwindy	eg
gwiroty	eg
gwrendy	bf
gwyry	a, eb
gwyryfdy	eg
hafdy	eg
hafoty	eg
hufendy	eg
hundy	eg
hwrdy	eg
hy	a
hynny	rhag
labordy	eg
lladd-dy	eg
llaethdy	eg
lleiandy	eg
llety	eg
lluesty	eg
llysty	eg
llythyrdy	eg
maendy	eg
maenordy	eg
marchdy	eg
marwdy	eg
masnachdy	eg
melindy	eg
modurdy	eg
mynachdy	eg
obry	adf
odyndy	eg
ogofdy	eg
orendy	eg
pandy	eg
penty	eg
persondy	eg
pery	bf
plasty	eg

y

popty	eg
porthordy	eg
priordy	eg
puteindy	eg
pwerdy	eg
rhandy	eg
rheiny	rhag
rhy	adf, bf
senedd-dy	eg
slafdy	eg
slafweithdy	eg
stordy	eg
sy	bf
tafarndy	eg
tery	bf
tloty	eg
tollty	eg
try	bf
trysordy	eg
tŷ	eg
yfory	adf
ymedy	bf
ymolchdy	eg
ysbyty	eg
ysgoldy	eg

yb

cam-dyb	eb
cyffelyb	a
digyffelyb	a
etyb	bf
gwlyb	a, eg
gwrthdyb	eb
hunan-dyb	eg
modryb	eb
rhagdyb	ebg
rhithdyb	eb
tyb	bf, eb

ybl

ybl

disgybl	eg

ych

-ych: terfyniad berfol
— delych, cenych, etc.

adfresych	ell
adnepych	bf
anfynych	a
anwych	a
arwych	a
blodfresych	ell
bresych	ell
brych	a, eg
bustych	ell
bych	bf
byddych	bf
ceffych	bf
ceinwych	a
ceinych	ell
cipedrych	be
claerwych	a
clych	ell
coegwych	a
crych	a, eg
chwennych	be, bf
delych	bf
di-nych	a
dilewych	a
drych	eg
edlych	eg
edrych	be
elych	bf
entrych	eg
eurych	eg
gennych	ardd
geuddrych	eg

ych

goddrych	eg
gorwych	a
gwlych	bf, eg
gwnelych	bf
gwrolwych	a
gwrthrych	eg
gwrych	eg
gwych	a
gwypych	bf
harddwych	a
henffych	bf, ebych
hirnych	eg
llewych	eg
mawrwych	a
meddylddrych	eg
mynych	a
nych	eg
pengrych	a
rhych	eb
sbrych	eg
sych	a, bf
talgrych	a
wrthych	ardd
ych	bf, eg
ydych	bf
ysbienddrych	eg

yd

adfyd	eg
addfwynbryd	eg
afiechyd	eg
agoryd	be
amgylchfyd	eg
amyd	eg
anesmwythyd	eg
anhyfryd	a
ansyberwyd	eg
anwylyd	ebg

yd

awyddfryd	eg
barddonllyd	a
barllyd	a
barnllyd	a
bawlyd	a
begerllyd	a
blinfyd	eg
bolsbryd	eg
borebryd	eg
braenllyd	a
brechlyd	a
breglyd	a
breulyd	a
brithyd	eg
briwsionllyd	a
brochlyd	a
brycheulyd	a
bryd	eg
busneslyd	a
bustachlyd	a
byd	eg
byrbryd	eg
bywyd	eg
cablyd	eg
cachlyd	a
caethfyd	eg
caledfyd	eg
camgymryd	be
camwerthyd	eb
carllyd	a
cefndryd	ell
ceintachlyd	a
celfyddyd	eb
celyd	all
cenfigenllyd	a
cerbyd	eg
ciglyd	a
clafrllyd	a

yd

clebarllyd	a
cleberllyd	a
clefyd	eg
clegerllyd	a
cleilyd	a
clwclyd	a
clyd	a
cochlyd	a
coeglyd	a
corslyd	a
coslyd	a
crablyd	a
craclyd	a
crachlyd	a
crafangllyd	a
cranclyd	a
craslyd	a
crasyd	eg
crawnllyd	a
crebachlyd	a
crechwenllyd	a
credyd	eg
creisionllyd	a
cribinllyd	a
crinllyd	a
crintachlyd	a
crychlyd	a
cryd	eg
cryglyd	a
crynfyd	eg
cwenclyd	a
cwrddyd	be
cwynfanllyd	a
cybyddlyd	a
cyd	a, cys, eg
cyfanfyd	eg
cyfarwyddyd	eg
cyfencyd	eg

yd

cyfoglyd	a
cyfyd	bf
cyfyrdryd	ell
cyhyd	a
cymhenllyd	a
cymryd	be
cymysglyd	a
cynfebyd	eg
cynfyd	eg
cynffonllyd	a
cynhenllyd	a
cynhyrflyd	a
cynrhonllyd	a
cyrhaeddyd	be
cysetlyd	a
cysglyd	a
chweinllyd	a
chwerthinllyd	a
chwyd	eg
chwydlyd	a
chwyslyd	a
daeargryd	eg
dedfryd	eb
dedwyddyd	eg
delfryd	ebg
detyd	bf
deufyd	e deuol
diedfyd	a
dienbyd	a
diferllyd	a
diferyd	a
difrycheulyd	a
difywyd	a
diffryd	be
dihatryd	be
dihengyd	be
dihewyd	eg
dilefeinllyd	a

yd

diofryd	eg
dioglyd	a
disyflyd	a
disyfyd	a
diwelyd	be
diwyd	a
diysbryd	a
diystyrllyd	a
drewllyd	a
drygfyd	eg
dryslyd	a
dwgyd	be
dybryd	a
dychrynllyd	a
dychwelyd	be
dyfrllyd	a
dygyd	be
dymchwelyd	be
dywedyd	be
echryd	eg
edfryd	be
edrychyd	be
efryd	eg
ehangfryd	a
elorgerbyd	eg
enbyd	a
encyd	ebg
ennyd	ebg
ergyd	eb
esmwythyd	eg
fferllyd	a
fflamllyd	a
fflyd	eb
ffromllyd	a
ffrwcslyd	a
ffwdanllyd	a
ffyslyd	a
gafaelyd	be

yd

gesyd	bf
gieulyd	a
gochelyd	be
goddiweddyd	be
gofryd	eg
goglyd	eg
gogyhyd	a
goleubryd	a
gorllyd	a
griddfanllyd	a
grwgnachlyd	a
gwaddodlyd	a
gwaedlyd	a
gwanllyd	a
gwastrafflyd	a
gwatwarllyd	a
gwawdlyd	a
gweglyd	a
gwenwynllyd	a
gwerchyd	bf
gwerthyd	eb
gweryd	eg
gwichlyd	a
gwinglyd	a
gwrolfryd	eg
gwrthddywedyd	be
gwryd	eg
gwynfyd	eg
hadyd	eg
hawddfyd	eg
heclyd	be
hefyd	adf
hercyd	be
herllyd	a
hollfyd	eg
honclyd	a
hoywfryd	a
hyd	ardd, eg

yd

hyfryd	a
iechyd	eg
ireidlyd	a
iselfryd	a
isweryd	eg
jargonllyd	a
lladronllyd	a
llaethlyd	a
llawnfyd	eg
llifoglyd	a
lleuoglyd	a
lludlyd	a
llwglyd	a
llwyrfryd	eg
llychlyd	a
llydanfryd	a
matryd	be
mawnoglyd	a
mebyd	eg
meddylfryd	eg
merllyd	a
mhoelyd	be
moethlyd	a
monllyd	a
moryd	eb
mwdlyd	a
mwsoglyd	a
mwythlyd	a
myglyd	a
nawddoglyd	a
newynllyd	a
nychlyd	a
odlyd	a
oerllyd	a
oflyd	a
penyd	eg
pesychlyd	a
piblyd	a

yd

pifflyd	a
pislyd	a
poethlyd	a
preblyd	a
preplyd	a
priddlyd	a
pryd	adf, eg
pryfoclyd	a
pwdlyd	a
pyglyd	a
pysgodlyd	a
raglyd	a
rwtshlyd	a
rhacslyd	a
rhagddywedyd	be
rhagfarnllyd	a
rheglyd	a
rhewllyd	a
rhigymllyd	a
rhochianllyd	a
rhochlyd	a
rhonclyd	a
rhuslyd	a
rhyd	eb
rhydlyd	a
rhynllyd	a
sbeitlyd	a
sebonllyd	a
seguryd	eg
seimlyd	a
sgamllyd	a
sgemllyd	a
sgornllyd	a
sgraglyd	a
sioclyd	a
snobyddlyd	a
soeglyd	a
sorllyd	a

yd

straellyd	a
straenllyd	a
stranclyd	a
stroclyd	a
stwrllyd	a
stryd	eb
swbachlyd	a
swnllyd	a
syberwyd	eg
sychlyd	a
syflyd	be
syrthlyd	a
sythlyd	a
tanllyd	a
taranllyd	a
tawchlyd	a
terfysglyd	a
tomlyd	a
tristyd	eg
trymfryd	a
trymllyd	a
tuchanllyd	a
tueddfryd	eg
tywodlyd	a
uchelfryd	a, eg
unfryd	a
wynepryd	eg
ŷd	eg
ynghyd	adf
ymaelyd	be
ymaflyd	be
ymesyd	bf
ymgymryd	be
ymochelyd	be
ymogelyd	be
ympryd	eg
ymyrryd	be
ymysgwyd	be

yd

ynfyd	a
ynyd	eg
ysbryd	eg
ysgafnfryd	a
ysgryd	eg
ysgwyd	be

ydn

gwydn	a

ydr

chwelydr	eb
chwyddwydr	eg
erydr	ell
gwydr	eg
mydr	eg
pelydr	eg, ell
rhëydr	ell
terydr	ell

ydd

achlesydd	eg
achubydd	eg
achydd	eg
adarydd	eg
adenydd	ell
adlewyrchydd	eg
adnebydd	bf
adolygydd	eg
adweithydd	eg
aelwydydd	ell
aflawenydd	eg
aflonydd	a
afonydd	ell
anghelfydd	a
allafonydd	ell
amcangyfrifydd	eg
amddiffynnydd	eg

ydd

amlblwyfydd	eg
anarchydd	eg
anianydd	eg
annedwydd	a
annywenydd	eg
apelydd	ell
archdderwydd	eg
ardalydd	eg
arddullydd	eg
areithydd	eg
argraffydd	eg
arloesydd	eg
arlunydd	eg
arlywydd	eg
arolygydd	eg
arweinydd	eg
asiedydd	eg
asolydd	ell
atfydd	adf
atomegydd	eg
athronydd	eg
awenydd	eg
awydd	eg
bathofydd	eg
bedydd	eg
bencydd	ell
berwedydd	eg
beunydd	adf
biolegydd	eg
blasusfwydydd	ell
bocyswydd	ell
bolltydd	ell
bordydd	ell
boreddydd	eg
braswydd	a, ell
brethynnydd	eg
brigadydd	eg
briwydd	eb, ell

ydd

bronnydd	ell
bröydd	ell
briglofftydd	ell
buddelwydd	ell
bwydydd	ell
bwygilydd	adf
bydd	bf
byrddydd	eg
bywgraffydd	eg
cablydd	eg
cadeirydd	eg
cadfeysydd	ell
cadlesydd	ell
cadlywydd	eg
cadofydd	eg
cadweinydd	eg
caewydd	ell
cafodydd	ell
caligraffydd	eg
camddefnydd	eg
camlesydd	ell
canhwyllydd	eg
caniedydd	eg
canlynydd	eg
canolddydd	eg
cantrefydd	ell
carennydd	ebg, ell
cartrefydd	ell
carthffosydd	ell
casglydd	eg
castanwydd	ell
castellydd	eg
catholigydd	eg
cawodydd	ell
cawselltydd	ell
cedrwydd	ell
cefnwledydd	ell
ceinlythrennydd	eg

ydd

ceisiedydd	eg
celfydd	a
celwydd	eg
cenfydd	bf
cerfiedydd	eg
cerflunydd	eg
cerydd	eg
cethlydd	ebg, ell
ceubontydd	ell
ceuffosydd	ell
ceulfwydydd	ell
ceunentydd	ell
cigydd	eg
cilydd	eg
clasurydd	eg
clochydd	eg
clodrydd	a
clodydd	ell
closydd	ell
cludydd	eg
clustogwledydd	ell
clwydydd	ell
clywedydd	eg
coelgrefydd	eb
cofiannydd	eg
cofiedydd	eg
cofrestrydd	eg
cofweinydd	eg
cogydd	eg
colofnydd	eg
collwydd	ell
comiwnydd	eg
corbibydd	eg
cornentydd	ell
cornwydydd	ell
corsydd	ell
cosbydd	eg
creawdydd	eg

ydd

crefydd	eb
cregynnydd	eg
creiglennydd	ell
crinwydd	ell
crocbontydd	ell
crochenydd	eg
crofftydd	ell
croglofftydd	ell
cronolegydd	eg
cropiedydd	eg
crychydd	eg
crydd	eg
crynydd	eg
cufydd	eg
cwmnïydd	eg
cwterydd	ell
cybydd	a, eg
cychwynnydd	eg
cyd-olygydd	eg
cydnebydd	bf
cydweithredydd	eg
cyfalafydd	eg
cyfansoddydd	eg
cyfarfodydd	ell
cyfddydd	eg
cyfeiliornydd	eg
cyfeilydd	eg
cyferfydd	bf
cyfieithydd	eg
cyflogydd	eg
cyflunydd	eg
cyflwynydd	eg
cyflymydd	eg
cyfnerthydd	eg
cyfogydd	eg
cyfrannydd	eg
cyfrifydd	eg
cyfrinydd	eg

ydd

cyffinydd	eg
cynghorydd	eg
cynaeafydd	eg
cynddydd	eg
cynheilydd	eg
cynhwysydd	eg
cynhyrchydd	eg
cyniferydd	eg
cynigydd	eg
cyniweirydd	eg
cynllunydd	eg
cynnydd	eg
cynrychiolydd	eg
cynydd	eg
cyrfydd	eg
cysodydd	eg
cystadleuydd	eg
cystedlydd	eg
cywerthydd	eg
cywilydd	eg
cywydd	eg
chwarëydd	eg
chwedlonydd	eg
chwiorydd	ell
dadleuydd	eg
daearegydd	eg
darfelydd	eg
darlithydd	eg
darllawydd	eg
darllenydd	eg
datgeinydd	eg
dedwydd	a
defnydd	eg
dehonglydd	eg
deintydd	eg
deorydd	eg
derbynnydd	eg
derfydd	bf

ydd

derwydd	eg
deuddydd	eg
deunydd	eg
dialydd	eg
diawydd	a
dibynnydd	eg
didolydd	eg
diddanydd	eg
diddefnydd	a
dieilfydd	a
difedydd	a
diffoddydd	eg
diffydd	bf
diffynnydd	eg
digerydd	a
digrefydd	a
digynnydd	a
digywilydd	a
dihangydd	eg
dihefelydd	a
diheintydd	eg
dihenydd	a, eg
dihysbydd	a
dilledydd	eg
dinesydd	eg
diodwydd	ell
diodydd	ell
dioddefydd	eg
disbydd	a
disgynnydd	eg
diwedydd	eg
diwetydd	eg
diwinydd	eg
diwyllydd	eg
dolydd	ell
dramodydd	eg
drennydd	adf
dringhedydd	eg

ydd

dringiedydd	eg
dringwydd	ell
dwyrannydd	eg
dychrynydd	eg
dydd	eg
dyfnentydd	ell
dyfrffosydd	ell
dygiedydd	eg
dylunydd	eg
dynofydd	eg
dysgedydd	eg
dywenydd	a, eg
edrydd	bf
efrydydd	eg
efrydd	a
efydd	eg
eglwysydd	ell
egwydydd	ell
ehangydd	eg
ehedydd	eg
eilydd	eg
eiriolydd	eg
eithafydd	eg
elorydd	ell
elltydd	ell
emynydd	eg
eneidegydd	eg
enillydd	eg
erlynydd	eg
erydydd	eg
esbonydd	eg
esgynnydd	eg
etholydd	eg
ffasgydd	eg
ffawydd	ell
ffeminydd	eg
ffenderydd	ell
ffermydd	ell

ydd

fferyllydd	eg
ffilosoffydd	eg
fforestydd	ell
ffosydd	ell
ffotograffydd	eg
ffrwydrydd	eg
ffrwythydd	ell
ffydd	eb
ffynidwydd	ell
geirydd	eg
gelltydd	ell
gellygwydd	ell
gemydd	eg
gerfydd	ardd
glasddydd	eg
glawogydd	ell
glennydd	ell
gobennydd	eg
goferydd	ell
gohebydd	eg
goleuddydd	eg
golygydd	eg
gorawydd	eg
goresgynnydd	eg
goreuydd	eg
gorfydd	bf
gormesydd	eg
gorthrymydd	eg
gorwledydd	ell
gorymdeithydd	eg
gosodydd	eg
grawnfwydydd	ell
gwaethafydd	eg
gwahaniaethydd	eg
gwahanydd	eg
gwalbentydd	ell
gwarantydd	eg
gwarthegydd	eg

ydd

gwasg-gogydd	eg
gwawrddydd	eb
gwehydd	eg
gweilchydd	eg
gweinydd	eg
gweledydd	eg
gwernydd	ell
gweunydd	ell
gwëydd	eg
gwiniolwydd	ell
gwinwydd	ell
gwiolydd	eb
gwirodydd	ell
gwladweinydd	eg
gwledydd	ell
gwleidydd	eg
gwlydd	ell
gwresfesurydd	eg
gwrthelltydd	ell
gwybodydd	eg
gwŷdd	ell
gwyddonydd	eg
gwyliedydd	eg
gwyntfesurydd	eg
gwynwydd	ell
hafddydd	eg
hafodydd	ell
hanesydd	eg
hebogydd	eg
hebryngydd	eg
hedonydd	eg
hedydd	eg
hefelydd	a
heintrydd	a
helmydd	ell
hendrefydd	ell
heolydd	ell
herwydd	ardd

ydd

hewlydd	ell
hidlydd	eg
hinfynegydd	eg
hirddydd	eg
holiedydd	eg
hwyrddydd	eg
hydd	eg
hynafiaethydd	eg
hynefydd	eg
iawnffydd	eb
ieithydd	eg
ierdydd	ell
irwydd	ell
isafonydd	ell
lonydd	ell
lladmerydd	eg
llamhidydd	eg
llarwydd	ell
llathrydd	eg
llawenydd	eg
llawrydd	a
llefarydd	eg
lleferydd	ebg
llefydd	ell
llifogydd	ell
lliniarydd	eg
llinwydd	ell
llodrydd	eg
llofftydd	ell
llonydd	a
llosgydd	eg
lluniedydd	eg
lluosydd	eg
llurigydd	eg
llwybrydd	eg
llyfrgellydd	eg
llyngesydd	eg
llysieuegydd	eg

ydd

llysieuydd	eg
llythyrgludydd	eg
llywydd	eg
maeslywydd	eg
maestrefydd	ell
maethydd	eg
mafonwydd	ell
magwyrydd	ell
mamwledydd	ell
manwydd	ell
materolydd	eg
mawnogydd	ell
meddiannydd	eg
meddylegydd	eg
meidrydd	eg
melinydd	eg
merwydd	ell
mesuronydd	eg
mesurydd	eg
meysydd	ell
miliynydd	eg
moelydd	ell
moesolydd	eg
morddwydydd	ell
morgeisydd	eg
morlywydd	eg
mudydd	eg
mynachlogydd	ell
mynegydd	eg
mynwentydd	ell
mynydd	eg
myrtwydd	ell
myswynogydd	ell
nawnddydd	eg
negesydd	eg
negydd	eg
nenlofftydd	ell
nentydd	ell

ydd

newidydd	eg
newydd	a, eg
nofelydd	eg
offerynnydd	eg
offrymydd	eg
onglydd	eg
oherwydd	ardd, cys
olewydd	ell
olynydd	eg
onwydd	ell
organydd	eg
pabydd	eg
palmentydd	ell
palmwydd	ell
parwydydd	ell
patholegydd	eg
pedwerydd	a
peiriannydd	eg
peithwydd	ell
pencynydd	eg
penderfyniedydd	eg
penderfynydd	eg
penllywydd	eg
penrhydd	a
pentrefydd	ell
peraroglydd	eg
perffeithydd	eg
perydd	eg
pianydd	eg
pibydd	eg
pillwydd	ell
pinwydd	ell
pisgwydd	ell
planedydd	eg
planwydd	ell
pleidydd	eg
plwyfydd	ell
pobydd	eg

ydd

pontydd	ell
pothellydd	eg
preswylydd	eg
profiedydd	eg
prosesydd	ell
prydlesydd	ell
prydydd	eg
pryfydd	eg
prysgwydd	ell
purydd	eg
raselydd	ell
raserydd	ell
rhagafonydd	ell
rhagflaenydd	eg
rhaglywydd	eg
rhagredegydd	eg
rhamantydd	eg
rhannydd	eg
rheithegydd	eg
rhewogydd	ell
rhewydd	eg
rhigolydd	eg
rhoswydd	ell
rhosydd	ell
rhydd	a, bf
sadydd	eg
saethydd	eg
salmydd	eg
seiciatrydd	eg
selerydd	ell
seronydd	eg
serydd	eg
siglennydd	ell
sinechydd	ell
sirydd	eg
soffydd	eg
sosialydd	eg

ydd

stormydd	ell
sycamorwydd	ell
sychwydd	ell
sydd	bf
sylfaenydd	eg
sylwebydd	eg
sylwedydd	eg
symbylydd	eg
taenellydd	eg
tafleisydd	eg
tafliedydd	eg
taflodydd	ell
taflunydd	eg
tafodleferydd	eg
tafodrydd	a
tanwydd	eg
teimlydd	eg
teipiedydd	eg
teipydd	eg
teledydd	eg
terfenydd	a
tollydd	eg
tomennydd	ell
tonennydd	ell
tonydd	eg
torlennydd	ell
traethodydd	eg
tragywydd	a
trawsgludydd	eg
trawydd	eg
trefnydd	eg
trefydd	ell
trengholydd	eg
tremofydd	eg
trennydd	adf
trigiannydd	eg
trydydd	a

ydd

trysorydd	eg
trywydd	eg
twymydd	eg
twynennydd	ell
tywydd	eg
tywysydd	eg
uchelwydd	eg
unawdydd	eg
undydd	a
unigolydd	eg
uwchdonydd	eg
welydd	ell
ydfeysydd	ell
ymdeithydd	eg
ymennydd	eg
ymerodrydd	eg
ymgeisydd	eg
ymgyrchydd	eg
ymofynnydd	eg
ymwelydd	eg
ymysgogydd	eg
ynysydd	eg
ysblennydd	a
ysbrydegydd	eg
ysgatfydd	adf
ysgogydd	eg
ysgrifennydd	eg
ystafellydd	eg

yf

cleddyf	eg
cryf	a
chwyf	eg
deisyf	be, eg
gennyf	ardd
gwryf	eg
gwyryf	eb

yf	
llawryf	eg
llyf	bf
llyfrbryf	eg
neddyf	eb
pengryf	a
pryf	eg
siryf	eg
talgryf	a
tyf	bf
wrthyf	ardd
yf	bf

yfl

di-syfl	a
syfl	bf

yfn

dyfn	all
llyfn	a

yfr

coflyfr	eg
cyfarwyddlyfr	eg
cyfeirlyfr	eg
cyflyfr	eg
cyfriflyfr	eg
deddflyfr	eg
dyddlyfr	eg
geirlyfr	eg
gwerslyfr	eg
llawlyfr	eg
llyfr	eg
nodlyfr	eg
prydlyfr	eg
teithlyfr	eg

yff

boncyff	eg
cyff	eg

yg	
allblyg	a
amlblyg	a
anhyblyg	a
annhebyg	a
atblyg	eg
benthyg	a, be, eg
bonsyg	eb
canplyg	a
canrhyg	eg
cesyg	ell
coegfeddyg	eg
crachfeddyg	eg
cryg	a
cymhlyg	a
deublyg	a
deuddyblyg	a
diddiffyg	a
diddychymyg	a
diffyg	eg
dirmyg	eg
diwyg	eg
dyblyg	a
dychymyg	eg
echblyg	a
ennyg	bf
gellyg	ell
goblyg	eg
gwenyg	ell
helyg	bf, ell
hyblyg	a
llaethyg	ell
llewyg	eg
llawfeddyg	eg
llyg	eb
meddyg	eg
menyg	ell
mewnblyg	a

yg	
milfeddyg	eg
pedwarplyg	a
perlewyg	eg
plyg	bf, eg
pyg	eg
rhyfyg	eg
rhyg	eg
tebyg	a
tremyg	eg
triphlyg	a
unplyg	a
ymhlyg	a
ysgyg	bf

ygl

erthygl	eb
huddygl	eg
perygl	eg
rhuddygl	eg

ygn

dygn	a

yng

cyfyng	a

yl

atchwyl	eg
byl	eb
ceffyl	eg
cweryl	eg
cyfyl	eg
chwyl	eg
diefyl	ell
efengyl	eb
engyl	ell
eilchwyl	adf
erthyl	eg
etyl	bf

yl

gwyl	bf
lledymyl	eb
ymyl	ebg

ylch

amgylch	eg
awyrgylch	ebg
corongylch	eg
cryngylch	eg
cylch	ardd, eg
dalgylch	eg
diylch	bf
estylch	ell
gylch	bf
hanergylch	a, eg
hirgylch	eg
ogylch	ardd
trogylch	eg
ynghylch	ardd

yll

blaenesgyll	ell
brithyll	eg
bwyyll	ell
cadfwyyll	ell
camsefyll	be
candryll	a
cestyll	ell
cewyll	ell
cipyll	eg
cnewyll	ell
cornicyll	eg
cudyll	eg
curyll	eg
cydsefyll	be
cyll	bf, ell
cyllyll	ell
deilgyll	ell

yll

diedyll	ell
distyll	eg
dryll	eg
ellyll	eg
erchyll	a
esgyll	ell
estyll	ell
ffrewyll	eb
gredyll	ell
gridyll	ebg
gwersyll	eg
gwëyll	ell
gwrthsefyll	be
gwyll	eg
gwyngyll	ell
gwyntyll	eb
hyll	a
llawddryll	eg
mecryll	ell
mentyll	ell
pebyll	ell
pedyll	ell
perchyll	ell
pistyll	eg
prysgyll	eg
rhidyll	eg
rhingyll	eg
rhistyll	eg
sefyll	be
tefyll	ell
tegyll	ell
trythyll	a
tywyll	a, eg
ysgewyll	ell

yllt

bronwyllt	a
byllt	ell

yllt

ffrochwyllt	a
ffromwyllt	a
gorwyllt	a
gwyllt	a
hyllt	bf
myllt	ell
nawswyllt	a
nwydwyllt	a
rhinwyllt	a

ym

awchlym	a
awgrym	eg
blaenllym	a
celrym	eg
cyflym	a
dirym	a
gennym	ardd
grym	eg
gwrym	eg
hyrddrym	eg
llym	a
minllym	a
sym	bf
wrthym	ardd
ydym	bf
ŷm	bf

yml

syml	a

ymp

gwymp	a
tymp	eg

yn

abwydyn	eg
aderyn	eg

yn		yn		yn	
adyn	eg	bloesgyn	eg	cachmyn	ell
ailennyn	be	blotyn	eg	cadechyn	eg
amddiffyn	be	blwyddyn	eb	calcyn	eg
amgylchyn	eg	bogelyn	eg	calefyn	eg
amlygyn	eg	boglyn	eg	callodryn	eg
amrantyn	eg	boldyn	a	canlyn	be
anhydyn	a	bolrwymyn	eg	cannyn	ell
anifeilyn	eg	bolystyn	eg	canoligyn	eg
annillyn	a	bonyn	eg	cardotyn	eg
anwylyn	eg	brechlyn	eg	cardydwyn	eg
arobryn	a	brelyn	eg	carthlyn	eg
asglodyn	eg	brenhinyn	eg	casddyn	eg
asyn	eg	bretyn	eg	casnodyn	eg
atgrychyn	eg	brethyn	eg	cecryn	eg
bachgennyn	eg	bribsyn	eg	cecysyn	eg
bachigyn	eg	bribysyn	eg	cefnbeithyn	ell
bachyn	eg	brigeryn	eg	cefndedyn	eg
bagedyn	eg	brigyn	eg	ceglyn	eg
baldorddyn	eg	brilyn	eg	cenglyn	eg
barlysyn	eg	brisgyn	eg	ceilsyn	eg
baslyn	eg	briwsionyn	eg	ceirchyn	eg
bastardyn	eg	briwsyn	eg	celchyn	eg
bathodyn	eg	bronrhuddyn	eg	celficyn	eg
bawddyn	eg	brycheuyn	eg	celyn	ell
bawyn	eg	brychiedyn	eg	cenedl-ddyn	eg
bechgyn	ell	bryn	eg	cennyn	ell
berdysyn	eg	bryncyn	eg	cerdyn	eg
blaguryn	eg	bugeilffyn	ell	cerlyn	eg
blaslyn	eg	burgyn	eg	cerpyn	eg
bleddyn	a, eg	bustechyn	eg	certmyn	ell
bleiddyn	a, eg	bwlyn	eg	ceseiryn	eg
blewcyn	eg	bwthyn	eg	cestryn	eg
blewyn	eg	bychanigyn	a, eg	cestyn	eg
blocyn	eg	bydolddyn	eg	cetyn	eg
blodeuyn	eg	bydyn	eg	cewyn	eg
blodigyn	eg	bywionyn	eg	cibyn	eg
blodionyn	eg	bywyn	eg	cilcyn	eg
blodyn	eg	cabmyn	ell	cildyn	a

cilfilyn	eg
cilyn	eg
ciwcyn	eg
claerwyn	a
clebarddyn	eg
clebryn	eg
clecyn	eg
clepyn	eg
clewyn	eg
clobyn	eg
clogyn	eg
clompyn	eg
cloncyn	eg
clopyn	eg
clotsyn	a
clöyn	eg
clunhercyn	eg
clustlibyn	a
clwtyn	eg
cnepyn	eg
cnewyllyn	eg
cnotyn	eg
coblyn	eg
cobyn	eg
cocyn	eg
cochyn	eg
coedyn	eg
coegddyn	eg
coegyn	eg
coesgyn	eg
coesyn	eg
cogeilyn	eg
colsyn	eg
coluddyn	eg
colyn	eg
conyn	eg
copyn	eg
corcyn	eg

cordyn	eg
corddyn	eg
corffilyn	eg
corffyn	eg
cornelyn	eg
corryn	eg
cortyn	eg
cosyn	eg
crabysyn	eg
creffyn	eg
cregyn	ell
crehyryn	eg
crewyn	eg
criciedyn	eg
cricsyn	eg
criglyn	eg
crincyn	eg
crochenyn	eg
croenyn	eg
crogyn	eg
crombeithyn	ell
crotyn	eg
crugyn	eg
crwtyn	eg
crwydryn	eg
crychyn	eg
cryn + crŷn	a, bf, eg
cynddyn	eg
crystyn	eg
cudyn	eg
cunogyn	eg
cwdyn	eg
cwilsyn	eg
cwlffyn	eg
cwrbyn	eg
cwrcyn	eg
cwtyn	eg
cychwyn	be, eg

cyd-ddyn	eg
cydganlyn	be
cydyn	eg
cyfansoddyn	eg
cyferbyn	a
cyflogddyn	eg
cyflyn	a
cyfnodolyn	eg
cyfoglyn	eg
cyhyryn	eg
cylchyn	eg
cylionyn	eg
cymhercyn	eg
cymyn	eg
cyn + cŷn	
	ardd, cys, eg
cynbyn	all
cyndyn	a
cyneginyn	eg
cynhinnyn	eg
cynrhonyn	eg
cyrbibyn	eg
cytyn	eg
chwarterolyn	eg
chwepyn	eg
chwipyn	adf
chwŷn + chwyn	
	adf, ell
chwynnyn	eg
daearfochyn	eg
daeargryn	ebg
dalyn	eg
danwyn	a
defnyn	eg
deigryn	eg
derbyn	be, bf
dernyn	eg
deuddyn	edeuol

yn		yn		yn	
dewisddyn	eg	ednogyn	eg	glaswelltyn	eg
diamddiffyn	a	edwyn	a, bf	glöyn	eg
dibyn	eg	efryn	eg	glŷn + glyn	bf, eg
dibyn-dobyn	a	efyddyn	eg	gofyn	be, bf, eg
diderfyn	a	eginyn	eg	gogryn	be
dieflyn	eg	englyn	eg	golwythyn	eg
dieithryn	eg	ellmyn	ell	gorchymyn	be, eg
diferyn	eg	ellyn	eg	goresgyn	be
diffyn	be, eg	emyn	eg	gorewyn	eg
digryn	a	eneinllyn	eg	gorwyn	a
dihiryn	eg	enfyn	bf	goryn	eg
dilyn	be, bf	enllyn	eg	gresyn	eg
dilledyn	eg	ennyn	be	gronyn	eg
dillyn	a, eg	enwyn	eg	gronynnyn	eg
diodlyn	eg	erbyn	ardd	gröyn	eg
diofyn	a	erchwyn	ebg	grugionyn	eg
diogyn	eg	erfyn	be, eg	gwaelddyn	eg
disgleirwyn	a	erlyn	be	gwallgofddyn	eg
disgyn	be, bf	esgyn	be, bf	gwasanaethddyn	eg
distyn	eg	estyn	be	gwawdodyn	eg
dodrefnyn	eg	euryn	eg	gwaywffyn	ell
dodyn	eg	ewyn	eg	gwengyn	eg
doethyn	eg	ffefryn	eg	gweiryn	eg
dotyn	eg	ffiblyn	eg	gwelltyn	eg
drabyn	eg	ffluwchyn	eg	gwenyn	ell
drengyn	eg	fflwcsyn	eg	gwinronyn	eg
dribyn	eg	fformyn	ell	gwirionyn	eg
dringlyn	eg	ffowlyn	eg	gwlithyn	eg
dropyn	eg	ffrityn	eg	gwlyddyn	eg
drygddyn	eg	ffrwmpyn	eg	gwreangyn	eg
duryn	eg	ffwlcyn	eg	gwreichionyn	eg
dychryn	be, eg	ffyn	ell	gwreiddyn	eg
dyfyn	be, eg	gefyn	eg	gwrthgorffyn	eg
dyffryn	eg	geiryn	eg	gwrysgyn	eg
dylyn	eg	gelyn	eg	gwybedyn	eg
dyn	eg	genyn	eg	gwydryn	eg
ebolyn	eg	gewyn	eg	gwyfyn	eg
edefyn	eg	glaslencyn	eg	gwyn	a, eg

gwyniedyn	eg	llefnyn	eg	meuryn	eg
gyferbyn	ardd	llencyn	eg	mewnforyn	eg
hadyn	eg	llenoryn	eg	mewnolyn	eg
hanesyn	eg	llercyn	eg	migwyn	eg
hecyn	eg	llerpyn	eg	milyn	eg
hedyn	eg	llinoryn	eg	millyn	eg
heiddyn	eg	llinyn	eg	misolyn	eg
hicyn	eg	llipryn	eg	mochyn	eg
hiffyn	eg	llungwyn	eg	moelyn	eg
hoenyn	eg	llwydwyn	a	morgrugyn	eg
hogyn	eg	llwynogyn	eg	morllyn	eg
hulpyn	eg	llychyn	eg	moryn	eg
hulyn	eg	llyfelyn	eg	munudyn	eg
hurtyn	eg	llyfryn	eg	mwydionyn	eg
huwcyn	eg	llygedyn	eg	mwydyn	eg
hwsmyn	ell	llyngyryn	eg	mygyn	eg
hydyn	a	llyn	eg	mymryn	eg
hyfflyn	eg	llynclyn	eg	myn	bf, eg
hygryn	a	llysieuyn	eg	mynnyn	eg
hylyn	a	macyn	eg	mywionyn	eg
hymyn	eb	madruddyn	eg	namyn	ardd
hŷn + hyn	a, rhag	madyn	eg	napcyn	eg
hywyn	a	maldodyn	eg	neges-destun	eg
ieithmyn	ell	manylyn	eg	newidyn	eg
impyn	eg	marchredyn	ell	newyn	eg
iolyn	eg	marchwreinyn	eg	nionyn	eg
ioncyn	eg	marworyn	eg	nodyn	eg
iyrchyn	eg	meddwyn	eg	odyn	eg
lincyn-loncyn	adf	meddyglyn	eg	oddfyn	eg
lindysyn	eg	meheryn	ell	oedolyn	eg
locsyn	eg	meidrolyn	eg	oenyn	eg
lolyn	eg	meinyn	eg	offeryn	eg
lwmpyn	eg	melyn	a	paledryn	eg
llathrwyn	a	menyn	eg	pamffledyn	eg
llawdynn	a	merlyn	eg	patshyn	eg
llawffyn	ell	merllyn	eg	pecyn	eg
llecyn	eg	mesglyn	eg	peiswyn	eg
lledryn	eg	mesuryn	eg	peithyn	eg

pelydryn	eg
penboethyn	eg
pendduyn	eg
penfelyn	a
penllinyn	eg
penrhyn	eg
pentewyn	eg
penwyn	a
perfeddyn	eg
perthyn	be
picyn	eg
pidyn	eg
pigodyn	eg
pigyn	eg
pilcyn	eg
pilffryn	eg
pilyn	eg
pisyn	eg
planhigyn	eg
plencyn	eg
plentyn	eg
plethyn	eg
plisgyn	eg
plismyn	ell
plocyn	eg
ploryn	eg
plufyn	eg
poenyn	eg
poeryn	eg
polyn	eg
poncyn	eg
porthmyn	ell
postyn	eg
potyn	eg
priddyn	eg
pryfetyn	eg
pryfyn	eg
pryn + prŷn	a, bf

pupryn	eg
pwdryn	eg
pwlffyn	eg
pwllyn	eg
pwnshyn	eg
pwtyn	eg
pwysigyn	eg
pwythyn	eg
pysgodlyn	eg
pysgodyn	eg
rhawffyn	ell
rhecsyn	eg
rhedyn	ell
rheffyn	eg
rhewyn	eg
rhifyn	eg
rhimyn	eg
rhipyn	eg
rhisglyn	eg
rhithyn	eg
rhocyn	eg
rholyn	eg
rhosyn	eg
rhwyllyn	eg
rhwymyn	eg
saethyn	eg
sbilsyn	eg
segurddyn	eg
seguryn	eg
sgilffyn	eg
sgwaryn	eg
sgwlyn	eg
sibolsyn	eg
sibwnsyn	eg
sioncyn	eg
slumyn	eg
smotyn	eg
soflyn	eg

sopyn	eg
stalwyn	eg
stegyn	eg
stoncyn	eg
stordyn	eg
stwcyn	eg
stwmpyn	eg
sulgwyn	eg
suryn	eg
swnyn	eg
sychfoesolyn	eg
sydyn	a
symlyn	eg
syn	a
sypyn	eg
taeogyn	eg
talgudyn	eg
tarddwreinyn	eg
teclyn	eg
teflyn	eg
telpyn	eg
telyn	eb
tenewyn	eg
tennyn	eg
terfyn	eg
tewyn	eg
ticyn	eg
tipyn	eg
tlotyn	eg
tocyn	eg
toddyn	eg
tordyn	a
tosyn	eg
trecyn	eg
treiglddyn	eg
trempyn	eg
trewynyn	eg
troed-nodyn	eg

yn	
trychfilyn	eg
twbyn	eg
twffyn	eg
twlpyn	eg
twpsyn	eg
twymyn	eb
tyddyn	eg
tyn	a, bf
tywodfryn	eg
tywodyn	eg
tywyn	eg
unigolyn	eg
usyn	eg
wedyn	adf
winwnsyn	eg
wrlyn	eg
wythnosolyn	eg
ychydigyn	eg
ynghynn	a
ynglŷn	adf
ymennyn	be
ymestyn	be
ymofyn	be
ynfytyn	eg
ysbrigyn	eg
ysgadenyn	eg
ysgallyn	eg
ysglodyn	eg
ysgogyn	eg
ysgyryn	eg

ynd	
cyd-fynd	be
mynd	be

ynn	
ynn	ell

ynt	
ynt	
amdanynt	ardd
arnynt	ardd
asgellwynt	eg
atynt	ardd
cerrynt	eg
corwynt	eg
crocbynt	ell
croeswynt	eg
cynghorfynt	eg
cynt	a, adf
danynt	ardd
deheuwynt	eg
drostynt	ardd
drwyddynt	ardd
dwyreinwynt	eg
eiddynt	rhag
erddynt	ardd
ganddynt	ardd
gwrthwynt	eg
gwynt	eg
gynt	adf
gyrwynt	eg
hebddynt	ardd
helynt	eb
hynt	eb
hyrddwynt	eg
iddynt	ardd
lluwchwynt	eg
mohonynt	ardd
oeddynt	bf
ohonynt	ardd
pelmynt	ell
poethwynt	eg
rhagddynt	ardd
rhewynt	eg
tanynt	ardd
troellwynt	eg

ynt	
trostynt	ardd
trowynt	eg
trwyddynt	ardd
wrthynt	ardd
ydynt	bf
ynddynt	ardd
ŷnt	bf

yr	
-yr: Gweler -wr am -	
wyr (lluosog o -wr),	
e.e. pysgotwyr	
annifyr	a
awyr	eb
brëyr	eg
brodyr	ell
bygegyr	eg
byr	a
byrfyfyr	a
camystyr	eg
canhwyllyr	eg
cefndyr	ell
cegyr	ell
clechdyr	a
clegyr	eg
crëyr	eg
cyfyrdyr	ell
cyfystyr	a, eg
cyhyr	eg
cylchlythyr	eg
cymrodyr	ell
difyfyr	a
difyr	a
diystyr	a
ebyr	ell
egyr	bf
eryr	eg
etgyr	ell

yr	
gwesgyr	bf
gwewyr	eg
gwŷr	ell
gyr	eg
hidlyr	eg
llyngyr	ell
llythyr	eg
merthyr	eg
myfyr	eg
pybyr	a
rhagfyr	eg
talfyr	a
teimlyr	eg
tyr	bf
tystlythyr	eg
ystyr	ebg

yrc	
ffyrc	ell

yrch	
amdyrch	ell
catgyrch	eg
cilgynnyrch	eg
cynnyrch	eg
cyrch	bf, eg
dilewyrch	a
elyrch	ell
eurdyrch	ell
ffyrch	ell
hygyrch	a
isgynnyrch	eg
llennyrch	ell
llewyrch	eg
picffyrch	ell
picwyrch	ell
rhyfelgyrch	eg
tawddgyrch	eg

yrch	
teilffyrch	ell
treisgyrch	eg
tywyrch	ell
ymgyrch	eb

yrd	
tyrd	bf

yrdd	
bytholwyrdd	a
bythwyrdd	a
ceuffyrdd	ell
cilffyrdd	ell
cledrffyrdd	ell
croesffyrdd	ell
culffyrdd	ell
cyffyrdd	ell
cyrdd	ell
ffyrdd	ell
gwyrdd	a
gyrdd	ell
llwydwyrdd	a
myrdd	eg
priffyrdd	ell
rheilffyrdd	ell
traffyrdd	ell
troedffyrdd	ell

yrf	
seindyrf	ell

yrff	
cogeilgyrff	ell
cyrff	ell

yrn	
catgyrn	ell
cedyrn	all
cegyrn	ell

yrn	
cyrn	ell
cyweirgyrn	ell
chwyrn	a
dyrn	bf
esgyrn	ell
gwyrn	ell
helgyrn	ell
mallgyrn	ell
pibgyrn	ell
tefyrn	ell
utgyrn	ell

yrr	
gyrr	bf
myrr	eg
syrr	bf

yrs	
cyrs	ell

yrt	
sgyrt	eb

yrth	
ebyrth	ell
ewyrth	eg
gwyrth	eb
llongbyrth	ell
lluyrth	ell
pyrth	ell
syrth	bf, eg

ys	
anfelys	a
anhysbys	a
annilys	a
barlys	ell
basnys	ell

bawdfys	eg
berdys	ell
betys	ell
blys	eg
bocsys	ell
bocys	eg
bodfys	eg
brawdlys	eg
breinllys	eg
bribys	ell
brwsys	ell
brys	a, eg
bwydlys	eg
byrfys	eg
bys	eg
bysys	ell
cadlys	eg
canys	cys
cecys	ell
cedys	ell
ceilys	eg, ell
ciprys	be, eg
corbys	ell
crabys	ell
creulys	eb
crinllys	ell
crwynllys	eg
crys	eg
cyfarystlys	adf
cyfeirfys	eg
cyfystlys	a
chwerwlys	eg
chwydlys	eg
chwys	eg
datrys	be
dengys	bf
difrys	a
dilys	a

ys

drorsys	ell
dyrys	a
echrys	a
eirinllys	ebg
eirlys	eg
enfys	eb
erys	bf
estrys	ebg
eurllys	eg
ewyllys	ebg
ffigys	ell
garanfys	eg
gardys	eg
glaslys	eg
goferllys	eg
gorynys	eb
graeanllys	eg
gweddlys	eb
gwregys	eg
gwyddys	bf
gwyrddlys	eg
gwŷs	bf, eb
henllys	eg
hirfys	eg
hocys	ell
hysbys	a
letys	ell
lindys	eg
locsys	ell
llaethlys	eg
llewys	ell
llys	eg
maglys	eg
marblys	ell
matsys	ell
melynllys	eg
melys	a
mintys	eg

ys

myglys	eg
mynegfys	eg
nyrsys	ell
parlys	eg
pencadlys	eg
perllys	eg
poplys	ell
prys	eg
pys	ell
rasys	ell
siprys	eg
tribiwnlys	eg
trysorlys	eg
tywys	be, ell
wystrys	ell
ydys	bf
ymgiprys	be, eg
ynys	eb
ys	bf
ysbigoglys	eg
ystlys	eb

ysb

hysb	a

ysg

addysg	eb
anhyddysg	a
cenllysg	ell
cipysg	ell
cymysg	a
delysg	eg
diderfysg	a
diddysg	a
digymysg	a
dysg	bf, ebg
eurbysg	ell
gwrysg	ell

ysg

hyddysg	a
llysg	bf
mysg	eg
pysg	ell
terfysg	eg
wysg	eg
ymysg	ardd

ysgl

dysgl	eb

yst

ardyst	a
canbyst	ell
cilbyst	ell
e-byst	ell
gwrthdyst	eg
pyst	ell
tyst	eg

ystr

cebystr	eg
cellystr	ell

yt

gennyt	ardd
wrthyt	ardd

yth

byth	adf, eg
cecsyth	a
di-lyth	a
esyth	ell
garsyth	a
gwarsyth	a

yth

gwehelyth	ebg
myth	eg
nyth	ebg
syth	a
talsyth	a
torsyth	a
tragyfyth	a
unionsyth	a

ythr

ewythr	eg

yw

adfyw	a
afryw	a
amryw	a
anfyw	a
anhyglyw	a
benyw	a, eb
beryw	ell
brithryw	a
byw	a, be, eg
cadlyw	eg
cemyw	eg
clyw	eg
cnyw	eg
croesryw	a, eg
cryw	eg
cyd-fyw	be
cydryw	a
cyfryw	a
cymysgryw	a
cyw	eg
deuryw	a
diledryw	a

yw

dilyw	eg
diryw	a
distryw	eg
dryw	ebg
dynolryw	eb
eithinfyw	eg
gwryw	a, eg
gwyw	a
hyglyw	a
hyryw	a
llawlyw	eg
lledfyw	a
lledryw	a, eg
llyw	eg
madfyw	a
menyw	a, eb
meryw	ell
rhaglyw	eg
rhelyw	eg
rhyw	a, adf, ebg
syw	a
tryryw	a
uchelryw	a
unigryw	a
unrhyw	a
ydyw	bf
ystryw	eb
yw	bf, ell

ywch

clywch	bf

ywn

clywn	bf